H. G. WELLS   O DORMINHOCO

ILUSTRAÇÕES
LOUISA GAGLIARDI

TRADUÇÃO E POSFÁCIO
ALCEBÍADES DINIZ

CARAMBAIA

005		PREFÁCIO DO AUTOR PARA A EDIÇÃO DE 1921
009	I.	INSÔNIA
017	II.	O TRANSE
025	III.	O DESPERTAR
031	IV.	O SOM DE UM TUMULTO
045	V.	AS VIAS MÓVEIS
051	VI.	O SALÃO DE ATLAS
061	VII.	NOS CÔMODOS SILENCIOSOS
073	VIII.	OS TELHADOS DA CIDADE
087	IX.	O POVO MARCHA
093	X.	A BATALHA DA ESCURIDÃO
105	XI.	O VELHO QUE SABIA DE TUDO
119	XII.	OSTROG
133	XIII.	O FIM DA VELHA ORDEM
139	XIV.	DO CESTO DA GÁVEA
145	XV.	PESSOAS NOTÁVEIS
157	XVI.	O MONOPLANO
167	XVII.	TRÊS DIAS
173	XVIII.	GRAHAM RECORDA
183	XIX.	O PONTO DE VISTA DE OSTROG
191	XX.	PELAS RUAS DA CIDADE
213	XXI.	O SUBTERRÂNEO
221	XXII.	A LUTA NA CASA DO CONSELHO
233	XXIII.	GRAHAM FAZ SEU DISCURSO

239	XXIV.	ENQUANTO OS AEROPLANOS SE APROXIMAVAM
245	XXV.	A CHEGADA DOS AEROPLANOS
257		POSFÁCIO

PREFÁCIO DO AUTOR PARA A EDIÇÃO DE 1921

Este livro, *O Dorminhoco*, foi escrito em um ano remoto e comparativamente mais feliz, 1898. É o primeiro de uma série que escrevi aos poucos, com intervalos, desde aquela época: *The World Set Free*[1] foi o último. Todos eram "fantasias sobre possibilidades"; cada um capta alguma tendência ou conjunto de tendências criativas, desenvolvendo suas possíveis consequências no futuro. O romance *A Guerra no Ar* faz isso, por exemplo, com a ideia de aviação – e talvez, do ponto de vista da previsão do futuro, tenha sido o mais bem-sucedido. O presente volume utiliza certas ideias, muito discutidas no fim do século passado, a respeito do crescimento das cidades e o consequente esvaziamento do campo e a degradação do trabalho, especialmente por meio de uma organização extremamente rígida da produção industrial. "Vamos colocar essas forças em movimento" era o princípio central da história em questão.

O Dorminhoco é, sem dúvida, o homem comum que tudo conquista – ele poderia optar por apenas cuidar dessas posses – e tudo negligencia. Desperta para descobrir que é um fantoche de homens de intelecto extremamente gabaritado em um mundo que é a realização do pesadelo de Belloc, o Estado Servil[2]. E o romance desenvolve, em seu vigor imaginativo

---

[1]   Escrito em 1913 e publicado em 1914, o romance apresenta uma arma atômica de destruição em massa. [Todas as notas são desta edição, exceto menção contrária.]

[2]   No livro *The Servile State* (1912), o escritor e historiador Hilaire Belloc (1870-1953) sugere que a adoção de medidas sociais reformistas levaria o Estado do capitalismo moderno a repetir esquemas de um passado servil e escravocrata, que ele denominava "Estado Servil".

dentro do que é permitido pelas qualidades do autor, esse mundo de baixa servidão em cidades hipertrofiadas.

Esse mundo algum dia existirá?

Confesso que duvido muito. Na época em que escrevi esta história, tinha uma crença considerável na possibilidade de que ela pudesse se materializar, mas posteriormente, em *Anticipations*[3], procedi a uma cuidadosa análise das causas da concentração das cidades e percebi que um período de dispersão dos conjuntos citadinos maiores já começou. Por outro lado, a hipótese de uma sistemática e gradual escravização do trabalho organizado pressuporia uma inteligência, um poder estrutural e uma *maldade* na classe dos ricos financistas e capitães de indústria que, creio, eles não possuem e provavelmente nunca possuirão. Um corpo de pessoas que tivessem a presença de espírito e a amplitude imaginativa necessárias para organizar e sobrepujar a natural insubordinação do trabalhador teria de ter uma presença de espírito e uma amplitude imaginativa elaboradas demais, impossíveis para pôr em prática tal plano contra a humanidade. Eu era jovem, contava 32 anos, conhecera poucos homens de negócios, o que me fazia imaginá-los perversos e habilidosos. Foi apenas algum tempo depois que percebi ser o contrário mais próximo da verdade, pois, na maioria das vezes, eles eram especuladores tolos, afortunados e enérgicos, mas limitados, não maldosos mas vulgares, e praticamente incapazes de planos engenhosos em escala global ou de generosas ações combinadas. Ostrog, personagem de *O Dorminhoco*, deu lugar a um tipo mais realista quando criei o Tio Ponderevo em *Tono-Bungay*[4]. Aqui, a grande cidade não passa de um pesadelo do capitalismo triunfante, um pesadelo projetado oniricamente 25 anos atrás. Trata-se de uma possibilidade fantástica que hoje passou a ser impossível. Há muito mal disponível para a humanidade, mas até a essa imensa e sombria organização da submissão nossa espécie jamais chegará.

EASTON GLEBE, DUNMOW, 1921

---

3   *Anticipations of the Reaction of Mechanical and Scientific Progress upon Human Life and Thought*, publicado em 1901.

4   Romance de 1909 sobre as atividades do protagonista, George Ponderevo, ao lado do tio ambicioso ao lançar um tônico milagroso no mercado.

I.
INSÔNIA

Numa tarde de maré baixa, o sr. Isbister, jovem artista residente em Boscastle, caminhou da beira-mar até a pitoresca enseada de Pentargen, pois desejava examinar as cavernas existentes por lá. Na metade do caminho íngreme para a praia de Pentargen, encontrou, sem aviso, um homem sentado em uma atitude de profunda aflição debaixo de um maciço de rocha. As mãos do homem pendiam frouxas sobre os joelhos, seus olhos estavam vermelhos e miravam adiante, o rosto úmido pelas lágrimas.

Ele virou-se ao ouvir os passos de Isbister. Os dois estavam desconcertados – talvez Isbister em grau ainda maior –, de modo que, para superar a pausa desconfortável e involuntária, o artista observou, com ar de convicção, que o tempo estava bem quente, considerando a época do ano.

— Muito – respondeu brevemente o estranho e, após um segundo de hesitação, acrescentou de forma neutra: — Não consigo dormir.

Isbister parou abruptamente.

— Não? – foi tudo o que conseguiu dizer, mas seus movimentos transmitiram sua intenção prestativa.

— Pode parecer incrível – respondeu o estranho, voltando os olhos extenuados para o rosto de Isbister e enfatizando suas palavras com gestos fracos das mãos –, mas eu não consigo dormir, e isso já dura seis noites.

— E você se consultou com alguém?

— Sim. Recebi basicamente conselhos ruins. Meu sistema nervoso... Ele funciona muito bem, comparado ao da maioria. É difícil de explicar. Não me atrevo a tomar... remédios suficientemente poderosos.

— Isso torna tudo mais difícil – disse Isbister.

Ele quedou-se impotente no caminho estreito, perplexo, sem saber o que fazer. Era evidente que aquele estranho desejava se abrir. Uma ideia natural, dadas as circunstâncias, levou-o a manter a conversa.

— Nunca sofri de insônia – disse, assumindo o tom usual de bate-papo sobre lugares-comuns –, mas nos casos que conheço as pessoas geralmente encontram alguma solução...

— Não gostaria de fazer tentativas aleatórias.

O tom da resposta foi de fadiga, acompanhado de um gesto de rejeição. Por um tempo, ambos permaneceram em silêncio.

— Que tal exercícios? – sugeriu Isbister timidamente, com o olhar deslocando-se do rosto miserável de seu interlocutor para os trajes dele.

— Já andei tentando isso. Sem muita prudência, acho. Segui pela costa, dia após dia, desde Newquay. Mas apenas somei cansaço muscular à fadiga mental. A causa desse meu tormento: trabalho excessivo, problemas. Mas deve haver alguma coisa...

Interrompeu seu discurso completamente extenuado. Esfregou a testa com a mão magra. Quando voltou a falar, parecia alguém que externa para si os próprios pensamentos.

— Sou um lobo solitário, um homem sozinho que perambula por um mundo do qual ele não faz parte. Não tenho esposa nem filhos, mas quem são esses que proclamam que os que não têm ninguém são o ramo podre da árvore da vida? Não tenho esposa nem filhos, não encontro nada que me obrigue a tê-los. Não há sequer desejo em meu coração. Só uma coisa que ainda pretendia fazer.

"Pensei: eu *vou* fazer isso; e para isso, para superar a inércia que domina meu corpo, recorri aos remédios. Por Deus, já tive minha cota de medicamentos! Não sei se *você* já sentiu o pesado inconveniente do seu corpo, as solicitações exasperantes de tempo roubado à mente. Tempo – Vida! Vida! Nós vivemos fase a fase. Temos de comer e logo aguentar as cansativas complacências ou irritações da digestão. Precisamos aspirar o ar, do contrário nossos pensamentos se tornam mais lerdos e estúpidos, perdem-se em golfos isolados e becos sem saída. Mil distrações surgem de dentro e de fora, e em seguida vêm a sonolência e o sono, parece que vivemos para dormir. Tão pouco do dia é realmente nosso, mesmo no melhor dos casos! Depois temos todos esses falsos amigos, esses canalhas prestativos, os alcaloides que sufocam a fadiga natural e matam o descanso: café forte, cocaína...

— Sei – respondeu Isbister.

— Terminei o meu trabalho – disse o insone com entonação queixosa.

— E esse é o preço que você paga?

— Sim.

Por um instante os dois permaneceram em silêncio.

— Você não pode imaginar a necessidade de descanso que eu sinto, é como uma fome, uma sede. Por longos seis dias, desde que terminei meu trabalho, minha mente transformou-se em um turbilhão veloz, incessante. Uma torrente de pensamentos que não leva a lugar nenhum, em giros infinitos, cada vez mais rápidos... – fez uma pausa. — Em direção ao abismo.

— Você precisa dormir – disse Isbister decididamente, com o ar de quem descobre um remédio para curar todos os males. — Com certeza você precisa dormir.

— Minha mente está perfeitamente lúcida. Vejo tudo com a máxima clareza. Mas sei que estou sendo arrastado ao vórtice. Agora...

— Sim?

— Você já viu o que acontece com as coisas que são tragadas para o fundo de um redemoinho? Fora da luz do dia, fora desse doce mundo da sanidade, para baixo...

— Mas – protestou Isbister.

O homem lançou a mão na direção dele, os olhos selvagens, o tom de voz repentinamente alto.

— Vou me matar. Se não houver saída, no sopé do precipício sombrio, mais adiante onde as ondas são verdes com a espuma branca que sobe e desce, o pequeno fio de água deslizando no abismo. Ali, de todo modo, encontrarei... o sono.

— Mas isso é pouco razoável – continuou Isbister, alarmado pelo súbito ataque histérico do outro. — Os remédios ainda são melhores que isso.

— Ali, de todo modo, encontrarei o sono – repetiu o estranho, ignorando-o.

Então Isbister olhou diretamente para ele.

— Não é certeza, você deve saber – prosseguiu. — Há um precipício parecido em Lulworth Cove, da mesma altura, na verdade, e uma menina caiu dele, direto do topo para o fundo. Ela está viva até hoje, saudável e perfeita.

— Mas e as pedras?

— Pode-se passar uma noite lúgubre deitado sobre elas, os muitos ossos quebrados agitados por tremores de frio enquanto a água gelada se esparrama pelo corpo estatelado. Que tal?

Os olhos dos dois encontraram-se.

— Peço desculpas por perturbar seus planos – disse Isbister, percebendo uma brilhante e perversa ideia surgir. — Mas um suicídio naquele penhasco (ou em qualquer penhasco, na verdade), em minha opinião de artista, é tão... – e riu – terrivelmente amador.

— Mas qual a solução? – redarguiu irritado o insone. — Qual a solução? Não há ser humano que se mantenha são se noite após noite...

— Você percorreu a costa sozinho?

— Sim.

— Não foi uma decisão muito esperta, se você me permite dizer. Sozinho! Consumir o corpo não é a cura para a mente exausta. Quem lhe aconselhou isso? Imagine só: caminhar! Com o sol queimando sua cabeça, o calor, a exaustão, o isolamento. Um dia inteiro assim, e depois creio que você foi para a cama e tentou dormir para valer, certo?

Isbister interrompeu sua fala enquanto contemplava indeciso o sofredor diante dele.

— Olhe só essas pedras! – gritou o homem sentado com uma força repentina impulsionando seus gestos. — Olhe para o mar, eternamente brilhante e fluido! A espuma branca que se move rápida para a escuridão no fundo do penhasco. A abóbada azul, o sol ofuscante que lhe serve de domo. Esse é o seu mundo. Você o aceita e se alegra com ele, que fornece calor, suporte, alegria. E para mim...

Virou a cabeça para exibir um rosto fantasmagórico, olhos pálidos, vermelhos, injetados, e lábios exangues. Falava quase como se sussurrasse.

— Essa é a forma como a minha miséria se apresenta. O mundo todo... é a vestimenta da minha miséria.

Isbister olhou primeiro para toda a beleza selvagem das falésias ensolaradas e depois para aquela cara de desespero. Por um momento, ficou em silêncio.

Depois voltou a falar, com um gesto de impaciência.

— Você terá sua noite de sono – disse –, e você não verá mais tanta miséria. Dou minha palavra.

Teve certeza absoluta de que aquele encontro fora providencial. Cerca de meia hora antes, o que sentia era um enfado esmagador. Agora se empenhava pensando se não era o momento justo para uma salva de palmas para si próprio. Agarrou a oportunidade com presteza. A primeira necessidade daquele ser exausto era companhia. Atirou-se ao relvado, cuja inclinação era acentuada, para sentar-se ao lado da figura imóvel, usando como primeiro movimento uma torrente linear de trivialidades.

Seu ouvinte logo caiu na apatia. Olhava melancolicamente para o mar, falando apenas quando alguma pergunta direta de Isbister o exigia – isso quando o fazia. Mas não fez nenhuma objeção a tal benevolente intromissão em seu desespero.

Na verdade, parecia mesmo grato. Quando Isbister, sentindo que o vigor de seu quase monólogo findava, sugeriu que deveriam subir a escarpa em direção a Boscastle, mencionando a vista em Blackapit, ele acatou a ideia silenciosamente. No meio do caminho, começou a falar sozinho e, de repente, virou o rosto fantasmagórico para seu salvador.

— O que está acontecendo? – foi sua pergunta, acompanhada de um gesto ilustrativo com a mão esquelética. — O que está acontecendo? Girar, girar, girar, girar. São voltas e voltas, voltas e voltas sem fim.

A mão continuava o gesto cíclico.

— Está tudo bem, meu velho – respondeu Isbister, assumindo um ar de amigo das antigas. — Não se preocupe, confie em mim.

O homem abaixou a mão. Passaram pelo topo, no promontório em Penally, com o insone sempre gesticulando, dizendo frases fragmentárias produzidas pelo redemoinho em que seu cérebro se transformara. Na parte mais alta, sentaram-se em um banco que permitia contemplar os mistérios negros de Blackapit. Isbister retomou a conversa assim que o caminho se alargou o suficiente para que andassem lado a lado. Ponderava sobre a dificuldade de chegar ao porto de Boscastle com mau tempo quando subitamente – e por motivo irrelevante, aliás – seu companheiro interrompeu-o outra vez.

— Minha cabeça já não é como antes – começou. — Não é mais o que era. Há um tipo de opressão, um peso. Não, não é sonolência, quem dera fosse! É mais parecido com uma sombra, uma sombra escuríssima que cruza, veloz e direta, por meio de algo dinâmico. Girando, girando na escuridão. O tumulto do pensamento, a confusão, o turbilhão e o redemoinho. Não posso expressar tudo isso. Mal consigo focar minha mente em tudo isso, ao menos com a clareza necessária para dizer alguma coisa a você.

Parou debilmente.

— Sem problemas, meu velho – disse Isbister. — Acho que entendo o que você diz. De qualquer maneira, não me importaria se agora você apenas me contasse o que sente.

O insone, com alguma brutalidade, levou as mãos aos olhos, esfregando-os. Isbister falava enquanto o ato de fricção prosseguia. Foi quando teve uma nova ideia.

— Venha para o meu quarto – disse – e tente fumar um cachimbo. Também posso mostrar meus esboços de Blackapit, se você quiser.

O outro levantou-se obedientemente e seguiu-o pela encosta.

Isbister ouviu seu companheiro tropeçar várias vezes conforme desciam, seus movimentos eram lentos e hesitantes.

— Venha comigo – disse Isbister –, vamos tentar alguns cigarros e o abençoado efeito do álcool. Você bebe?

O estranho hesitou no portão. Ele parecia não ter mais consciência de suas ações.

— Não bebo – respondeu bem devagar ao ingressar no caminho do jardim e, após um breve intervalo, repetiu de forma ausente: — Não, não bebo. Tudo continua girando, girando...

Ele tropeçou na soleira da porta e entrou como quem não enxerga quase nada.

Depois se sentou pesadamente na poltrona. Inclinou-se para a frente, cobrindo o cenho com as mãos, imóvel. Emitia um som abafado pela garganta.

Isbister movia-se nervosamente pelo quarto como um anfitrião inexperiente, resmungando breves observações que não requeriam respostas. Cruzou o cômodo para alcançar sua pasta de papéis, percebendo no caminho o relógio de canto de mesa.

— Não sei se você se importaria em jantar comigo – disse com um cigarro apagado nas mãos, a mente ocupada com ideias de como realizar uma manipulação discreta de cloral. — Tenho apenas carne de carneiro fria, infelizmente, mas está ótima. Bem galesa. E torta também, creio eu – repetiu após um silêncio momentâneo.

O homem sentado não deu nenhuma resposta. Isbister parou, com o fósforo entre os dedos, observando-o.

A imobilidade da cena prolongou-se. O fósforo extinguiu-se, o cigarro foi colocado em um canto, ainda apagado. O visitante estava, com toda a certeza, quieto demais. Isbister pegou sua pasta, abriu-a, largou-a, hesitou. "Quem sabe...", sussurrou em dúvida. Olhou para a porta e de volta para a figura na poltrona. Saiu do quarto na ponta dos pés, olhando sempre seu visitante depois de cada passo em complicado ritmo silencioso.

Fechou a porta do cômodo com o mínimo de ruído possível. A porta da casa permanecia aberta, o que permitiu que fosse até a varanda, no ponto em que o acônito crescia na extremidade do canteiro. Dali, conseguia enxergar o estranho pela janela aberta, rígido e sombrio, sentado com as mãos sustentando a cabeça. Ele não se mexera.

Algumas crianças que percorriam a estrada pararam para observar o artista com curiosidade. Um barqueiro trocou cumprimentos com ele. Sentia que, possivelmente, sua atitude circunspecta e o local em que estava pareciam peculiares e inexplicáveis. Se estivesse fumando, a coisa toda talvez fosse vista com naturalidade. Tirou do bolso os apetrechos de fumar e começou lentamente a encher o interior do cachimbo.

— Eu me pergunto se... – disse com uma perda quase imperceptível de complacência. — De qualquer forma, alguém tinha de dar uma chance a ele – riscou um fósforo de maneira viril e acendeu o cachimbo.

Ouviu a proprietária aproximando-se às suas costas, vinda da cozinha, com uma lamparina acesa. Virou-se, gesticulando com o cachimbo, fazendo-a parar na porta da sala de estar. Teve alguma dificuldade para explicar a situação na base dos sussurros, uma vez que ela não sabia que ele tinha um visitante. Ela retirou-se com sua lamparina, algo perplexa a julgar pela sua atitude, enquanto ele continuou em seu posto de guarda no canto da varanda, ruborizado e menos à vontade.

Muito tempo depois de fumar o cachimbo, quando os morcegos voavam pela propriedade, a curiosidade dominou o amontoado complexo de hesitações e ele esgueirou-se de volta para a sala de estar totalmente dominada pela escuridão. Parou bem na soleira da porta. O estranho permanecia na mesma posição, um vulto negro que se projetava contra a janela. Com exceção da cantoria de alguns marinheiros que subiam a bordo dos pequenos navios de transporte no porto mais próximo, a noite estava bastante calma. Do lado de fora, os espinhos do acônito e das esporas-bravas surgiam como silhuetas eretas e imóveis na encosta sombria. Algo brilhou na mente de Isbister: sobressaltado, inclinou-se sobre a mesa, ouvindo atentamente o que podia. Uma suspeita desagradável cresceu até se tornar convicção. O espanto, por sua vez, transformou-se em pavor!

Nenhum som de respiração vinha da figura sentada!

Cuidadosa e silenciosamente, rastejou para dar a volta na mesa, parando duas vezes para escutar. Finalmente alcançou a parte de trás da poltrona. Curvou-se até que as duas cabeças praticamente ficaram orelha a orelha.

Curvou-se ainda mais para olhar o rosto do visitante. Levou um violento susto e soltou uma exclamação: seus olhos eram espaços vazios esbranquiçados.

Olhou novamente e viu que eles estavam abertos, as pupilas retraídas abaixo das pálpebras. Agora ficara assustado de fato. Pegou o homem pelos ombros e sacudiu-o.

— Você está dormindo? – perguntou em tom de voz agudo, depois novamente: — Você está dormindo?

Estava convicto de que o homem estava morto. Tornou-se, assim, mais agitado e barulhento. Caminhou pelo cômodo, tropeçando na mesa, e soou uma sineta.

— Traga luz, por favor, o mais rápido possível – disse no corredor. — Há algo errado com meu amigo.

Voltou para ficar ao lado da figura sentada, imóvel: ele agarrava-a, sacudia pelos ombros, gritava. O quarto foi inundado por um brilho amarelo quando a proprietária entrou com a luz. Um rosto pálido voltou-se para ela, piscando os olhos.

— Preciso buscar um médico – ele disse. — Está morto ou inconsciente. Há algum médico no vilarejo? Onde posso encontrar um médico?

II.
O TRANSE

O estado de rigidez cataléptica no qual aquele homem se encontrava persistiu por um longo período sem precedentes, para depois se transformar, lentamente, em um estado de maior flacidez, uma postura lassa que sugeria repouso profundo. Nesse momento, foi possível fechar-lhe os olhos.

Ele foi transferido da pensão para o hospital de Boscastle e dali, após algumas semanas, para Londres. Mas o estado de letargia resistiu aos esforços de reanimação. Depois de algum tempo, por motivos que posteriormente farão sentido, tais tentativas foram interrompidas. Permaneceu, portanto, nesse estado estranho – inerte, nem vivo nem morto, mas suspenso entre o nada e a existência – por longuíssimo tempo. Ele ingressou em uma escuridão jamais quebrada por um único raio de sensação: era a inanição sem sonhos, um espaço gigantesco sem um traço de perturbação. O tumulto no qual a mente do homem mergulhara inchou até encontrar esse clímax abrupto de silêncio. Onde ele estaria? Em que lugar se encontra alguém que atingiu tal estado de insensibilidade?

— Parece que foi ontem – dizia Isbister. — Lembro-me como se tudo tivesse acontecido ontem, talvez com mais clareza do que se tivesse realmente acontecido ontem.

Era o mesmo Isbister que vimos no capítulo anterior, embora já não fosse tão jovem. O cabelo, antes castanho e bem longo – um pouco mais comprido do que ditava a moda –, adquirira um tom cinzento acerado e um corte rente, enquanto o rosto, rosado e pálido naquela época, agora era amarelado e vermelho. Usava uma barba pontuda e cinzenta. Conversava com um homem mais velho, vestido com um traje de veraneio feito de algodão cru (o calor no verão daquele ano foi particularmente intenso). Tratava-se de Warming, um advogado de Londres que representava parentes próximos de Graham, o homem que havia caído em transe. Os dois permaneciam lado a lado, nesse quarto de uma casa londrina, contemplando o sujeito deitado.

Este era uma figura amarela, que jazia lassa em uma cama sobre um colchão de água, metida em camisas largas. Seu rosto era enrugado e a barba, espessa. Tinha os membros magros, as unhas longas. Cercando a cama e o ser que nela havia, um invólucro de vidro fino. O vidro parecia separar o dorminhoco da realidade e da vida ao redor dele. Ele estava apartado, era um ser estranho, uma anomalia isolada. Os dois homens permaneciam bem próximos do vidro, observando.

— A coisa toda me deu um baita susto – retomou Isbister. — Ainda sinto uma espécie de surpresa assustadora quando penso nos olhos brancos dele. Eles estavam brancos, sabe, virados totalmente para cima. Ao vir aqui, tudo volta à minha mente.

— Você não o visitou desde então? – perguntou Warming.

— Tentei algumas vezes – respondeu Isbister –, mas os negócios andam muito complicados e sérios para um passeio de fim de semana. Estou na América quase o tempo todo.

— Se me lembro bem – disse Warming –, você é um artista, não?

— Eu era. Daí me casei. Percebi que o preto e branco estava com os dias contados, pelo menos para um medíocre como eu, e foi então que decidi embarcar na nova onda. Esses cartazes que se veem nas falésias de Dover foram feitos pelo meu pessoal.

— São belos cartazes – admitiu o advogado –, embora eu lamente vê-los justo ali.

— Duradouros como as falésias, se necessário for – exclamou Isbister com satisfação. — O mundo muda. Quando esse sujeito adormeceu, vinte anos atrás, eu estava em Boscastle com uma caixa de aquarelas e uma ambição nobre, antiquada. Não esperava que um dia meus pigmentos glorificariam toda a abençoada costa da Inglaterra, de Land's End até Lizard. A sorte aparece sempre quando você não está esperando.

Warming parecia duvidar da qualidade da tal sorte.

— Se me lembro bem, creio que não cheguei a vê-lo.

— Você voltou usando o mesmo tílburi que havia me levado para a estação de trem de Camelford. Estávamos chegando perto da data do jubileu da rainha Vitória, pois me lembro das cadeiras e das bandeiras em Westminster, da fila de condutores em Chelsea.

— Foi o Jubileu de Diamante – disse Warming –, o segundo.

— Ah, sim! Este mesmo, aquele dos 50 anos, eu estava em Wookey, era apenas um garoto. Perdi toda a agitação da época... Também, estava totalmente envolvido na confusão em torno do nosso dorminhoco ali! A proprietária não queria que ele permanecesse na pensão de forma alguma, a rigidez dele era bem perturbadora. Tivemos de carregá-lo em uma cadeira até o edifício principal. O médico de Boscastle, não o médico atual, mas o clínico anterior, ficou com ele até perto das duas da manhã, a proprietária e eu fornecendo a iluminação necessária.

— Quer dizer que ele estava imóvel e rígido?

— Rígido! Não importava como você curvasse o corpo dele. Se tentasse equilibrá-lo de cabeça para baixo, seria fácil. Nunca tinha visto tanta rigidez antes. Agora, sem dúvida – indicou com a cabeça a figura prostrada diante deles –, é tudo bem diferente. E o tal doutor... Qual era o nome dele mesmo?

— Smithers?

— Isso mesmo, Smithers. Ele foi completamente equivocado em suas tentativas de trazê-lo de volta de forma muito abrupta, tendo em vista o que estava acontecendo. As coisas que ele fez! Mesmo agora, elas me fazem sentir... Argh! Mostarda, rapé, picadas. E uma dessas coisinhas infernais, não são dínamos, acho...

— Bobinas.

— Sim. Quando ele usou isso, foi possível ver os músculos vibrando e saltando, e o corpo todo do coitado se retorcendo. Na época, havia apenas duas velas amareladas, e todas as sombras estavam tremendo. O doutorzinho estava muito nervoso e insolente, e *ele*... rígido e retorcido, da maneira mais antinatural possível. Ainda sonho com isso.

Pausa.

— Trata-se de um estado muito incomum – disse Warming.

— É uma espécie de ausência total – respondeu Isbister. — Temos aqui o corpo, vazio. Não está morto nem vivo. É como um lugar vago marcado como "ocupado". Não há sensações nem digestão ou batimentos cardíacos, a mínima palpitação sequer. Isso me faz sentir que não há um homem aí dentro. Em certo sentido, ele está mais morto que os mortos, uma vez que os médicos me disseram que até o cabelo dele parou de crescer. Ora, em um cadáver de verdade o cabelo continua crescendo...

— Eu sei – disse Warming com um lampejo de dor em sua expressão. Espreitaram pelo vidro novamente. Graham apresentava uma condição estranha, na fase menos rígida do transe, mas de um transe sem precedentes na história da medicina. Transes duravam no máximo um ano e o resultado, ao fim desse período, era o despertar ou a morte – algumas vezes o primeiro, logo acompanhado da segunda. Isbister percebeu as marcas que os médicos tinham feito para injetar alimentação, um recurso para adiar o colapso do corpo imóvel. Indicou essas marcas a Warming, que vinha fazendo esforço para não vê-las.

— E enquanto ele esteve aí deitado – começou Isbister, deixando fluir o entusiasmo de uma vida gasta sem parcimônia – mudei meus planos de vida. Casei e constituí família. Meu menino mais velho (antes nem sequer pensava em ter filhos) detém a cidadania americana e está ansioso para terminar seus estudos em Harvard. Meu cabelo já está bem grisalho, enquanto aquele homem ali não parece um dia sequer mais velho, ou talvez mais sábio, que eu em meus dias de mancebo. É algo curioso de se pensar.

Warming virou o rosto.

— Também eu envelheci. Jogava críquete com ele quando ainda era apenas um garoto. E ele ainda parece bem jovem. Amarelo demais, talvez. Mas ainda é um jovem, sem dúvida.

— E também tivemos a guerra – disse Isbister.

— Do início ao fim.

— Pelo que entendi – recomeçou Isbister, após nova pausa –, ele tinha lá suas posses, não é verdade?

— Sim, é verdade – respondeu Warming. Tossiu de leve, significativamente. — Calhou que eu ficasse encarregado disso.

"*Ah!*" foi o pensamento de Isbister, que hesitou um pouco antes de começar a falar.

— Acho que mantê-lo aqui não deve ser muito caro... Essas posses devem ter aumentado de alguma forma, não?

— Aumentaram. Quando ele acordar, se acordar, estará em situação muito mais confortável se comparada com a de quando o transe começou.

— Como um homem de negócios que sou – disse Isbister –, essas questões costumam naturalmente surgir em minha mente. De fato, cheguei até mesmo a pensar que, em termos estritamente comerciais, é claro, esse sono pode ter sido uma coisa favorável a ele; que ele sabia o que lhe estaria reservado, digamos assim, por estar há tanto tempo inconsciente. Se tivesse vivenciado todos esses últimos anos...

— Creio que ele não teria sido assim tão premeditado – respondeu Warming. — Não era exatamente um homem de visão. Para falar a verdade...

— Sim?

— Nós costumávamos discutir bastante nesse sentido. Para ele, eu era uma espécie de tutor. Você deve estar cansado de ver casos semelhantes em que esse tipo de relação causa certo atrito. De qualquer forma, mesmo que fosse esse o caso, ainda resta a dúvida de que um dia ele voltará a acordar. O sono deve se esgotar de qualquer forma, mas o faz muito devagar. Aparentemente, ele desliza aos poucos, um movimento quase imperceptível, tedioso, ao longo de uma encosta enorme, se é que me entende.

— Será uma pena perder a surpresa dele. Houve inúmeras mudanças nesses vinte anos. É como se Rip Van Winkle[1] se tornasse real.

— De fato, houve muitas mudanças – respondeu Warming. — Entre outras coisas, também eu mudei. Agora sou um velho.

Isbister fez uma pausa e depois prosseguiu fingindo uma surpresa tardia.

— Mal se nota.

— Eu tinha 43 anos quando o gerente da conta dele – lembre-se de que foi você quem telegrafou a ele – me chamou.

— Consegui o endereço no talão de cheques que ele levava no bolso – lembrou Isbister.

— Então não é difícil calcular minha idade atual – disse Warming.

Houve uma nova pausa prolongada, interrompida quando Isbister não resistiu à sua inevitável curiosidade.

— Ele pode continuar nesse estado por muitos anos – disse com alguma hesitação. — Precisamos ter esse fato em vista. Suas propriedades podem, quem sabe, um dia acabar caindo... nas mãos de alguém, quem sabe.

— Acredite em mim, caro Isbister, quando afirmo que esse é um dos problemas que mais me afligem. O acaso nos colocou nessa situação, uma

---

1   No conto de mesmo título, escrito por Washington Irving (1783-1859) para seu livro *The Sketch-Book of Geoffrey Crayon* (1820), o protagonista adormece nas montanhas Catskill e só volta a acordar vinte anos depois.

II. O TRANSE

vez que não temos muitos conhecidos dignos de confiança. Trata-se de uma situação complicada, inaudita.

— Deveras – disse Isbister.

— Para mim, parece ser o caso de eleger uma espécie de órgão público, um tipo de tutor que assuma a função até que ele morra. Se ele realmente continuar a viver, como creem alguns dos médicos que estudam o caso. A propósito, consultei alguns funcionários de serviços públicos a respeito disso, mas não consegui nenhuma solução para o problema até agora.

— Realmente, não seria má ideia deixar a tutela dele nas mãos de órgãos públicos. Estava pensando, por exemplo, no British Museum ou no Royal College of Physicians[2]. Isso soa um pouco estranho, eu sei, mas a situação toda é muito, muito estranha.

— A dificuldade maior está em convencê-los a cuidar dele.

— Muita burocracia, não é mesmo?

— Até certo ponto.

Pausa.

— Não podemos negar que é tudo muito estranho – disse Isbister –, mas os juros compostos têm aí um meio de crescer.

— Creio que sim – disse Warming. — E, agora que as reservas de ouro estão em baixa, existe uma forte tendência de... valorização.

— Sim, percebo – disse Isbister com um trejeito disfarçado. — Mas essa situação pode ser ainda melhor para *ele*.

— *Se* ele acordar.

— Se ele acordar – repetiu Isbister. — Percebeu a aparência pisada do nariz? E como as pálpebras estão fundas?

Warming observou e refletiu por alguns instantes. Por fim, afirmou:

— Duvido que ele acorde algum dia.

— Nunca entendi o que de fato aconteceu – começou Isbister –, como ele chegou a esse estado. Ele me disse algo sobre estudo excessivo. Mas sempre tive curiosidade em saber exatamente o que ele fazia.

— Ele era um homem de talentos consideráveis, mas agitado e emotivo demais. Tinha problemas familiares bem graves: divorciara-se de sua esposa e, penso eu, como alívio para essa situação, abraçou as visões políticas mais raivosas. Era um radical fanático, um socialista, ou um liberal típico avançado, como eles costumam se autodenominar. Era enérgico,

---

2   Uma das mais antigas faculdades de medicina da Inglaterra, fundada em 1518.

volúvel, indisciplinado. Trabalhar demais para responder a uma controvérsia causou-lhe isso. Lembro-me do panfleto que ele escreveu, obra muito curiosa. Coisa violenta, atordoante. Havia algumas profecias. Algumas delas já foram refutadas, outras viraram fatos consumados. Mas ler teses como a dele é basicamente dar-se conta de como o mundo está repleto de elementos imprevisíveis. Ele terá muito a aprender e a desaprender quando acordar. Se esse despertar, realmente, algum dia chegar.

— Daria tudo para estar aqui – disse Isbister –, apenas para ouvir o que ele teria a dizer depois de tudo.

— Eu também – respondeu Warming. — Ora! Eu também! - e completou sob o efeito de um repentino fluxo de autopiedade, típico dos mais velhos: — Mas creio que nunca o verei acordar.

Observou pensativo a figura que parecia feita de cera.

— Não vai acordar nunca – disse por fim, suspirando. — Ele não vai despertar jamais.

024   O DORMINHOCO

III.
O DESPERTAR

Mas Warming estava errado a esse respeito. O despertar veio.

Foi algo complexo e maravilhoso! Essa simples e aparente unidade, o ser! Quem poderia rastrear os passos da constante reintegração pela qual passamos quando acordamos toda manhã, o fluxo e a confluência de inumeráveis fatores que se entrelaçam em um processo de reconstrução, o obscuro frêmito inicial da alma, o crescimento e a síntese do inconsciente para o subconsciente, a aurora do subconsciente que é a consciência, até por fim chegar o momento em que nos reconhecemos de novo? E, como acontece com a maioria de nós após uma noite de sono, o mesmo ocorreu com Graham ao fim de seu vastíssimo torpor. Uma névoa de sensações indistintas adquiriu forma, uma nebulosa melancolia, e logo ele se encontrava ligeiramente consciente de seu corpo, aniquilado, fraco, mas vivo.

A peregrinação rumo ao ser individual, no caso presente, deve ter exigido a travessia de vastos golfos, a duração de eras. Sonhos gigantescos, que eram realidades tenebrosas no momento, esvaeciam deixando memórias vagas e perplexas, criaturas estranhas, cenários estranhos, como fragmentos de outro planeta. Também houve uma nítida impressão de uma discussão em tom grave, de menções obscuras e recorrentes de um nome – mas ele não saberia dizer que nome seria esse –, de uma perturbadora e esquecida sensação de funcionamento das veias e dos músculos, da lembrança de um esforço desesperado – o esforço de sobrevivência de um homem mergulhado na escuridão. Depois surgiu um panorama de uma fascinante confluência de diferentes cenas...

Graham deu-se conta de que seus olhos se abriam e observavam algo que parecia pouco familiar.

Era alguma coisa esbranquiçada, uma borda, uma moldura de madeira. Moveu levemente a cabeça, seguindo o contorno dessa forma. Estava acima, além do alcance de seus olhos. Tentava adivinhar onde poderia estar. Isso importava, tendo em vista a miserabilidade de sua condição? As cores de seu pensamento adquiriam as tonalidades da depressão mais negra. Sentia uma tristeza incolor, a mesma que acomete quem desperta durante a aurora. Seus sentidos incertos captavam sussurros e passos que recuavam apressadamente.

O movimento de sua cabeça envolveu certa percepção de extrema debilidade física. Supunha que estava na cama do hotel localizado sabe-se Deus onde no vale – mas não conseguia se recordar da estranha moldura branca. Devia ter pegado no sono. Lembrou que desejava ardentemente dormir. Revisitava mentalmente o penhasco e a cascata, recuperou vagamente a conversa com um passante...

Quanto tempo dormira? O que era aquele som de passadas? E aquele ruído que ia e vinha, como o barulho das ondas na arrebentação? Dirigiu a mão fraquejante na direção de alguma cadeira ou móvel, onde geralmente colocava seu relógio, mas tocou uma superfície dura e lisa como vidro. Isso era tão inesperado que ele tomou um susto violento. Imediatamente, virou-se, os olhos bem atentos enquanto lutava para se sentar na cama. Tratava-se de um esforço inesperadamente árduo, que o deixava ainda mais zonzo e fraco – além de espantado.

Esfregou os olhos. Os murmúrios e sons ao seu redor continuavam confusos, mas sua mente já havia clareado – era evidente que o sono o beneficiara nesse sentido. Aquilo em que ele repousava nu estava longe de ser uma cama, mas sim um colchão macio e mole, dentro de um recipiente de vidro escuro. O colchão parecia ser, ao menos em parte, transparente, fato que lhe trouxe uma imediata sensação de insegurança, e abaixo dele havia um espelho que o refletia como um duplo cinza. Em seu braço – percebeu, chocado, como sua pele estava estranhamente seca e amarelada – estava preso um curioso aparato de borracha de forma tão engenhosa que parecia atravessar sua pele de cima para baixo. O colchão, agora via com mais clareza, estava contido em uma caixa de vidro de tom esverdeado (ao menos lhe parecia), com uma haste branca sustentando a estrutura, elemento que tanto chamara sua atenção no primeiro momento. No canto da caixa havia um dispositivo cintilante e delicado, dotado de instrumentos que pareciam completamente estranhos ao recém-desperto, embora um termômetro de máxima e mínima fosse reconhecível.

A coloração verde e algo opaca da substância semelhante a vidro que o cercava obscurecia o universo do outro lado dessa barreira, mas lhe foi possível perceber que estava em um cômodo vasto, esplêndido, encimado por uma arcada branca larga e simples logo adiante. Próximo das paredes dessa gaiola estavam dispostos artigos de mobiliário, uma mesa coberta com um tecido prateado como o flanco de um peixe, além de um par de cadeiras graciosas. Sobre a mesa, alguns pratos cheios de substâncias, uma garrafa e dois copos. Ocorreu-lhe que estava faminto.

Não conseguia ver ninguém. Após uma breve hesitação, saltou de cima do colchão translúcido e tentou firmar-se de pé no piso imaculadamente branco de seu pequeno aposento. Mas calculara mal a própria força: cambaleou e precisou apoiar-se na superfície semelhante a vidro para conseguir ficar em pé. Inicialmente, tal painel resistiu à sua mão, inclinando-se para o lado de fora como uma bexiga que se dilata, até que estourou com um ruído quase imperceptível e desapareceu. Cambaleou espantado pelo espaço do cômodo, grande como um salão. Teve de se apoiar na mesa – derrubando um dos copos no chão; ele rachou, fazendo um belo barulho ao cair, mas não quebrou – e se sentar em uma das poltronas.

Depois de se recuperar um pouco, encheu o copo remanescente com o conteúdo da garrafa e bebeu – tratava-se de um líquido incolor, mas não era água, uma vez que apresentava aroma e sabor suaves e agradáveis, além de propiciar certa recuperação imediata das forças que lhe faltavam. Colocou o copo de volta na mesa e contemplou o que havia ao redor.

O cômodo nada perdera de seu tamanho e imponência agora que não estava mais dentro da caixa esverdeada transparente. A arcada que vira antes conduzia a um lance de escadas descendente, sem a intermediação de uma porta, que levava até uma espaçosa passagem transversal cuja extensão era acompanhada por pilares de superfície polida, feitos de algum tipo de material verde-escuro e azulado como o mar, sulcado por veios brancos. Através dessa passagem, chegavam sons de movimentação humana: vozes, um burburinho persistente. Continuou sentado, agora totalmente desperto, ouvindo os sons com atenção, desviando o foco das provisões.

027 III. O DESPERTAR

Repentinamente veio o sobressalto da consciência da própria nudez. Buscou pelas proximidades algo que servisse para cobri-lo. Encontrou uma espécie de manto, grande e preto, jogado em uma das cadeiras ao lado dele. Enrolou-se com essa proteção improvisada antes de se sentar novamente, tremendo.

Sua mente tentava sobrepujar a perplexidade crescente. Era evidente que adormecera e fora transportado durante o sono. Mas para onde? E quem eram essas pessoas, a multidão mais ou menos distante que parecia se concentrar depois dos pilares azul-esverdeados? Estaria em Boscastle? Encheu o copo e bebeu mais um pouco do líquido incolor.

Que lugar era esse? Um local que parecia palpitar sutilmente, como uma coisa viva? Buscou ao redor alguma referência, no cômodo limpo e belo, purificado de ornamentação excessiva. Percebeu que o teto era atravessado em determinado local por uma ponta circular iluminada. Enquanto olhava diretamente para essa peculiaridade do teto, uma sombra longilínea e veloz surgiu e passou, voltou e passou por ele de novo. A sombra voadora possuía um som próprio, mais baixo, algo como "flape, flape!", que quase não se destacava dos ruídos confusos do ambiente.

Desejava chamar alguém, pedir auxílio, mas apenas um leve tremor emergiu de sua garganta. Então se levantou e, com as passadas trôpegas de um bêbado, caminhou na direção da arcada. Cambaleou escada abaixo, tropeçou na barra de seu manto preto improvisado e se salvou da queda agarrando-se a um dos pilares azul-esverdeados.

A passagem descia até uma vista fria, azul e púrpura, terminando remotamente em um espaço cercado, como uma sacada iluminada que se projetava em um local enevoado, algo como o interior de um edifício gigantesco, para além do qual era possível ver formas arquitetônicas vagas e vastas. O tumulto de vozes agora era claro e distinto, e na sacada, de costas para ele, gesticulando em animada conversa, havia três figuras, ricamente vestidas com roupas folgadas e confortáveis, de cores claras e amenas. O barulho da turba de gente espalhava-se pela sacada, e em determinado momento o pedaço de uma bandeira pareceu surgir no campo de visão, e em outro um objeto colorido brilhante, que talvez fosse um boné ou algum tipo de roupa azul-clara, passou voando pelo ar e caiu. A algazarra soava em inglês e nela existia a repetição da palavra "Acordar!". Ele ouviu gritos estridentes indistintos quando, de repente, os três homens na sacada começaram a rir.

— Ha, ha, ha! – gargalhou um rapaz ruivo que trajava um manto curto de cor púrpura. — Quando o Dorminhoco acordar. *Quando!*

O rapaz voltou os olhos cheios de contentamento para o corredor. Logo seu rosto mudou, seu corpo inteiro mudou, tornou-se rígido. Os outros dois viraram-se rapidamente após a transformação do primeiro e ficaram imóveis. Os rostos assumiram uma expressão de consternação, uma expressão que se acentuou até o temor.

Sem aviso, os joelhos de Graham dobraram-se violentamente, o braço que ele mantinha apoiado no pilar escorregou de frouxidão, ele cambaleou para a frente e seu rosto atingiu o chão.

IV.
O SOM DE UM TUMULTO

A última lembrança de Graham antes de desmaiar foram sinos tocando. Soube depois que ficou totalmente inconsciente, entre a vida e a morte, por cerca de uma hora. Quando recobrou a consciência, estava de volta a seu colchão translúcido e havia um desconfortável formigamento em seu coração e em sua garganta. Viu que o aparato negro havia sido removido de seu braço, que agora estava enfaixado. A moldura branca ainda circundava sua cama, mas a substância esverdeada e transparente se fora. Um homem trajando um manto violeta-escuro, que era um dos sujeitos que estavam na sacada, observava seu rosto atentamente.

Havia o clamor de sinos, remoto mas insistente, somando-se a uma confusão de sons que sugeria a imagem de uma grande aglomeração de pessoas gritando ao mesmo tempo. Algo pareceu cortar todo esse tumulto, uma porta fechou-se de repente.

Graham moveu a cabeça.

— O que significa tudo isso? – disse com lentidão. — Onde estou?

Olhou para o ruivo que o descobrira primeiro. Uma voz pareceu perguntar o que é que ele havia dito, e foi abruptamente silenciada.

O homem de manto violeta respondeu, com voz suave, em um inglês marcado por certo sotaque estrangeiro (ao menos aos ouvidos do Dorminhoco):

— Você está seguro agora. Foi trazido para cá de onde adormeceu. Este lugar é bastante seguro. Você está aqui há algum tempo, dormindo. Em um transe.

Disse mais alguma coisa que Graham não conseguiu escutar, enquanto manipulava um frasco. Graham sentiu uma borrifada líquida, fria, uma névoa perfumada que cobriu sua testa por um momento. Sentia-se agora mais revigorado. Fechou os olhos satisfeito.

Assim que voltou a abri-los, Graham ouviu a pergunta: "Melhor?", feita pelo homem de violeta. Era um sujeito de aparência agradável, em seus 30 anos talvez, com uma barba loira pontuda e um distintivo de ouro no colarinho do manto violeta.

— Sim – respondeu Graham.

— O senhor dormiu por algum tempo. Tratava-se de um transe cataléptico. Já ouviu falar nisso? Catalepsia? Pode parecer estranho a princípio, mas garanto que não há com o que se preocupar.

Graham não respondeu, mas essas palavras serviram a seu propósito tranquilizador. Seus olhos percorreram o rosto das três pessoas próximas. Todas o olhavam com estranheza. Sabia que provavelmente estava em alguma região da Cornualha, embora não conseguisse precisar de onde tirava essa impressão.

Algo que estivera em sua mente durante seus últimos momentos desperto, ainda em Boscastle, voltou. Era um assunto já resolvido e então deixado de lado. Limpou a garganta.

— Vocês telegrafaram a meu primo? – perguntou. — O nome dele é E. Warming, ele mora no número 27 da Chancery Lane.

Estavam todos muito atentos ao que dizia, mas ele teve de repetir a pergunta.

— Que *rrr* carregado no sotaque dele! – o ruivo disse em voz baixa.

— O que é "grafar", senhor? – questionou o jovem de barba loira, evidentemente intrigado.

— Ele quis dizer enviar um telegrama elétrico – adiantou o terceiro, um rapaz de feições igualmente agradáveis nos seus 19 ou 20 anos. O homem de barba loira exclamou sua compreensão.

— Como sou estúpido! Deve estar ciente de que tudo correrá bem, meu senhor – disse para Graham. — Mas temo que será difícil... *telegrafar* para o seu primo. Ele não está em Londres no momento. Mas não se preocupe com isso agora. Como ficou adormecido por tanto tempo, o mais importante agora é se recuperar, meu senhor. – (Graham imaginava ouvir "meu senhor", mas o que o homem pronunciava mesmo era "meu amo".)

— Oh! – respondeu Graham, calando-se em seguida.

Era tudo muito enigmático, mas aparentemente essas pessoas de roupas curiosas sabiam o que se passava. Mesmo assim, tanto elas quanto o cômodo eram muito estranhos. Parecia ser um local recentemente instalado. Teve um rápido lampejo de suspeita! Sem dúvida, não era o salão de alguma exibição pública. Se fosse esse o caso, aplicaria um corretivo em Warming. Mas isso tudo não fazia o estilo dele. E, em um local de exibição pública, a nudez não é frequente.

De repente, percebeu o que tinha acontecido. Não houve um momento específico no qual a descoberta emergiu. Apenas, da maneira mais abrupta possível, percebeu que o transe em que estivera tinha durado um vasto intervalo, como se mediante algum processo de leitura de pensamento ele tivesse interpretado isso no espanto que havia no rosto dos homens que espreitavam sua mente. Ele olhava-os de forma perturbadora, cheio de uma emoção intensa. Parecia que eles haviam lido seu olhar. Graham articulou os lábios para dizer algo, mas sem sucesso. Um impulso inquietante de ocultar sua descoberta surgiu quase ao mesmo tempo que a descoberta em si. Olhou para seus pés descalços, mirando-os em silêncio. O impulso de falar passou. Tremia violentamente.

Deram-lhe de beber um fluido rosa com uma fluorescência esverdeada e um sabor de carne, e ele viu-se tranquilizado com a recuperação de suas forças.

— Essa coisa... me faz sentir melhor – disse então com voz rouca, tendo murmúrios de aprovação como resposta imediata. Tinha plena convicção disso. De novo fez menção de falar, e de novo falhou.

Pressionou a garganta e tentou uma terceira vez.

— Quanto tempo? – perguntou, buscando controlar a voz. — Por quanto tempo eu estive dormindo?

— Tempo considerável – foi a resposta do homem de barba loira, que trocou olhares com os outros dois rapidamente.

— Quanto tempo?

— Muito mesmo.

— Sim, sim – disse Graham repentinamente irritado –, mas o que desejo saber é... é... alguns anos? Quantos anos? Há alguma coisa, mas esqueci o que era. Sinto-me confuso. Mas vocês... – ele soluçou. — Não precisam mentir para mim. Quanto tempo...?

Parou. Respirava de forma irregular. Esfregou os olhos e sentou, esperando uma resposta.

033 IV. O SOM DE UM TUMULTO

Os três conversavam em voz baixa.

— Cinco ou seis? – perguntou Graham, a voz quase sumindo. — Mais?

— Muito, mas muito mais.

— Mais?

— Sim, mais.

Olhou atentamente para eles. Parecia que pequenas criaturas contraíam os músculos do rosto. Buscava as palavras para continuar a conversa.

— Muitos anos – disse o homem de barba ruiva.

Graham lutava para manter-se sentado. Limpou com a mão pouco firme uma remela que, junto com lágrimas, pendia de seu olho.

— Muitos anos! - repetiu, e fechou os olhos o mais apertado que pôde. Abriu-os novamente para contemplar todas as estranhezas que o cercavam.

— Quantos anos? – perguntou.

— Deve estar preparado, pois a resposta pode surpreendê-lo.

— Para o bem?

— Uma grosa e mais um pouco.

A palavra estranha o irritou.

— Mais que uma *o quê*?

Dois deles falaram ao mesmo tempo. Fizeram algumas observações vagas nas quais a palavra "decimal" surgia, mas cujo sentido lhe escapava.

— Quanto tempo vocês disseram? – voltou a perguntar Graham. — Quanto tempo? Não me olhem desse jeito. Falem.

Entre as observações confusas ditas em voz baixa, Graham conseguiu distinguir seis palavras: "Mais de um par de *séculos*".

— *O quê*? – gritou, voltando-se para o mais jovem que ele julgara ter dito aquilo. — O que você disse...? Como é que é? Um par de *séculos*?

— Sim – respondeu o homem de barba ruiva. — Duzentos anos.

Graham repetiu as palavras. Estava preparado para ouvir a respeito de um longo repouso, mas o fato é que a concretude desses séculos o aniquilou.

— Duzentos anos – repetiu mais uma vez, a imagem de um abismo gigantesco abrindo-se lentamente em sua mente. Logo continuou: — Oh, mas...!

Não houve resposta.

— Vocês querem dizer...?

— Duzentos anos. Dois séculos – disse o homem de barba ruiva.

Houve uma pausa. Graham observou o rosto de cada um deles e viu que aquilo que diziam era verdade.

— Mas não pode ser – disse queixosamente. — Só posso estar sonhando. Transes... transes não duram tudo isso. Isso não está certo. Vocês estão me pregando uma peça, é isso! Digam-me... Faz só alguns dias, talvez, que eu andava pela costa da Cornualha...

Sua voz falhou.

O homem de barba loira hesitou.

— História não é o meu forte, senhor – disse ele baixinho, olhando para os outros.

— Mas é isso mesmo, senhor – continuou o mais jovem. — Boscastle, no velho ducado da Cornualha, localizava-se a sudoeste, após os campos destinados aos laticínios. Ainda existe uma casa por lá. Eu a visitei certa vez.

— Boscastle! – exclamou Graham, e se voltou para o mais jovem.

— Isso mesmo! Boscastle, a pequena Boscastle. Eu adormeci em algum lugar por lá. Mas não me lembro, não me lembro onde exatamente.

Franziu as sobrancelhas e sussurrou: "Mais de *duzentos anos*!".

Começou a falar depressa, o rosto movimentando-se espasmodicamente, mas o coração enregelado dentro do peito.

— Mas, se se *passaram* duzentos anos, cada pessoa que conheci na vida, cada uma que eu tenha visto ou ouvido antes de cair no sono, todas devem estar mortas.

Eles não responderam.

— A rainha e a família real, seus ministros, membros da Igreja e do Estado. O topo e a base da sociedade, ricos e pobres, um ou outro... A Inglaterra ainda existe...? Isso seria reconfortante! E Londres, ainda existe...? Aqui é Londres, certo? E vocês seriam meus... assistentes da custódia. Isso, assistentes da custódia. Vocês...? Todos, creio. Todos assistentes da custódia!

A expressão de seu rosto assumiu traços lúgubres.

— Mas por que estou aqui? Não! Não digam nada. Deixem que eu...

Sentou-se silenciosamente, esfregou os olhos e, assim que os abriu novamente, tinha diante de si outro pequeno frasco de fluido rosa. Bebeu a dose oferecida. Em seguida, caiu em um choro natural e revigorante.

Depois observou o rosto dos três homens, gargalhando repentinamente em meio às lágrimas, talvez de forma um tanto tola.

— Mais de du-zen-tos a-nos! – disse. Gargalhava histericamente e cobriu o rosto de novo.

IV.   O SOM DE UM TUMULTO

Acalmou-se após algum tempo. Sentou-se. As mãos pendiam dos joelhos, em posição muito semelhante àquela em que estava quando foi encontrado por Isbister no penhasco de Pentargen. Logo sua atenção foi atraída por uma voz áspera e grossa e por passos de um personagem que se aproximava.

— O que estão fazendo? Por que não fui avisado? Alguém poderia me dizer? Alguém vai pagar por isso. Esse homem deve ficar em silêncio. As portas estão todas trancadas? Todas elas? Ele deve ser mantido em perfeita tranquilidade. Não devem dizer nada a ele. Alguém já disse alguma coisa?

O rapaz de barba loira fez um comentário inaudível enquanto Graham observava, por cima dos ombros deles, a aproximação de um homem atarracado, gordo, de baixa estatura e sem barba. O nariz dele era aquilino, enquanto o pescoço e o queixo pareciam sólidos, pesados. Sobrancelhas pretas e grossas, ligeiramente inclinadas, quase se encontrando acima do nariz e emoldurando profundos olhos cinzentos, davam ao rosto do desconhecido uma expressão estranhamente formidável. Dirigiu o cenho carregado para Graham e, logo depois, para o homem de barba loira.

— Esses outros – disse com voz carregada de irritação – devem sair agora.

— Sair? – perguntou o homem de barba ruiva.

— Certamente devem sair agora. Mas não se esqueçam de verificar se trancaram as portas.

Os dois homens aos quais o estranho se dirigia obedientemente deram as costas a Graham – após um último olhar relutante –, mas em vez de se dirigirem para as arcadas, como ele esperava, caminharam na direção da parede do canto oposto do cômodo, que não parecia ter saída. Uma longa parte da até então sólida parede deslocou-se apenas com o que parecia ser um estalar de dedos, pairou acima dos dois homens e voltou a fechar-se. Assim, em um instante Graham viu-se sozinho com o recém-chegado e o homem de túnica púrpura e barba loira.

Por algum tempo, o homem atarracado não deu a menor atenção a Graham, mas interrogou o barbado – obviamente, seu subordinado – a respeito do desempenho de suas funções. Falava de modo claro, mas as frases ditas eram apenas parcialmente compreensíveis aos ouvidos de Graham. O despertar parecia não apenas uma questão de surpresa, mas também de consternação e aborrecimento para ele. Dava ares de estar extremamente agitado.

— Você não deve confundir a mente dele dizendo esse tipo de coisa – repetiu de novo e de novo. — Você não deve confundir a mente dele.

Findo o interrogatório, voltou-se rapidamente para o recém-desperto com uma expressão ambígua.

— Está se sentindo estranho? – perguntou.

— Muito.

— O mundo, o que você vê, lhe parece estranho?

— Suponho que eu tenha que viver nele, por mais estranho que me pareça.

— Também creio que deva ser assim agora.

— Mas, em primeiro lugar, não seria melhor alguém me arranjar algumas roupas?

— Eles... – começou o atarracado, logo se interrompendo. O homem de barba loira sentiu seu olhar e sumiu de vista. — Você terá roupas muito em breve – completou o corpulento.

— É realmente verdade que fiquei adormecido por duzentos...? – perguntou Graham.

— Foi o que eles disseram, não é? Na verdade, foram 203 anos.

Graham aceitou a incontornável realidade arqueando as sobrancelhas e comprimindo os lábios. Ficou silencioso por um momento, depois fez a seguinte pergunta:

— Há algum moinho ou dínamo nos arredores?

Não esperou pela resposta.

— As coisas mudaram tremendamente, não? – disse. — O que é essa gritaria toda? – perguntou de forma abrupta.

— Nada de mais – foi a resposta impaciente do atarracado. — É o povo. Entenderá melhor mais tarde, talvez. Como você mesmo disse, as coisas mudaram – falava secamente, as sobrancelhas franzidas, observando ao redor como quem tenta tomar uma decisão de emergência. — Precisamos conseguir as roupas e todo o resto o mais breve possível. É melhor esperar aqui mesmo enquanto tentamos arranjar. Ninguém se aproximará. O senhor precisa fazer a barba.

Graham coçou o queixo.

O homem de barba loira voltou até eles, virou-se sobressaltado, ouviu alguma coisa por um instante, soergueu as sobrancelhas para o sujeito mais velho e depois caminhou rapidamente através das arcadas, na direção da sacada. O som do tumulto aumentou, de forma que mesmo o atarracado teve de se virar para ouvir melhor o que se passava. Soltou uma maldição entredentes, voltando-se para Graham com um olhar pouco amistoso. Era um alvoroço de muitas vozes, cujo volume aumentava e diminuía, aos berros, quando surgiu outro som, como o de pancadas e gritos agudos, seguido do estalido de gravetos secos. Graham aguçou os ouvidos para tentar captar alguma camada específica de som da maçaroca do tumulto.

Nesse momento, percebeu uma repetição constante, uma espécie de fórmula. De início, duvidou de seus ouvidos. Mas logo se convenceu do que ouvia claramente: "Mostre-nos o Dorminhoco! Mostre-nos o Dorminhoco!".

O atarracado correu subitamente em direção às arcadas.

— Maldição! – gritou. — Como eles sabem? Sabem mesmo? Ou é apenas palpite?

Alguém respondeu alguma coisa.

— Não posso ir – disse o atarracado. — Tenho que cuidar *dele*. Mas grite alguma coisa da sacada.

Houve uma resposta inaudível.

— Diga que ele não acordou. Qualquer coisa! Deixo em suas mãos.

Voltou rapidamente para o cômodo de Graham.

— Você precisa de roupas imediatamente – disse. — Não pode permanecer aqui, e será impossível...

Saiu apressadamente, com o clamor de Graham por respostas para suas perguntas logo atrás. Em breve estava de volta.

— Não posso dizer o que está acontecendo. É muito complicado de explicar. No momento, estamos confeccionando suas roupas. Sim, apenas aguarde um momento. Depois poderei levá-lo para longe daqui. Muito em breve você vai compreender quais são nossos problemas.

— Mas essas vozes, elas estavam gritando...?

— Alguma coisa a respeito do Dorminhoco... sim, é você. Alimentam alguma ideia distorcida. Mas não me pergunte que ideia é essa. Não sei de nada.

O ruído estridente de uma campainha atravessou agudamente a massa indistinta de sons mais distantes, e o brusco atarracado dirigiu-se para um pequeno painel de dispositivos no canto do cômodo. Aguçou os ouvidos por um instante, olhando para uma bola de cristal, acenando com a cabeça e murmurando algumas palavras. Depois caminhou até a parede através da qual os dois homens tinham desaparecido, que novamente se encolheu como uma cortina, e ele ficou esperando.

Graham levantou o braço perplexo diante do vigor que os fluidos que bebera lhe haviam restituído. Tentou colocar uma perna ao lado da cama, depois a outra. A cabeça não estava mais pesada. Mal podia acreditar em tão rápida recuperação. Sentou-se, testando seus membros.

O homem de barba loira voltou ao cômodo vindo do corredor de arcadas ao mesmo tempo que o atarracado retornava da gaiola de um elevador, deslizando rapidamente, enquanto entre os dois aparecia um homem de barba cinzenta e roupa verde-escura bem justa, carregando uma bobina.

— Este é o alfaiate – explicou o atarracado com um gesto de apresentação. — Esse manto preto não lhe cai bem. Não consigo entender como isso veio parar aqui. Mas descobrirei. Descobrirei, sim. Você pode fazer algo o mais rápido possível? – disse ao alfaiate.

O homem de verde fez uma reverência, avançou e sentou-se ao lado de Graham na cama. Seus modos eram calmos, mas os olhos estavam carregados de curiosidade.

— Vai perceber que a moda está bem diferente, meu amo – ele disse. Olhou de soslaio para o atarracado.

Abriu então a bobina com um movimento rápido, e uma confusão de tecidos brilhantes saltou sobre os joelhos.

— O senhor viveu em um período essencialmente cilíndrico, a era vitoriana. Havia a tendência ao formato de hemisfério nos chapéus. Curvas e círculos sempre. Agora... – acionou um pequeno dispositivo com o tamanho e a aparência de um relógio de bolso, deu voltas no botão e observou o resultado: uma pequena figura branca surgiu em um mostrador no estilo de um cinetoscópio, caminhando de um lado para o outro. O alfaiate pegou então um tecido de cetim branco-azulado. — Esta é a minha escolha para resolver seu problema de forma imediata – disse.

O atarracado aproximou-se e ficou bem ao lado de Graham.

— Temos muito pouco tempo – disse.

— Confie em mim – respondeu o alfaiate. — Minha máquina está trabalhando. O que você acha deste?

— O que é isso? – perguntou o homem do século XIX.

— Na sua época, o costume era usar lâminas de figurinos – disse o alfaiate –, mas este é o nosso desenvolvimento contemporâneo do conceito. Observe – e a pequena figura repetiu suas evoluções, trajada em nova vestimenta. — Ou isso – e com o toque em um botão outra pequena figura, com um manto mais volumoso, surgiu marchando pelo mostrador. O alfaiate era bastante rápido em seus movimentos e espiou duas vezes o elevador enquanto fazia sua demonstração.

A máquina entrou em funcionamento de novo e um tipo anêmico de cabelo curto e traços chineses, em trajes de um tecido grosso azul, surgiu com um complicado aparato que se deslocava, sem nenhum ruído, sobre pequenas rodas. O diminuto cinetoscópio foi largado em um canto e Graham, convidado a se colocar diante da máquina. O alfaiate deu instruções em voz baixa ao tipo de cabelo curto, que respondeu com uma entonação gutural o que pareciam ser palavras, mas que Graham não foi capaz de identificar. O rapaz então iniciou um incompreensível monólogo em um canto do cômodo enquanto o alfaiate acionava algumas alavancas que terminavam em pequenos discos, dispostos contra o corpo de Graham – nos ombros, nos cotovelos, no pescoço e assim por diante, de forma que, ao final, devia haver umas duas dezenas de discos nos membros e no corpo dele. Ao mesmo tempo, outra pessoa entrou no cômodo pelo elevador, por trás de Graham. O alfaiate pôs para funcionar um mecanismo que produzia movimentos rítmicos na máquina, depois abaixou as alavancas e liberou Graham, que recebeu de volta seu manto preto e outro fluido fortificante, oferecido pelo homem de barba loira. Através da borda do copo, percebeu que o pálido rapaz o contemplava de forma singular e fixa.

O atarracado caminhava de um lado para o outro, com nítida impaciência. Andou em direção à sacada pelas arcadas, onde o ruído da multidão persistia em rajadas e cadências. O sujeito de cabelo curto entregou ao alfaiate uma bobina de cetim azulado e os dois começaram a trabalhar esse material em um mecanismo que lembrava um rolo de papel de uma impressora do século XIX. Depois o material foi estendido pelos rolamentos suaves e silenciosos que iam até um canto remoto do cômodo, onde um cabo trançado pendia da parede de forma graciosa. Fizeram algum tipo de conexão de fiação, e a máquina, vivaz e ágil, logo foi acionada.

— O que isso aí está fazendo? – perguntou Graham, apontando com o copo vazio para as figuras atarefadas, tentando ignorar o escrutínio do recém-chegado. — Existe algum tipo de energia ali?

— Sim – respondeu o homem de barba loira.

— E *aquilo* ali, quem é? – Graham indicou a direção das arcadas.

O homem de púrpura cofiou a barba curta, hesitou e respondeu em voz baixa:

— Ele é Howard, seu tutor-chefe. Veja bem, meu amo... é um pouco difícil de explicar. O Conselho indicou um tutor e assistentes. Este salão, apesar de algumas restrições, é um local público, de modo que os indivíduos pudessem se satisfazer. É a primeira vez que nós trancamos as portas deste local. Mas penso, se o senhor não se importar, que ele próprio deve explicar toda a situação.

— Estranho! – exclamou Graham. — Tutor? Conselho? – discretamente, colocou-se de costas para o jovem recém-chegado e perguntou em um murmúrio: — Por que diabos esse sujeito me *fulmina* com os olhos? Seria ele um mesmerista?.

— Mesmerista? Ele é um capilotomista.

— Capilotomista!

— Sim, um dos melhores. Sua renda anual é de seisduz leões.

Tudo aquilo parecia um monte de disparates. Graham captou a última frase com alguma insegurança.

— Seisduz leões? – repetiu.

— Não eram leões em sua época? Suponho que não. Eram as velhas libras, não? Leões são a nossa moeda atualmente.

— Mas o que você disse antes? Seisduz?

— Sim. Seis dúzias, meu senhor. Precisa compreender que muitas coisas, mesmo as menores, mudaram com o tempo. O senhor viveu na época do sistema decimal ou sistema arábico: dezenas, centenas e milhares. Temos onze algarismos agora. Temos representações simples para dez e onze, e duplas para a dúzia, e doze dúzias dá uma grosa. Na casa do milhar, com uma dúzia de grosas temos uma duzena. E uma dúzia de duzenas perfaz uma miríade. Não é simples?

— Deve ser – respondeu Graham. — Mas sobre o capilo... como era mesmo?

O homem de barba loira olhou por sobre o ombro dele.

— Aqui estão suas roupas! – disse em seguida. Graham virou-se bruscamente e percebeu que o alfaiate estava bem ao seu lado, sorrindo e carregando uma vestimenta nova nos braços. O sujeito de cabelo curto, utilizando um único dedo, impeliu a complicada máquina até o elevador pelo qual ele chegara. Graham inspecionou o traje.

— Você não está dizendo que...!

041   IV. O SOM DE UM TUMULTO

— Acabou de ser feita – afirmou o alfaiate. Colocou a roupa aos pés de Graham, depois caminhou até a cama na qual ele, não muito tempo antes, estava deitado, virou o colchão translúcido e levantou um espelho. Ao fazer isso, o som furioso de um sino surgiu convocando o atarracado para o canto do cômodo. O homem de barba loira correu até ele e rapidamente saíram pelas arcadas.

O alfaiate ajudava Graham a vestir um traje púrpura-escuro que combinava meias, colete e calças, enquanto o atarracado voltava ao cômodo depois de encontrar o homem de barba loira vindo da sacada. Começaram a conversar apressadamente e com o tom de voz mais baixo possível, denotando um comportamento de inegável ansiedade. Sobre o traje de baixo púrpura vinha uma vestimenta complicada de um branco levemente azulado. Assim, Graham estava de novo vestido no rigor da moda e via a si mesmo – o rosto permanecia amarelado, a barba por fazer e ainda desgrenhado, mas pelo menos não estava mais desnudo e, de uma forma indefinível, estava até gracioso.

— Preciso me barbear – disse observando a si mesmo no espelho.

— Aguarde um momento – respondeu Howard.

O olhar persistente foi interrompido. O jovem fechou e abriu os olhos, depois avançou na direção de Graham com a mão magra estendida. Parou, a mão realizando um lento gesto, e olhou em volta.

— Uma cadeira – ordenou Howard impaciente, e logo o homem de barba loira apareceu com uma cadeira atrás de Graham. — Sente-se, por favor – prosseguiu Howard.

Graham hesitou, pois na outra mão do rapaz de olhos esgazeados viu o brilho de uma lâmina.

— Não entende, meu amo? – exclamou o homem de barba loira com uma polidez tensa. — Ele vai cortar seu cabelo.

— Oh! – foi a resposta de um esclarecido Graham. — Mas você o chamou de...

— De capilotomista, precisamente! Ele é um dos melhores artistas do mundo.

Graham então se sentou abruptamente. O homem de barba loira desapareceu. O capilotomista adiantou-se, examinou as orelhas de Graham e o inspecionou brevemente, sentiu sua nuca, e teria se sentado novamente para contemplar o Dorminhoco não fosse pela audível irritação de Howard. Seguiram-se movimentos rápidos e uma sucessão de golpes de lâmina bem aplicados em Graham para barbear-lhe o queixo, aparar-lhe o bigode, cortar e ajeitar seu cabelo. Fez tudo isso sem pronunciar uma única palavra, com o ar arrebatado que remetia aos poetas em pleno fluxo de inspiração. Assim que terminou, um par de sapatos foi oferecido a Graham.

Repentinamente, uma voz forte clamou. Parecia vir do aparato que estava no canto do cômodo.

— Mais rápido... Imediatamente. Todo o povo da cidade já sabe. O trabalho foi interrompido. O trabalho foi interrompido. Não se atrasem por mais nada, venham.

Esse clamor pareceu perturbar Howard excessivamente e, pelos seus gestos, Graham achou que ele hesitava entre duas direções. De súbito, dirigiu-se para o canto em que estava o aparato com a bola de cristal. Ao fazê-lo, o tumulto de gritos que vinha das arcadas e persistira durante todo o tempo cresceu em volume, um rugido que varria todos os cantos do cômodo, e voltou a diminuir, como se estivesse recuando com rapidez. Isso chamou atenção de Graham de forma irresistível. Ele observou o atarracado e seguiu seu impulso. Em duas passadas largas, já tinha descido os degraus e encontrava-se no corredor das arcadas. Em segundos, alcançou a sacada na qual vira os três primeiros homens.

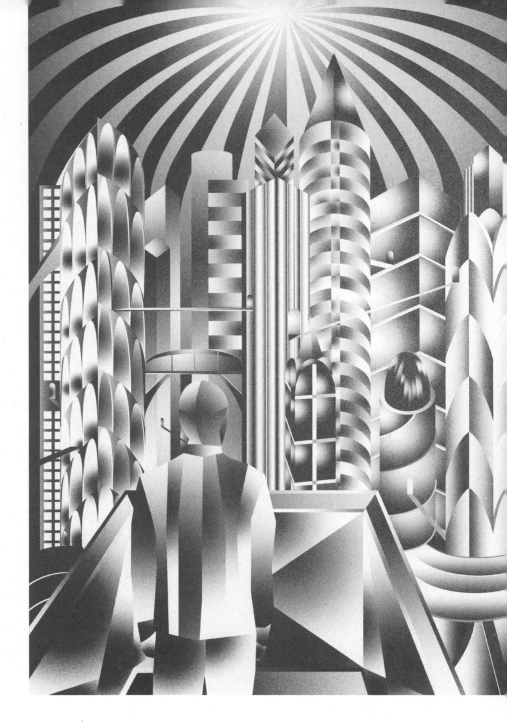

V.
AS VIAS MÓVEIS

Aproximou-se das grades da sacada e olhou para cima. Diante dessa aparição, houve exclamações de surpresa e grande movimentação entre as pessoas que se aglomeravam na grande área logo abaixo.

O que primeiro o impressionou foi a esmagadora arquitetura. Contemplava um corredor de edifícios titânicos que se curvavam espaçosamente em ambas as direções. Bem no alto, poderosas estruturas de cantiléver desdobravam-se pela imensidão do lugar e arabescos de material translúcido convergiam, isolando a cidade do céu. Globos monstruosos de luz branca e fria sobrepujavam com facilidade os pálidos raios solares filtrados por vigas e cabos. Aqui e ali, tênues pontes suspensas – pontilhadas por pessoas que andavam a pé – eram arremessadas pelo abismo, o próprio ar entre os edifícios pavimentado com cabos finos. Percebeu ao olhar para o alto que um penhasco edificado crescia acima da sacada em que estava e a fachada oposta era cinzenta, sombria, atravessada por arcos imensos, perfurações circulares, varandas, contrafortes, projeções em forma de torre, janelas incontáveis e enormes em um intrincado relevo esculpido. Nesse relevo, era possível distinguir inscrições horizontais e oblíquas em um arranjo tipográfico desconhecido. Nos pontos mais elevados, estavam os cabos que alicerçavam o topo da estrutura, projetados por uma curva íngreme até aberturas circulares no lado oposto. Enquanto observava essa configuração, Graham notou uma figura distante e minúscula, um homem vestido em trajes azul-claros. Essa pequena figura estava em um local tão alto e tão distante, ao lado do mais alto desses festões, pendendo de uma pequena saliência de alvenaria, manipulando alguns fios invisíveis que partiam da linha principal. Então, de súbito, com um movimento que levou o coração de Graham à boca, aquele homem perdido na distância desceu a toda velocidade por uma curva e desapareceu através de uma abertura circular do lado oposto. Graham estivera observando tudo desde o momento em que chegara à sacada, e as coisas que vira acima e do outro lado prenderam de imediato toda a sua atenção. Foi então que percebeu a existência da via expressa! Estava longe de ser uma via expressa conforme Graham conhecia, uma vez que no século XIX todas as ruas e estradas eram trilhas batidas no chão imóvel, vias congestionadas pelo fluxo de veículos entre passagens estreitas. Essa nova via expressa, no entanto, tinha 300 pés de comprimento e, além disso, se movimentava. Toda ela era móvel, salvo da metade para a parte mais baixa. Por um breve instante, o movimento veloz ofuscou sua mente, mas ele não demorou a entender o sistema.

Abaixo de onde Graham estava, essa extraordinária via corria velozmente à direita, um fluxo ininterrupto que se precipitava com a rapidez de um trem expresso do século XIX, uma plataforma infinita de estreitas lâminas transversais sobrepostas com breves espaços intermediários que possibilitavam acompanhar a curvatura das ruas. Nessa plataforma havia alguns lugares para se sentar, também pequenos quiosques, mas ela se movimentava rápido demais para que ele pudesse ver com clareza tudo o que havia nela. Da plataforma mais próxima – também uma das mais velozes –, uma série de outros descia até aquilo que percebia ser o centro do espaço da cidade. Todas aquelas que se moviam para a direita o faziam em velocidades diferentes, e as inferiores eram perceptivelmente mais lentas que as mais altas. Contudo, a diferença de velocidades era sutil e permitia que qualquer um saltasse de uma plataforma para outra, adjacente, o que garantia uma experiência de caminhada ininterrupta entre as plataformas mais velozes e a via intermediária estática. Logo depois dessa via intermediária, outra série infindável de plataformas que se deslocavam com velocidades variadas à esquerda de Graham. Assim, aglomerados em uma multidão na mais larga e rápida plataforma, saltando de uma para outra ou concentrando-se, fervilhante, em todo o espaço central do seu campo de visão, uma incontável, maravilhosamente diversificada massa humana.

— Não deveria estar parado aqui – gritou Howard, surgido do nada. — Deve vir comigo imediatamente.

Graham não respondeu. Ouvia sem ouvir. As plataformas rugiam, cheias de pessoas que gritavam. Via mulheres e garotas de cabeleiras esvoaçantes, em belos trajes em que faixas se cruzavam entre os seios. Essas foram as primeiras impressões da confusão. Logo percebeu que a nota de cor dominante naquele caleidoscópio era o azul-claro que o alfaiate usara em seus trajes. Também percebia agora gritos de "O Dorminhoco. O que aconteceu ao Dorminhoco?". Parecia que as movimentadas plataformas diante dele tinham sido subitamente coaguladas pela cor da pele de muitos rostos, cuja concentração parecia mais e mais densa. Viu dedos apontando. Notou que a área central imóvel da gigantesca galeria imediatamente oposta à sacada estava densamente ocupada por pessoas vestidas de azul-claro. Uma espécie de luta iniciou-se. Houve tumulto e as pessoas pareciam ser empurradas para cima das plataformas móveis de ambos os lados, aparentemente a contragosto. Assim que podiam, saíam do conglomerado que ultrapassara a confusão e retornavam, de volta à luta.

— É o Dorminhoco. De verdade, é o Dorminhoco – gritavam muitas vozes.

— Não tem como esse ser o Dorminhoco – gritavam outras. Mais e mais rostos se voltavam para ele. Graham percebeu, nos intervalos ao longo dessa área central, aberturas e fendas das quais, aparentemente, partiam e chegavam escadarias apinhadas de pessoas subindo e descendo. A luta concentrava-se em uma delas, a mais próxima a ele. O povo corria das plataformas móveis até as escadarias, saltando habilmente de plataforma para plataforma. As pessoas aglomeradas nas plataformas mais altas pareciam ter a atenção dividida entre a sacada e o ponto de convergência do confronto. Pequenas figuras robustas, trajando uniforme vermelho brilhante e trabalhando em equipe, tentavam impedir o acesso a tal escadaria descendente. Em torno delas, uma multidão rapidamente se formou. As cores vivas dos uniformes contrastavam com o azul esbranquiçado do traje dos adversários em uma luta aberta.

Ele via essas coisas enquanto Howard gritava em seu ouvido e sacudia seu braço. Subitamente Howard deixou a sacada. Agora estava sozinho.

Percebeu que os gritos de "O Dorminhoco!" ficaram mais fortes e que as pessoas na plataforma mais próxima estavam em pé. À direita dele ela estava vazia, mas do outro lado, correndo no sentido contrário ao do movimento natural da plataforma, ficava cada vez mais repleta de gente.

Com impressionante rapidez, uma vasta multidão formou-se no espaço central diante de seus olhos. Uma densa massa oscilante de pessoas gritava em um clamor incessante, quase ensurdecedor: "O Dorminhoco! O Dorminhoco!". Ouvia berros inarticulados e aplausos, em meio a inúmeras vestimentas esvoaçantes e gritos de "Parem as vias!". Havia ainda clamores por um nome que soou estranho para Graham. Algo como "Ostrog". As plataformas mais lentas logo estavam abarrotadas de pessoas frenéticas, lutando contra o movimento de modo a manter-se sempre diante de Graham.

— Parem as vias – gritavam. Algumas figuras mais ágeis corriam do centro para alcançar a via expressa mais próxima da sacada, gritando coisas estranhas e ininteligíveis, tentando forçar obliquamente o percurso até o centro. Um dos gritos parecia-lhe claro: "É realmente o Dorminhoco. É realmente o Dorminhoco", eles atestavam.

Por um bom tempo, Graham permaneceu imóvel. Em dado momento, deu-se conta de que tudo aquilo dizia respeito diretamente a ele. Percebeu que estava bastante satisfeito com essa maravilhosa popularidade: fez uma vênia e acenou com o braço, buscando um gesto de maior alcance. Ficou impressionado com o furor que essa atitude provocara. O tumulto na escadaria descendente transformou-se em violência furiosa. Agora eram perceptíveis outras sacadas lotadas de gente, homens deslizando por cordas e pessoas em assentos que pareciam trapézios de acrobatas arremessando-se para chegar até ele. Ouviu vozes às suas costas, pessoas descendo pelas arcadas. De repente, percebeu que seu tutor, Howard, estava de volta, agarrando seu braço dolorosamente e gritando algo inaudível em seus ouvidos.

Graham virou-se e viu que o rosto de Howard estava branco.

— Saia daqui – pôde distinguir. — Eles vão parar as vias. A cidade inteira mergulhará no caos.

Apareceram homens correndo pela passagem de pilares azuis logo atrás de Howard. O ruivo, o homem de barba loira, um sujeito alto vestido de escarlate vivo, uma multidão de outros sujeitos de vermelho carregando bastões, todos estampavam ansiedade e tensão no rosto.

— Tirem-no dali – gritou Howard.

— Mas por quê? – perguntou Graham. — Não vejo por que...

— Você deve sair! – afirmou, com voz resoluta, o homem de vermelho. Sua face e seus olhos também expressavam determinação. O olhar de Graham percorreu os rostos diante dele, ciente de que caíra vítima de um dos mais detestáveis aspectos da vida humana: a compulsão. Alguém agarrou seu braço...

Foi arrastado para fora da sacada. Parecia que de repente o tumulto se dividira em dois, como se parte dos gritos que chegavam aos seus ouvidos vindos dessa maravilhosa estrutura de vias expressas saltasse através das passagens do grande edifício que deixava para trás. Maravilhado e confuso, Graham sentiu um impotente desejo de resistir. Entre conduzido e arrastado, percorreu a passagem de pilares azuis até que, sem aviso, se percebeu sozinho com Howard em um elevador que ascendia vertiginosamente.

O DORMINHOCO

VI.
O SALÃO DE ATLAS

Mais ou menos cinco minutos: esse foi o tempo transcorrido entre o momento em que o alfaiate deu seu adeus e aquele em que Graham se encontrou no elevador. A névoa do vasto intervalo em que esteve dormindo ainda pesava sobre ele, bem como a estranheza inicial de estar vivo apesar de tudo, nessa época remota na qual tudo surgia como um maravilhamento quase irracional, como se tocado pelas qualidades de um sonho realista. Ainda se sentia deslocado, um espectador atônito, imóvel mas já envolvido parcialmente na realidade que o cercava. Aquilo que havia visto, especialmente o tumulto da multidão, isolado em sua sacada, representou uma reviravolta espetacular, como algo que se testemunha do camarote de um teatro.

— Eu não entendo – começou Graham. — Qual é o problema? Minha mente está um turbilhão. Por que eles estavam gritando? Qual é o perigo?

— Nós temos os nossos problemas – respondeu Howard. Seus olhos evitavam a indagação de Graham. — Estamos em uma época de inquietação. De fato, sua aparição, o fato de acordar justo agora, parece ter algum tipo de conexão com isso...

Falava de forma entrecortada, como se não tivesse consciência de sua respiração. Parou abruptamente.

— Não compreendo – disse Graham.

— Ficará claro mais tarde – disse Howard.

Olhava desconfortável para cima, como se esperasse que o elevador corresse um pouco mais rápido.

— Creio que entenderei melhor, sem dúvida, quando eu puder circular um pouco por conta própria – disse Graham intrigado. — Deve ser... É algo que se aproxima da perplexidade. No momento, tudo parece tão estranho. Tudo parece ser possível. Qualquer coisa. Até mesmo os detalhes. A sua forma de contagem, pelo meu entendimento, é diferente.

O elevador parou e eles adentraram uma passagem estreita e bastante longa entre muros altos, no meio dos quais havia uma quantidade extraordinária de tubos e cabos enormes.

— Que lugar imenso! – disse Graham. — Trata-se de uma única construção? O que temos aqui?

— Este é um dos estabelecimentos para múltiplos serviços públicos. Energia e outras coisas do gênero.

— Aquilo que aconteceu na grande praça de vias expressas, o tumulto, seria um problema social? Como é o seu governo? Vocês ainda têm polícia?

— Muitas – respondeu Howard.

— Muitas?

— Cerca de catorze.

— Não entendo.

— É bem provável que não. Nossa ordem social deve parecer bem complexa para você. Na verdade, mesmo eu não entendo essas coisas muito claramente. Ninguém entende. Talvez você consiga, aos poucos. Teremos de ir até o Conselho.

A atenção de Graham dividia-se entre a necessidade urgente de obter respostas e aquilo que via nos corredores e salões que atravessava. Por um momento, sua mente concentrou-se em Howard e em suas respostas hesitantes para logo depois não conseguir mais acompanhar o rumo da conversa devido a alguma percepção vívida e inesperada. Pelos corredores e nos salões, metade das pessoas era formada por homens de uniforme vermelho. O tecido azul-claro, tão abundante nas praças das vias móveis, aqui desaparecera. Em geral, os de vermelho olhavam para ele e Howard e saudavam a ambos.

Tinha agora a visão mais clara da entrada de um longo corredor no qual algumas garotas estavam sentadas em bancos mais baixos, como carteiras de escola. Não viu nenhum professor, apenas um aparato novo que parecia emitir uma voz. As garotas olharam para ele e Howard com curiosidade e espanto – ao menos assim pareceu a Graham. Mas ele teve de continuar seu caminho antes que pudesse formar uma ideia mais clara sobre aquilo. Julgava que eles conheciam Howard e que tentavam descobrir quem seria o acompanhante dele. Esse Howard, aliás, parecia ser alguém importante. Mas ele era meramente o tutor de Graham. Isso era bem estranho.

No crepúsculo, chegaram a um corredor do qual pendia um passeio, de forma que pôde ver pés e tornozelos de pessoas indo para lá e para cá, mas não mais do que isso. Em seguida, vagas impressões de galerias e de transeuntes ocasionais espantados, com suas vestimentas vermelhas de guarda, que se viraram para observá-los.

O estímulo dos fluidos fortificantes foi apenas temporário. Sentia uma fadiga crescente por esse ritmo acelerado. Pediu a Howard que diminuíssem um pouco o passo. Em breve estavam em um elevador cuja janela dava para um amplo espaço da rua, mas ela era feita de material fosco e não podia ser aberta. Além disso, estavam a uma altura tal que não era possível ver as plataformas móveis abaixo. Mas ainda conseguiu distinguir um vaivém de pessoas através de cabos e pontes estranhas, de aparência frágil.

Depois atravessaram uma larga avenida pelo alto. A travessia foi efetuada por meio de uma ponte estreita fechada com vidro, tão transparente que ele sentia vertigens só de lembrar. O piso também era de vidro. Por sua memória dos penhascos de Newquay e Boscatle, ainda frescos na mente de Graham – pareciam ao mesmo tempo estranhamente remotos do ponto de vista do tempo e recentes do ponto de vista da experiência –, deveriam estar uns 400 pés acima das vias móveis. Parou por um instante e olhou por entre suas pernas para a fervilhante multidão de azul e vermelho, diminuta e distante, que ainda lutava e gesticulava em torno da pequena sacada onde estivera minutos antes, que dali parecia de brinquedo. Uma névoa tênue e o brilho dos globos de luz obscureciam quase tudo. Um homem sentado em um pequeno e elaborado cesto em algum local ainda mais alto que a ponte transparente deslocava-se em um cabo tão rapidamente que parecia a ponto de cair. De forma involuntária, Graham interrompeu seu percurso para assistir àquele estranho passageiro desaparecer abaixo, antes de voltar seus olhos para o tumulto da multidão.

Próximo a uma das vias expressas mais rápidas havia um conjunto de pontos vermelhos, que logo se dispersou na forma de indivíduos conforme eles se aproximavam da sacada, utilizando as vias mais lentas para chegar mais perto do alvoroço da multidão mais agressiva na área central. Esses homens de vermelho davam a impressão de estarem armados com bastões e cassetetes; pareciam distribuir golpes e empurrões. A irrupção de uma grande gritaria, de uivos irados e de berros chegou a Graham como um ruído distante e fraco.

— Vamos – gritou Howard, pondo as mãos sobre ele.

Outro homem precipitou-se pelos cabos. Graham olhou rapidamente para cima, para ver de onde ele vinha. Percebeu, através do telhado vítreo, a rede de cabos e vigas, na qual formas passavam e desapareciam ritmicamente como as pás dos moinhos de vento. Entre essas formas, vislumbres de um céu remoto e pálido. Logo Howard o empurrou para a frente através da ponte até uma pequena passagem estreita decorada com padrões geométricos.

— Quero ver mais disso tudo – exclamou Graham, resistindo.

— Não, não – exclamou Howard, ainda segurando seu braço. — Por aqui. Você deve vir por aqui – os homens de vermelho que os acompanhavam pareciam a postos para reforçar essas ordens.

Alguns homens negros, em um curioso uniforme preto e amarelo que os deixava semelhantes a vespas, surgiram no corredor. Um deles adiantou-se em abrir uma estrutura deslizante que parecia uma porta, entrando nela e indicando o caminho que deveriam seguir. Graham então se viu em uma galeria projetada a partir do final de uma gigantesca câmara. O sujeito de preto e amarelo, que seguia na frente, abriu uma segunda porta deslizante e permaneceu esperando.

O novo local tinha a aparência de uma antessala. Era possível ver certo número de pessoas no espaço central e, na extremidade oposta, uma grande e imponente entrada no alto de uma escadaria, coberta de cortinas pesadas, mas que mesmo assim dava um vislumbre de um salão, talvez ainda maior, mais além. Notou outros homens brancos vestidos de vermelho e outros negros vestidos de preto e amarelo postados em pé, rígidos, próximos desses portais.

Enquanto atravessavam a galeria, Graham pôde ouvir algumas vozes que cochichavam "O Dorminhoco", bem como perceber cabeças que se viravam e um murmúrio geral de curiosidade. Adentraram outra passagem na parede da antessala, depois uma galeria feita de tiras de metal na lateral do grande salão que ele entrevira através das cortinas.

Entraram nesse salão por um canto, de modo que as imensas proporções do cômodo ficaram ainda mais nítidas. O negro no uniforme de vespa permaneceu próximo como um servo bem treinado, fechando rapidamente a abertura que utilizaram.

Comparado com qualquer um dos locais que Graham vira até o momento, esse segundo salão parecia ter a decoração mais refinada. Em um pedestal no canto mais remoto, recebendo mais iluminação que qualquer outro objeto, havia uma gigantesca estátua branca de Atlas, forte e vigoroso, o globo colocado sobre os ombros arqueados. Foi a primeira coisa a chamar sua atenção, tão vasta, real até o limite daquilo que evoca de paciente e doloroso, tão branca e tão simples. Excetuando a escultura e um tablado no centro, o piso do amplo cômodo brilhava pela ausência de elementos. O tablado permanecia remoto na vastidão da área e seria apenas uma prancha de metal, não fosse pelo grupo de sete homens que permanecia ao redor de uma mesa sobre ele e dava uma vaga noção de suas proporções. Esses homens vestiam trajes brancos e aparentemente acabavam de levantar-se de suas cadeiras para observar Graham resolutamente. Na extremidade da mesa, ele notou o brilho de alguns dispositivos mecânicos.

Howard conduziu Graham através do salão até o lado oposto da poderosa e laboriosa escultura. Foi então que parou. Os dois homens de vermelho que os acompanhavam por toda a galeria posicionaram-se ao lado de Graham.

— Você deve ficar aqui – murmurou Howard – por um tempo. — Sem esperar pela resposta, apressou-se em atravessar a galeria.

— Mas *por quê*...? – principiou Graham.

Fez menção de seguir Howard, mas teve o caminho obstruído por um dos homens de vermelho.

— Você tem que esperar aqui, meu amo – disse o sujeito de vermelho.

— *Por quê?*

— Ordens, meu amo.

— Ordens de quem?

— Ordens nossas, meu amo.

Graham considerou sua irritação.

— Que lugar é este? – disse por fim. — Quem são aqueles homens?

— São os membros do Conselho, meu amo.

— Que conselho?

— O Conselho.

— Oh! – disse Graham, e, após uma tentativa igualmente ineficaz de ultrapassar o segundo guarda, conformou-se em ir até o parapeito e olhar para os distantes homens de branco, que permaneciam observando-o atentamente e tecendo comentários entre eles.

Era o Conselho? Percebeu que agora havia oito homens em torno da mesa, embora não tivesse visto de onde o recém-chegado viera. Não fizeram nenhuma saudação para Graham – apenas o observavam como um grupo de pessoas que no século XIX avistassem da rua um distante balão que entrasse em seu campo de visão. Mas que diabo de conselho poderia ser esse, com aquele pessoal reunido sob o expressivo Atlas branco, isolado de tudo ao redor por essa imensidão de espaço? E por que ele, Graham, tinha sido conduzido até eles? Para que apenas o olhassem de modo estranho e murmurassem entre eles? Howard apareceu ao longe, atravessando depressa o piso polido na direção do grupo. Conforme se aproximava, curvou-se e executou uma série peculiar de movimentos, aparentemente de natureza cerimonial. Em seguida, subiu os degraus do tablado e parou diante do aparato na extremidade da mesa.

Graham observava aquela conversa visível, mas inaudível. Vez por outra, um dos homens de branco lançava olhares na direção dele. Aguçou os ouvidos em vão. A gesticulação de dois dos interlocutores tornou-se então mais animada. Graham relanceou o olhar para o rosto passivo dos criados que o acompanhavam... Quando mirou Howard novamente, os movimentos de suas mãos e rosto indicavam sinal de protesto. Ele foi interrompido, ao que parecia, por um dos homens de branco, que bateu na mesa.

O diálogo pareceu durar uma eternidade para Graham. Seus olhos dirigiram-se ao gigante a cujos pés o Conselho se sentava. Dali, voltavam-se para as paredes do salão, decoradas com amplos painéis pintados em estilo vagamente japonês, em geral muito belos. Esses painéis estavam agrupados em uma grande e elaborada estrutura de um metal escuro que se entrelaçava com as cariátides das galerias e com as grandes linhas de sustentação do interior. O singelo encanto desses painéis aumentava o poder de sugestão da escultura central. Depois de vagarem por todos esses detalhes, os olhos de Graham voltaram-se para o Conselho, uma vez que Howard descia do tablado. Conforme ele se aproximava, seus traços podiam ser mais bem apreciados e Graham viu que ele estava corado e soprava as bochechas. O rosto de Howard pareceu ainda mais perturbado quando ele reapareceu ao longo da galeria.

— Por aqui – disse concisamente, e eles saíram em silêncio por uma pequena porta que se abriu assim que se aproximaram. Os dois homens de vermelho pararam um de cada lado dessa entrada. Howard e Graham passaram por ela, e Graham, olhando para trás, viu que o Conselho permanecia em pé, fitando-o diretamente. A porta então se fechou com um baque surdo, e pela primeira vez desde o despertar estava em um ambiente de perfeito silêncio. Nem o piso ressoava as passadas dos dois.

Howard abriu mais uma porta e eles entraram no primeiro de dois aposentos contíguos, decorados em branco e verde.

— Que Conselho era aquele? – começou Graham. — O que discutiam? O que tudo isso tem a ver comigo? – Howard fechou a porta cuidadosamente, deu um pesado suspiro e disse alguma coisa inaudível. Cruzou o cômodo de forma oblíqua e virou-se, as bochechas ainda trêmulas.

— Ah! – resmungou, parecendo mais aliviado.

Graham permaneceu diante dele.

— Você precisa entender – Howard disse de repente, evitando os olhos de Graham – que nossa ordem social é muito complexa. Uma explicação pela metade, uma simples declaração redutora daria falsas impressões. A propósito, e em parte por causa de juros compostos, as suas riquezas, somadas àquelas que seu primo Warming lhe legou e a outras fontes, aumentaram consideravelmente com o passar dos anos. E também em outros aspectos, que lhe serão de difícil compreensão, você se tornou uma pessoa de grande importância, de enorme importância em termos legais, legais e não práticos... no âmbito mundial.

Howard parou.

— Sim? – disse Graham.

— Nós temos sérios problemas sociais.

— Sim?

— As coisas chegaram a tal ponto que recomendamos que você fique isolado aqui.

— Que eu seja feito prisioneiro! – exclamou Graham.

— Na verdade, que você permaneça isolado.

Graham voltou-se para Howard.

— Isso é estranho! – disse.

— Não lhe farão mal nenhum.

057   VI. O SALÃO DE ATLAS

— Nenhum!

— Mas deve ser mantido aqui...

— Até que eu entenda minha posição, imagino.

— Precisamente.

— Muito bem, então. Vamos começar. Por que alguém me faria *um mal*?

— Não vamos começar agora.

— Por que não?

— É uma história muito longa, meu amo.

— Mais uma razão para começarmos imediatamente. Você diz que sou uma pessoa que desempenha um papel importante. O que era aquela gritaria toda? Por que a multidão gritava e exultava em razão do fim do meu transe, e quem eram aquelas pessoas de branco no grande salão?

— Tudo a seu tempo, meu amo – respondeu Howard. — Mas não assim, de forma tão direta. Estamos em um momento frágil, em que nada está claramente estabelecido. Seu despertar... Ninguém esperava seu despertar. O Conselho está deliberando.

— Que conselho?

— O Conselho que você viu.

Graham então fez um movimento de impaciência.

— Isso não está certo – disse. — Deveriam me informar o que está acontecendo.

— Você deve esperar. É o melhor a fazer, esperar.

Graham sentou-se abruptamente.

— Suponho que, tendo esperado tanto tempo para retomar minha vida – disse –, não faz mal esperar mais um pouco.

— É o melhor a fazer – respondeu Howard. — Sim, essa atitude é muito melhor. Agora devo deixá-lo sozinho. Por algum tempo. Estarei na discussão do Conselho... Sinto muito.

Dirigiu-se então para a porta silenciosa e hesitou um pouco antes de desaparecer.

Graham caminhou até a porta, tentou forçá-la, mas logo percebeu que estava trancada de uma forma que jamais compreenderia. Deu as costas para a entrada do cômodo e começou a andar, de um lado para o outro, percorrendo toda a área do local, até que se sentou. Permaneceu assim por algum tempo, braços cruzados e rosto fechado, roendo as unhas e tentando sistematizar as impressões caleidoscópicas dessa primeira hora de sua vida desperta: os vastos espaços mecânicos; as infinitas passagens e câmaras; o grande conflito cujos sons ferozes ressoaram através de todos os estranhos caminhos que percorrera; o pequeno e pouco simpático grupo embaixo do Atlas colossal; o comportamento misterioso de Howard. Havia ainda em sua mente a sombra dessa suposta imensa herança – uma herança possivelmente empregada de forma duvidosa – que abriria possibilidades sem precedentes. O que ele deveria fazer? O quarto isolado, silencioso, era uma eloquente forma de prisão!

Uma convicção irresistível aos poucos dominou a mente de Graham: tudo aquilo era um sonho. Tentou fechar os olhos e conseguiu, mas a velha artimanha não levou a um novo despertar.

Por fim, optou por explorar todos os elementos incomuns dos dois cômodos em que se encontrava.

Em um painel ovalado cuja superfície era espelhada viu a si mesmo e estacou, admirado. Estava envolto em uma graciosa vestimenta entre o púrpura e o branco azulado, com a barba cinzenta bem aparada, e seu cabelo, antes negro, mas agora raiado de cinza, penteado sobre a testa de uma maneira pouco familiar, mas agradável. Parecia um homem nos seus 45 anos, talvez. Por um momento, não percebeu que aquele era ele mesmo.

Uma risada solta surgiu junto com o reconhecimento.

— Deveria visitar o velho Warming com esse meu novo estilo! – exclamou. — Fazê-lo me levar para almoçar!

Pensou em encontrar uns e outros de seus poucos conhecidos e amigos de juventude, mas em meio às agradáveis memórias percebeu que cada um deles estaria morto havia muitos anos. Essa percepção atingiu-o intensa e abruptamente; interrompeu o fluxo de pensamentos e a expressão de seu rosto mudou para uma consternação vazia.

A memória tumultuada das vias móveis e da enorme fachada daquela linda rua voltou a se impor. O alvoroço das massas humanas ressurgiu, claro e vívido, assim como aqueles remotos, inaudíveis, nada amigáveis conselheiros de branco. Sentiu-se um indivíduo apequenado, mínimo e inútil, notavelmente lamentável. E, cercando-o por todos os lados, o mundo se apresentava... *estranho*.

VII.
NOS CÔMODOS SILENCIOSOS

Afinal, Graham resolveu voltar ao exame pormenorizado de seu apartamento. A curiosidade mantinha-o em movimento, a despeito da fadiga. O cômodo interno, percebia, era alto, com o teto em forma de domo e uma abertura alongada central que dava em uma espécie de funil, no qual uma roda de pás largas, aparentemente rotativa, dirigia o ar para cima de seu eixo. O débil ruído desse giro era o único som perceptível no silêncio quase total que o cercava. Durante o movimento cíclico e sucessivo dessas pás, Graham poderia obter breves vislumbres transitórios do céu. Surpreendeu-se ao ver uma estrela.

Essa descoberta chamou atenção de Graham para o fato de que a brilhante iluminação desses ambientes era feita por uma série de suaves lâmpadas incandescentes próximas das cornijas. Não havia janelas. Lembrou-se de que, ao longo de todas as vastas câmaras e corredores que atravessara com Howard, não havia observado nenhuma janela. Teriam as janelas se extinguido? Havia de fato algumas janelas na rua, mas seriam destinadas à iluminação? Ou a cidade era iluminada noite e dia, de modo que não haveria espaço para a noite?

Outro aspecto, nesse sentido, despontou sobre ele: não havia lareiras nos cômodos. Estariam no verão, e estas seriam moradias de veraneio, ou a cidade seria inteira e uniformemente aquecida ou resfriada? Começou a interessar-se por solucionar essas questões, optando por começar examinando a textura lisa das paredes, a simplicidade na construção da cama, os engenhosos arranjos por meio dos quais os serviços de arrumação de quarto foram praticamente abolidos. Acima de tudo, estava a curiosa ausência de ornamentação deliberada, a graça nua da forma e da cor, que lhe parecia extremamente agradável aos olhos. Havia algumas cadeiras confortáveis, uma mesa leve sobre rodinhas silenciosas com várias garrafas contendo diferentes líquidos e copos, além de dois pratos com uma substância clara e gelatinosa. Notou então que não havia livros, jornais ou materiais para escrita. "O mundo realmente mudou", pensou.

Observou que toda a extremidade do segundo cômodo estava preenchida com linhas de peculiares cilindros duplos com inscrições em estilo tipográfico, de cor verde com fundo branco, perfeitamente harmonizadas com o esquema decorativo do local. No centro dessa extremidade surgia um pequeno aparato, de cerca de 1 jarda quadrada, cuja face branca e lisa estava voltada para o quarto. Uma cadeira postava-se diante do dispositivo. Graham imaginou por um instante que esses cilindros poderiam ser livros, ou substitutos contemporâneos para os livros, mas a princípio não pareciam ser.

As inscrições o intrigavam. Parecia algo escrito em russo. Percebeu então formas mutiladas de inglês em certas passagens. "Ɵi Man huwdbi Kiŋ." Forçando um pouco, era possível entender isso como *O homem que queria ser rei*. "Grafia fonética", exclamou. Recordou que lera uma história com esse título; a lembrança veio muito viva pois se tratava de uma das melhores histórias já escritas. Mas essa coisa que estava diante dele não era um livro, ao menos de acordo com seu entendimento. Ficou ainda mais confuso com os títulos de dois cilindros adjacentes: de *O coração das trevas* ele nunca ouvira falar, e o mesmo valia para *A madona do futuro* – se fossem narrativas literárias, seriam, sem dúvida, de autores pós-vitorianos.[1]

Por algum tempo, analisou o primeiro estranho cilindro que avistara, depois pegou o outro. Voltou-se para o aparelho quadrado e examinou-o com vagar. Encontrou e abriu uma espécie de tampa e achou um dos cilindros duplos dentro dela. Também descobriu um pequeno interruptor, parecido com aquele que se utiliza para acionar campainhas, que logo pressionou. O ruído de estalos surgiu e cessou rapidamente. Ouviu vozes e música, viu um jogo de cores na superfície lisa do dispositivo. Percebeu de súbito o que tudo aquilo poderia ser. Recuou e observou atento.

---

1   *The Man Who Would Be King* (1888), conto de Rudyard Kipling; *Coração das trevas* (1902), romance de Joseph Conrad, e *A madona do futuro* (1873), novela de Henry James.

Naquela tela lisa havia agora uma pequena imagem, de cores extremamente vivas, e nessa imagem figuras se moviam. Aliás, elas não apenas se moviam, mas conversavam com vozes nítidas. Eram idênticas à realidade vista através de binóculo para ópera invertido e ouvida por meio de um longo tubo. O interesse de Graham foi logo capturado pela situação: um homem andando de um lado para o outro e vociferando de forma agressiva para uma mulher bela, mas petulante. Ambos trajavam vestimentas pitorescas que pareciam estranhas para Graham. "Eu trabalho", dizia o homem, "mas o que você faz?".

— Ah! – disse Graham. Esqueceu-se de tudo mais e sentou-se na cadeira. Em cinco minutos ouviu uma alusão a seu apelido, ouviu "Quando o Dorminhoco acordar" como um provérbio que se referia ao adiamento de algo para um momento remoto. Como ele próprio, algo remoto e incrível. Mas logo sentia as duas figuras como se fossem amigos íntimos.

Por fim, o drama em miniatura chegou ao fim e a frente quadrada do dispositivo ficou vazia de novo.

Era um mundo estranho aquele em que se permitiu mergulhar, sem nenhum escrúpulo, voltado ao prazer, energético, sutil, um mundo que possuía também sua contradição econômica. Havia alusões que ele não compreendia, incidentes carregados de estranhas sugestões de mudança no ideário moral, vislumbres de dúbios esclarecimentos. O tecido azul que surgiu de forma tão constante em suas primeiras impressões da nova cidade ressurgiu várias vezes na vestimenta das pessoas comuns. Não tinha dúvidas de que se tratava de uma história contemporânea, seu intenso realismo era inegável. O final apresentou uma tragédia que o oprimiu. Sentado, ainda contemplava o dispositivo imóvel.

Voltou a si e esfregou os olhos. Estava tão absorvido consumindo essa versão modernizada dos romances que se voltou para o pequeno cômodo verde e branco com um quê de surpresa não muito distante daquele que sentira em seu primeiro despertar.

Levantou-se para voltar à própria e bizarra realidade. A pureza do drama no cinetoscópio passou: estava novamente diante dos vastos espaços nas ruas, do Conselho ambíguo, das transições repentinas de suas horas após o despertar. Essas pessoas falavam do Conselho sugerindo uma vaga universalidade do poder. E elas falavam do Dorminhoco. A consciência mais clara de que ele era o Dorminhoco ainda não o atingira. Tinha de recordar precisamente o que todos diziam...

063   VII. NOS CÔMODOS SILENCIOSOS

Andou pelo quarto para observar através das pás em seus rápidos intervalos. O compasso circular delas era indicado por um pequeno barulho de máquina que acompanhava ritmicamente o movimento. Tudo mais era silêncio. Mas viu que, embora o dia perpétuo fosse irradiado através de seus aposentos, o céu intermitentemente visível já estava de um tom azul bem escuro – quase negro, salpicado de pequenas estrelas...

Voltou ao exame do apartamento. De fato, não havia jeito de abrir a porta acolchoada, nenhuma campainha ou maneira de chamar atenção de alguém caso precisasse. Seu sentimento de surpresa foi suspenso, mas ele permanecia muito curioso, ansiando por informação. Desejava conhecer com exatidão como ele poderia utilizar todas essas novidades. Tentou recompor-se para aguardar que alguém viesse até ele. Mas estava inquieto e ansioso por informações, distração, novas sensações.

Caminhou de volta para o aparelho no outro cômodo e logo tentava compreender o processo de troca de um cilindro por outro. Conforme trabalhava nisso, ocorreu-lhe que fora aquele tipo de aparato o que preservara a linguagem, de forma que mesmo depois de dois séculos as falas continuavam claras e inteligíveis. Selecionou cilindros ao acaso e conseguiu colocá-los no dispositivo: exibiam uma fantasia musical. Inicialmente as imagens eram belíssimas, depois sensuais. Percebeu tratar-se de uma versão modificada da história de Tannhäuser[2]. A música era-lhe desconhecida. Mas a execução era realista e marcada por uma estranheza contemporânea. Esse Tannhäuser não ia até Venusberg, mas para certa Cidade dos Prazeres. O que seria essa Cidade dos Prazeres? Um sonho, sem sombra de dúvida, a fantasia de um escritor extraordinário e voluptuoso.

Ficou interessado, curioso. A história engrenava-se ao sabor de um sentimentalismo estranhamente torcido. De repente, aquilo começou a desagradar-lhe. A desagradar-lhe cada vez mais.

Teve um sentimento de repulsa. Não se tratava de figuras desenhadas ou idealizações, mas de realidades fotografadas. Não queria mais saber da versão de duzentos anos futuros de Venusberg. Ele esqueceu o papel que o exemplo edificante desempenhava na arte do século XIX e

---

2   *Tannhäuser*, ópera em três atos de Richard Wagner (1813-1883), que estreou em 1845 em Dresden, na Alemanha. Trata-se de uma lenda medieval sobre o menestrel Tannhäuser, que se deixa seduzir por uma mulher de nome Vênus – identificada com a deusa – em um local chamado Venusberg.

cedeu espaço a um arcaico sentimento de indignação. Levantou-se irritado e parcialmente envergonhado de si mesmo por assistir a esse tipo de coisa, mesmo estando só. Empurrou o aparato e, com alguma violência, tentou parar a projeção. Algo estalou. Uma faísca violenta atingiu seu braço e a coisa ficou totalmente silenciosa e parada. Quando no dia seguinte tentou trocar essa versão de Tannhäuser por outro par de cilindros, descobriu que o mecanismo tinha quebrado...

Ficou então em um corredor oblíquo ao quarto e começou a andar de um lado para o outro, combatendo tantas impressões intoleráveis. Aquilo que ele imaginava a partir do que assistira nos cilindros e aquilo que de fato vira entravam em conflito e o confundiam. Parecia espantoso que em seus 30 anos de vida nunca tivesse tentado formar uma imagem do tempo vindouro. "Estávamos fazendo o futuro", disse para si mesmo, "e dificilmente qualquer um de nós se preocupava em pensar a respeito do futuro que fazíamos. E aqui está ele!".

"O que eles conseguiram, o que foi feito? Como me posiciono no meio de tudo isto?" Talvez estivesse preparado para as vastidões do espaço urbano e das construções, ou para a multidão. Mas o que dizer dos conflitos que testemunhara em plena cidade? Ou da sensualidade sistematizada dos privilegiados?

Pensou em Bellamy[3], o herói cuja utopia socialista estranhamente antecipara essa sua experiência presente. Mas aqui não havia utopia ou Estado socialista. Já vira o bastante para entender que a velha antítese entre luxúria, desperdício e sensualidade de um lado, e pobreza abjeta de outro, ainda prevalecia. Conhecia o suficiente dos fatos essenciais da existência para entender essa correlação. Pois eram colossais não apenas as edificações e as multidões da cidade, mas também o descontentamento das vozes que ouvira durante suas andanças, do desassossego de Howard, da própria atmosfera. Em qual país estaria? Parecia encontrar-se na Inglaterra, mas uma Inglaterra bizarramente não inglesa. Sua mente tentava especular a respeito do resto do mundo, mas o que via era apenas um véu de enigmas.

Voltou a circular pelo apartamento, examinando tudo como um animal enjaulado faria. Estava muito cansado, possuído por uma exaustão

---

3   Edward Bellamy (1850–1898), escritor americano, autor de *Daqui a cem anos: revendo o futuro* (1888), que também apresenta um "dorminhoco" que acorda no futuro.

febril que não admitia descanso. Permaneceu por algum tempo tentando ouvir algo através do ventilador, talvez algum eco distante dos tumultos que sentia persistirem na cidade.

Começou a falar consigo mesmo. "Duzentos e três anos!", repetiu várias vezes com uma risada estúpida. "Então eu tenho 233 anos! O habitante mais velho do planeta. Com certeza as pessoas desta época não devem ter revertido a tendência da minha, voltando à concepção de que o mais velho deve governar. Meus pedidos são indiscutíveis. Blá-blá-blá. Eu me lembro das atrocidades na Bulgária[4] como se fosse ontem. 'Nossa grande época!' Haha!" Surpreendeu-se ao ouvir a própria gargalhada, o que o motivou a gargalhar de novo, deliberadamente e com mais força. Logo se deu conta de que agia de forma tola. "Firme", passou a repetir. "Firme!"

Seu caminhar pelo quarto tornou-se mais estável. "Este novo mundo", disse, "eu não o compreendo. *Por quê?*... Mas tudo se resume a *por quê?*".

"Suponho que as pessoas agora possam voar e façam todo tipo de coisa. Vou tentar recordar como tudo isso começou."

Surpreendeu-lhe, a princípio, perceber quão vagas as memórias de seus primeiros trinta anos haviam ficado. Lembrava-se de fragmentos, na maior parte momentos triviais, coisas sem grande importância que havia observado. Primeiro, sua infância pareceu-lhe mais acessível: lembrou-se dos livros escolares e de algumas lições de cálculo. Depois reviveu os momentos notáveis de sua vida, memórias de uma esposa morta fazia muito tempo, da mágica – e agora incorruptível – influência que exercia sobre ele, de seus rivais, amigos e traidores, da resposta deste e daquele problema, de seus últimos anos de miséria, das resoluções flutuantes e, por fim, de seus estudos extenuantes. Em pouco tempo estava tudo lá, de novo; talvez um pouco desgastado, como o metal quando jogado em um canto por longo período, mas de forma alguma defeituoso ou mutilado, na verdade pronto para um novo polimento. Mas a tonalidade desse material tendia para a miséria profunda. Valeria a pena um novo polimento? Por um milagre, fora exilado de uma vida que se tornara intolerável...

Retornou para sua condição atual. Lutava com os fatos em vão. A coisa toda tornava-se um nó inextricável. Voltou-se para o céu, visto através do ventilador, rosado com o amanhecer. Uma velha voz, persuasiva, emergiu dos negros recessos de sua memória: "Preciso dormir", ele disse.

---

4   O autor refere-se à repressão do Império Turco contra os búlgaros em 1876.

Essa possibilidade surgiu como um agradável alívio para sua angústia mental e para o doloroso e crescente peso que sentia nos membros. Foi até a cama estranha e pequena, deitou-se e imediatamente adormeceu...

Estaria bastante familiarizado com esses cômodos antes de finalmente ser autorizado a deixá-los, uma vez que ficou aprisionado por três dias. Durante esse período, ninguém, com exceção de Howard, entrou ali. A natureza prodigiosa de seu destino mesclou-se com a natureza prodigiosa de sua sobrevivência – e de alguma forma a minimizou. Despertara para a humanidade apenas para ser removido para uma bizarra solidão. Howard aparecia com regularidade trazendo fluidos nutritivos e restauradores, alimentos leves e saborosos, todos desconhecidos de Graham. Ele sempre fechava a porta com cuidado assim que entrava. Em termos de detalhes gerais, Howard era incrivelmente prestativo; mas no que dizia respeito aos grandes questionamentos que estavam evidentemente em jogo ali perto, depois das paredes à prova de som dos cômodos, ele não colaborava. Escapava, da maneira mais polida possível, de cada pergunta a respeito de como andavam as coisas no mundo exterior.

Nesses três dias, os pensamentos incessantes de Graham cresceram e tornaram-se mais difíceis de controlar. Tudo o que havia visto, todos esses elaborados artifícios utilizados para evitar que visse mais alguma coisa, trabalhava junto em seu pensamento. Debateu mentalmente quase todas as interpretações possíveis para sua situação – até mesmo, ao acaso, a interpretação correta. As coisas que aconteciam a ele tornavam-se mais verossímeis devido à sua reclusão. Quando finalmente o momento da libertação chegou, ao menos Graham estava preparado...

O comportamento de Howard intensificava a teoria de Graham sobre a estranha importância que ele próprio tinha; o momento entre o abrir e o fechar da porta parecia trazer consigo um sopro de acontecimentos importantes. Suas perguntas tornavam-se mais precisas e analíticas. Howard recuava com objeções e empecilhos. O despertar fora imprevisto, ele repetia sempre; calhara de acontecer bem em meio a uma convulsão social.

— Para explicar em detalhes o que está acontecendo, eu teria de contar a história de quase uma grosa e meia de anos – objetou Howard.

— A verdade é que – respondia Graham – você está com medo de algo que eu possa fazer. De alguma forma, devo ser um mediador, um mediador.

— Não é isso. Mas o crescimento exponencial de suas riquezas, só posso chegar até este ponto, colocou grande poder de interferência em suas mãos. Por outro lado, você também dispõe de alguma influência derivada de suas noções do século XVIII.

— Século XIX – corrigiu Graham.

— De qualquer forma, suas noções e valores antiquados ignoram cada detalhe de nosso Estado.

— Então sou um tolo?

— Claro que não.

— Você acredita que eu seja o tipo de homem que age por impulso?

— Ninguém esperava, de forma alguma, que você agisse. Ninguém sonhava que fosse possível o despertar. O Conselho preocupou-se em cercá-lo de condições antissépticas. Para dizer a verdade, todos acreditavam que você estava morto, despojos em processo de decomposição. Além disso... é tudo muito complexo. Não ousaríamos... não enquanto você ainda está semidesperto.

— Não adianta – disse Graham. — Suponha que a coisa fosse feita como você disse, por que não estou sendo bombardeado dia e noite com fatos e alertas, todo o conhecimento já armazenado, para que eu possa assumir as minhas responsabilidades? Não estou mais informado agora do que estava há dois dias, se é que se passaram dois dias, desde que acordei...

Howard mordeu o lábio.

— Começo a perceber, isso fica mais claro conforme o tempo passa, um sistema de encobrimento do qual você seria o testa de ferro. Esse tal Conselho, comitê ou o que quer que seja estaria ocultando os fatos a meu respeito, a informação de que estou vivo? É isso?

— Esse tom de suspeita... – começou Howard.

— Urgh! – disse Graham. — Agora grave minhas palavras: vai ser pior para aqueles que me colocaram aqui. Será mesmo. Estou vivo. Não tenha dúvidas disso, eu estou vivo. Cada dia que passa meu pulso está mais forte e minha mente, mais clara e vigorosa. Não suporto mais esse descanso forçado. Sou um homem que voltou à vida. E eu desejo *viver*...

— *Viver*!

O rosto de Howard iluminou-se com uma ideia. Dirigiu-se até Graham e falou em um tom baixo, confidencial.

— O Conselho o isolou neste local para sua própria segurança. Você está aflito. É natural, para um homem enérgico como você! Deve achar tudo isto um tédio. Mas estamos ansiosos para fornecer tudo o que deseja, cada desejo, mesmo o menor deles... Deve haver alguma coisa! Deseja companhia?

Houve uma pausa no discurso, bastante significativa.

— Sim – disse Graham após breve reflexão. — Há uma coisa.

— Ah! *Agora*! Creio que o tratamos de forma negligente...

— As massas humanas daquelas ruas.

— Isso – começou Howard –, temo que...

Graham começou a andar de um lado para o outro. Howard permaneceu parado, próximo à porta, observando-o. As implicações da sugestão feita por Howard eram apenas parcialmente evidentes para Graham. Companhia? Supondo que aceitasse a proposta e exigisse algum tipo de *companhia*... Haveria a possibilidade de arrancar desse hipotético personagem, por meio de conversas, qualquer vaga informação a respeito da luta que eclodira de forma tão vívida quando de seu despertar? Enquanto meditava, a sugestão ganhava contornos mais e mais claros. Voltou-se para Howard abruptamente.

— O que você quer dizer com companhia?

Howard levantou os olhos e deu de ombros.

— Seres humanos – disse com um sorriso curioso no rosto carregado. — Nossas ideias sociais – continuou – talvez sejam um pouco mais liberais se comparadas com as de seu tempo. Se um homem deseja aliviar uma situação tediosa – digamos, a sua situação atual – através de uma ligação temporária com um membro da sociedade feminina, por exemplo. Para nós, isso não é nenhum escândalo. Purificamos nossa mente de fórmulas. Em nossa sociedade, existe uma classe de profissionais, muito úteis, que não é mais tratada com desprezo, uma classe discreta...

Graham estava paralisado.

— Ajuda a passar o tempo – disse Howard. — Realmente é algo que eu deveria ter pensado antes. Mas aconteceram tantas coisas...

Indicou com um gesto o mundo exterior.

Graham hesitou. Por um momento, a imagem de uma mulher dominou sua mente de forma poderosa. Mas logo desapareceu, deixando apenas alguma raiva.

— *Não*! – gritou.

Começou a caminhar de um lado para o outro.

— Tudo o que você diz e faz aumenta minha certeza de que existe algum problema realmente sério que envolve a minha pessoa. Não desejo apenas passar o tempo, como você sugeriu. Sei que desejo e prazer são a vida em certo sentido, mas também a morte! Extinção! Na minha vida antes de adormecer, trabalhei intensamente essa miserável questão. Não vou começar tudo isso de novo. Há uma cidade povoada por uma multidão, mas eu continuo aqui, como um coelho em um saco.

Sua raiva aumentou enquanto falava. Chegou a engasgar por um momento e prosseguiu o discurso com os punhos cerrados. Parecendo dominado por um ataque de fúria, jurou maldições arcaicas. Seus gestos apresentavam a qualidade de ameaças físicas.

— Não compreendo o que seus governantes querem exatamente. Estou no escuro, sou mantido no escuro. Mas o que eu sei é o seguinte: estou aprisionado aqui por motivos insidiosos. Sim, motivos insidiosos. Estou avisando, isso vai ter consequências. Assim que eu recuperar meu poder...

Foi só então que percebeu que tais bravatas poderiam representar algum risco para si mesmo. Interrompeu o fluxo. Howard permanecia a observá-lo ainda com uma expressão curiosa.

— Entendo tudo isso como uma mensagem para o Conselho – começou.

Graham teve um momentâneo impulso de pular em cima de Howard e de derrubá-lo. Isso deve ter transparecido em seu rosto; de qualquer forma, os movimentos do tutor foram velozes. Em segundos, a silenciosa porta estava trancada e o homem do século XIX, sozinho.

Permaneceu rígido por um momento, os punhos cerrados ainda erguidos. Então relaxou sua posição tensa. "Como fui tolo!", disse em voz alta. Esvaziava a raiva caminhando e exclamando maldições... Por longo tempo, esteve em uma espécie de frenesi, enraivecido pela sua posição no momento, a própria falta de controle e principalmente com os tratantes que o mantinham preso. Fazia isso porque não queria contemplar com calma sua situação. Apegava-se à raiva – porque temia sentir medo.

Contudo, sentia que chegara o tempo de raciocinar um pouco. Sua prisão era inexplicável, mas sem dúvida os procedimentos legais – os novos procedimentos – a permitiam. Deveria, com certeza, ser algo legalmente permitido. Essas pessoas estavam duzentos anos na dianteira da civilização, tendo em vista a geração vitoriana. Não seria de supor que elas fossem menos... humanas. Ainda que tivessem "libertado suas mentes de fórmulas"! Seria a humanidade uma fórmula, assim como a castidade?

Sua imaginação prosseguiu na atividade de conceber o que poderiam fazer a ele. As tentativas de descartar essas ideias, ainda que fossem amparadas pela lógica, foram inúteis. "Por que fariam algo a mim?"

"Se o pior acontecer", disse enfim consigo mesmo, "posso dar tudo o que querem. Mas o que eles querem? E por que não me consultam diretamente em vez de me manter aqui preso?".

Voltou para suas preocupações iniciais com o Conselho e suas possíveis intenções. Começou por analisar novamente os detalhes do comportamento de Howard, seus olhares sinistros, suas hesitações inexplicáveis. Depois sua mente considerou as possibilidades de escapar dos aposentos. Mas para onde iria nesse vasto e populoso mundo? Estaria mais deslocado que um cavaleiro saxão que caísse sem aviso em plena Londres do século XIX. Além do mais, como alguém conseguiria fugir?

"A quem aproveitaria causar-me algum dano?"

Pensou no tumulto, o grande problema do qual ele era tão inexplicavelmente o eixo. Um texto, irrelevante mas curiosamente insistente, apareceu flutuando na escuridão de sua memória. Sua autoria também teria sido de um Conselho. "É oportuno para nós que um homem deva morrer pelo povo."

VIII.
OS TELHADOS
DA CIDADE

As pás continuavam seu movimento de rotação através da abertura circular do teto, permitindo rápidos vislumbres da noite enquanto sons distantes pareciam ecoar nas proximidades. Graham, que permanecia em pé, embaixo delas, espantou-se ao perceber o som de uma voz.

Observou com atenção e percebeu, nos intervalos da rotação das pás, na escuridão, o rosto e os ombros de um homem que o fitava. Uma mão escura foi estendida e bateu na extremidade mais fina da lâmina da ventoinha, que parou sua rotação. Logo alguma coisa começou a escorrer até o chão, um fino e silencioso gotejamento.

Graham olhou para baixo e viu manchas de sangue em seus pés. Olhou para cima de novo, preso em uma estranha agitação. A figura desaparecera.

Permaneceu algum tempo paralisado – todos os seus sentidos dirigiam-se para aquele vulto oscilante. Notou uma poeira débil, remota, flutuando suavemente no exterior – que chegava até ele de forma irregular, em turbilhões que flutuavam pelas laterais da abertura do sistema de ventilação. Agora um raio de luz brilhou, a fina poeira tingiu-se de branco, depois veio a escuridão novamente. Embora estivesse aquecido e iluminado, percebia que nevava a poucos pés dali.

Percorrendo o quarto, Graham voltou novamente para debaixo do ventilador. Viu de relance a cabeça de um homem. Ouviu ruído de sussurros. Depois um golpe – aparentemente calculado – sobre alguma substância metálica, sons de passos, mais vozes. As pás do ventilador pararam.

Flocos de neve, em rajadas, circulavam pelo quarto, mas desapareciam antes de encostar no solo.

— Não tenha medo – disse uma voz.

Graham permaneceu sob a abertura.

— Quem é você? – murmurou.

Por um momento não houve nada além do movimento de inércia do ventilador. Depois de algum tempo, a cabeça de um homem surgiu, cautelosa, através da abertura. O rosto estava quase totalmente invertido em relação a Graham; o cabelo negro, úmido por causa dos flocos de neve que nele se dissolviam. O braço dele logo foi para a escuridão, carregando alguma coisa impossível de distinguir. Tinha um semblante jovial e olhos brilhantes. As veias da testa estavam dilatadas, pois ele parecia fazer tremendo esforço para manter-se naquela posição.

Por alguns segundos, nem o visitante nem Graham falaram.

Por fim, o estranho disse:

— Você é o Dorminhoco?

— Sim – respondeu Graham. — O que quer de mim?

— Venho da parte de Ostrog, meu amo.

— Ostrog?

O homem no ventilador virou um pouco a cabeça de modo que Graham estava agora diante de um perfil. Ele parecia estar escutando. De repente, ouviu-se uma feroz exclamação e o invasor recuou no momento exato em que o ventilador voltou a girar as pás. Depois Graham pôde distinguir apenas a neve que caía.

Passados cerca de quinze minutos, as coisas voltaram a ficar agitadas no ventilador. O ruído de interferência metálica retornou, com a consequente parada das pás e a aparição do rosto desconhecido. Graham permaneceu todo esse tempo no mesmo lugar, alerta e tenso.

— Quem é você? O que deseja? – perguntou.

— Desejamos conversar, meu amo – respondeu o intruso. — Desejamos... Não consigo segurar esta coisa. Temos tentado encontrar um meio de alcançá-lo. Nesses últimos três dias...

— Vocês são um grupo de resgate? – perguntou Graham em tom baixo. — É uma fuga?

— Sim, meu amo, se assim desejar.

— Vocês pertencem ao meu grupo, são do grupo do Dorminhoco?

— Sim, meu amo.

— O que devo fazer? – questionou Graham.

Houve um embate. O braço do estranho surgiu, e sua mão sangrava. Mesmo seus joelhos apareceram na extremidade da abertura. "Afaste-se", ele disse antes de cair pesadamente, batendo um dos ombros e as mãos no solo, aos pés de Graham. O ventilador, outra vez liberado, girava furiosamente. O estranho se recompôs com agilidade e, ofegante, segurou o ombro machucado. Os olhos brilhantes estavam fixos em Graham.

— Você realmente é o Dorminhoco – disse. — Eu vi você dormindo, quando a lei permitia a qualquer pessoa vê-lo.

— Sou o homem que estava em estado de transe – respondeu Graham. — Eles me aprisionaram. Estou aqui desde que acordei, há pelo menos três dias.

Quando o intruso estava prestes a dizer alguma coisa, parou de súbito, como se ouvisse algo. Olhou rapidamente para a porta e correu na direção dela, deixando Graham e gritando palavras incoerentes. Uma lâmina de aço brilhou em sua mão. Começou a desferir uma série rápida de golpes, tap, tap, tap, na dobradiça.

— Cuidado! – gritou uma voz. — Oh! – essa nova voz vinha do alto.

Graham olhou para cima e viu a sola de dois pés descendo. Foi então atingido no ombro por um deles, cujo peso o levou ao chão. Caiu para a frente, de joelhos, o peso forçando sua cabeça. Ajoelhado, viu um segundo homem vindo do teto postar-se diante dele.

— Não o vi, meu amo – desculpou-se o homem, ofegante. Ele ajudou Graham a levantar-se. — Está ferido, meu amo? – perguntou ainda ofegante. Uma sucessão de impactos contra o ventilador teve início e alguma coisa passou próximo do rosto de Graham. Um pedaço trêmulo de metal branco dançou no ar e caiu no chão.

— O que é isso? – gritou Graham confuso, olhando para o ventilador. — Quem são vocês? O que vão fazer? Vejam que eu não estou compreendendo nada disso.

— Para trás – disse o estranho, arrastando Graham de sua posição abaixo do ventilador quando outro fragmento de metal caiu pesadamente.

— Nós queremos que venha conosco, meu amo – disse o recém--chegado. Graham percebeu que um novo corte no rosto dele mudara de branco para vermelho, com pequenas gotas de sangue escorrendo pela testa. — Seu povo clama seu nome.

— Querem que eu vá para onde? Meu povo?

VIII. OS TELHADOS DA CIDADE

— Para o salão que fica acima dos mercados. Aqui sua vida corre perigo. Temos espiões. Soubemos de tudo, porém, em cima da hora. O Conselho decidiu, hoje mesmo, que o melhor seria drogá-lo ou matá-lo. Está tudo pronto para isso. O povo está ciente, a polícia dos cata-ventos, os engenheiros e metade dos engenheiros de vias móveis estão conosco. Os salões estão lotados de pessoas gritando. A cidade inteira está contra o Conselho. Nós temos armas – limpou o sangue com as mãos. — Aqui sua vida não vale...

— Mas por que armas?

— O povo em revolta deseja protegê-lo, meu amo. Que foi?

O recém-chegado virou-se rapidamente assim que ouviu seu companheiro sibilar entredentes. Graham viu que aquele que havia assobiado gesticulava para que se escondessem, enquanto se movia para trás da porta aberta.

Nesse momento Howard apareceu, trazendo uma pequena bandeja em uma das mãos, o rosto carregado de abatimento. Sobressaltou-se, ergueu o olhar, a porta bateu atrás dele, a bandeja pendeu de lado e uma lâmina de aço o atingiu atrás da orelha. Caiu como uma árvore abatida e ficou imóvel no chão do cômodo exterior. O homem que o havia atingido curvou-se rápido, estudou-lhe o rosto por um momento e voltou a seu trabalho na porta.

— Seu fluido! – disse uma voz no ouvido de Graham.

Então, sem aviso, mergulharam na escuridão. As inumeráveis luzes situadas nas cornijas foram extintas. Graham contemplava o vão do ventilador, no qual a neve dançava fantasmagoricamente, rodopiando ao redor de figuras que se moviam apressadas. Outros três desceram pela abertura. Alguma coisa enegrecida – na verdade, uma escada – desceu na escuridão através da passagem no teto, enquanto uma mão surgiu segurando uma luz amarela vacilante.

Graham hesitou por um momento. Mas o jeito desses homens, seu entusiasmo e suas palavras emparelhavam-se com os próprios receios a respeito do Conselho, com suas ideias e sua esperança de um resgate, de modo que essa hesitação passou em um piscar de olhos. Seu povo o esperava!

— Não estou entendendo – disse. — Confio em vocês. Digam-me o que fazer.

O homem com a testa cortada segurou o braço de Graham.

— Suba a escada – sussurrou. — Depressa. Eles devem ter ouvido...

Graham procurou a escada com os braços estendidos, colocou um pé no degrau inferior e, voltando a cabeça, viu por cima do ombro do homem mais próximo, na luz amarela vacilante, o primeiro de todos os visitantes, que, sobre o corpo de Howard, ainda trabalhava na porta. Tornou a virar-se para a escada e, com o auxílio de seu condutor e de outros que estavam depois da abertura do teto, logo estava em pé, depois de atravessar uma superfície rígida e fria, do lado de fora do duto de ventilação.

Teve um arrepio. Sentia a enorme diferença de temperatura. Meia dúzia de homens estava diante dele enquanto suaves flocos de neve tocavam mãos e rostos antes de derreter. Por alguns instantes predominou a escuridão, logo um clarão espectral entre o violeta e o branco, e depois a escuridão novamente.

Percebeu que estava sobre os telhados da vasta estrutura que era a cidade, que substituíra a miscelânea de casas, ruas e espaços abertos da Londres vitoriana. O lugar em que estava era nivelado, povoado de enormes cabos que serpenteavam em todas as direções. As rodas circulares de diversos moinhos de vento revelavam formas vagas e gigantescas através da escuridão e da neve, rugindo com variável grau de ruído conforme o vento aumentava e diminuía. Algum tipo de luz branca intermitente piscava, vinda de baixo, tornando os breves redemoinhos de neve temporariamente brilhantes como espectros que se desfaziam na noite. Aqui e ali, em um nível mais baixo, algum mecanismo impulsionado pelo vento, cujos contornos eram pouco nítidos, pulsava com fagulhas vívidas.

Tudo isso ele apreciou de forma algo fragmentária, bem próximo dos homens responsáveis por seu resgate. Alguém colocou uma capa cuja textura lembrava a de um casaco de pele sobre os ombros de Graham, para depois rapidamente ajustá-la. Algumas palavras, breves e importantes, eram trocadas. Alguém empurrou-o para a frente.

Antes que sua mente estivesse clara, uma forma escura segurou seu braço.

— Por aqui – disse a forma, empurrando e direcionando Graham, que obedeceu, através do telhado plano na direção de um brilho luminoso semicircular.

— Cuidado! – disse a voz quando Graham tropeçou em um cabo. — Coloque seus pés entre os cabos, não pise neles – continuou. — Devemos nos apressar.

— Onde está o povo? – perguntou Graham. — O povo que você disse que estava me esperando?

O estranho não respondeu. Soltou o braço de Graham uma vez que o caminho se estreitava, liderando o percurso com passadas largas. Graham seguia-o cegamente. Percebeu que estava correndo. "Mas e os outros? Virão?", perguntou ofegante, mas não obteve resposta. Seu companheiro apenas olhou para trás e continuou a correr. Chegaram a uma espécie de corredor de metal aberto, perpendicular à direção da qual vieram, e o seguiram de imediato. Graham olhou para trás, mas a neve que caía incessantemente ocultara os outros.

— Vamos! – gritou o guia. Correndo o mais rápido que puderam, aproximaram-se de um moinho de vento que girava velozmente. — Abaixe-se! – avisou o guia de Graham, e assim evitaram uma faixa infinita que corria, rugindo, até o eixo das hélices. — Por aqui! – meteram-se então até os tornozelos em uma calha cheia de neve que derretia, entre dois muros baixos de metal na altura da cintura de uma pessoa de estatura média.

— Eu vou na frente! – orientou o guia. Graham puxou sua capa para se proteger melhor do frio e seguiu-o. Subitamente, surgiu um abismo estreito não muito distante, depois do qual a calha descia para a escuridão da neve. Graham espreitou pela beirada e percebeu que o abismo que se abria era completamente negro. Por um momento, lamentou a fuga. Temia olhar para o abismo de novo e seu cérebro girava enquanto praticamente nadavam com metade do corpo imerso na neve liquefeita.

Escalaram então a calha e correram através de um espaço amplo e plano, bastante úmido por causa da neve que derretia. Metade de sua extensão era vagamente translúcida devido a luzes que pareciam ir e vir por baixo do solo. Graham hesitou novamente ao ver que deveria andar nessa superfície de aparência instável, mas seu guia já a atravessava sem prestar muita atenção a ele, de maneira que seguiram o caminho. Depois escalaram degraus escorregadios até a beira de um grande domo de vidro. Deram a volta em torno dele. Muito abaixo, um grupo numeroso de pessoas parecia dançar; o som de música era filtrado pelo domo... Graham imaginou ouvir gritos através da neve, e seu guia aumentou o passo e a aceleração da corrida. Arfando, subiram até um local onde havia enormes moinhos de vento, um deles tão gigantesco que apenas a extremidade inferior das hélices era visível, aparecendo e desaparecendo na neve e na noite conforme giravam. Correram por algum tempo através da colossal estrutura em arabesco metálico que suportava o monstruoso moinho, chegando por fim a um ponto mais alto no qual havia plataformas móveis como aquelas que Graham vira da sacada. Rastejaram de joelhos pela inclinação transparente que cobria essa rua de plataformas, devido ao piso extremamente escorregadio coberto de neve.

Uma densa camada de orvalho e neve espalhava-se pelo vidro, de forma que Graham conseguia distinguir apenas formas sugeridas e esfumaçadas do que via através dessa superfície transparente. Próximo a um ponto afastado, a visão ficou bem mais nítida. Ele viu-se olhando diretamente para baixo a uma altura imensa. Por um momento, a despeito da urgência de seu guia, foi dominado pela vertigem e permaneceu agarrado ao vidro, aturdido e paralisado. Muito abaixo, pontos e partículas agitavam-se: eram as pessoas insones da cidade iluminadas por luzes perpétuas e as plataformas móveis em seu incessante deslocamento. Mensageiros e homens fazendo negócios que não lhe eram familiares disparavam ao longo dos cabos oscilantes enquanto as pontes que pareciam tão frágeis estavam repletas de pessoas. Era como observar uma gigantesca colmeia de vidro espalhar-se sob seus pés, sendo a queda evitada apenas por essa camada transparente de espessura e durabilidade desconhecidas. As ruas pareciam quentes, iluminadas, ao passo que Graham estava todo molhado, sentindo a umidade da neve liquefeita diretamente na pele, os pés frios e entorpecidos. Não conseguia se mover.

— Vamos! – gritava o guia com nítido terror na voz. — Vamos!

Graham alcançou o ponto extremo do telhado empregando considerável esforço.

No topo, seguindo o exemplo de seu guia, virou-se e deslizou bem rápido de costas pela ladeira oposta, em meio a uma pequena avalanche de neve. Enquanto deslizava, pensou no que aconteceria se houvesse alguma fenda no meio do caminho. Tropeçou na beirada, mergulhando os pés até os tornozelos em substância líquida, agradecendo aos céus o fato de o chão ser opaco novamente. Seu guia já estava escalando a tela de metal até uma extensão de nível.

Através dos esparsos flocos de neve surgiu acima uma nova paisagem, vasta de moinhos de vento. Repentinamente, o amorfo tumulto da rotação das hélices foi perfurado por um som ensurdecedor. Era um assobio estridente de extraordinária intensidade que parecia vir, simultaneamente, de todos os lados.

— Eles perceberam nossa fuga! – gritou o guia de Graham, o terror marcado na articulação da frase. Em um segundo, um clarão transformou a noite em dia.

Acima, com a neve que caía sem parar, visível na parte mais elevada das hélices dos moinhos, enormes mastros carregavam globos de luz vívida. Projetavam-se em perspectivas ilimitadas, em todas as direções. O alcance da visão de Graham, prejudicado pela neve, era inteiramente iluminado por esses dispositivos.

— Pegue uma delas – exclamou o condutor de Graham, empurrando-o na direção de uma longa grade de metal não atingida pela neve, uma espécie de tira entre dois montes ligeiramente inclinados de neve. O metal parecia quente aos pés entorpecidos de Graham, enquanto uma suave névoa pairava acima do objeto que segurava.

— Vamos! – gritou o guia umas 10 jardas adiante. Sem esperar seu companheiro, iniciou um percurso veloz através do brilho incandescente até os suportes metálicos de um segundo grupo de moinhos de vento. Graham, ainda estupefato, dava o máximo de si, convencido de sua captura iminente...

Em poucos segundos, estavam dentro de uma elaborada estrutura na qual luz e sombra dançavam projetadas através das barras móveis abaixo das rodas monstruosas dos moinhos. A corrida durou algum tempo, até que repentinamente o guia disparou por um caminho lateral e desapareceu na extremidade da base de um gigantesco suporte. Passados alguns segundos, Graham alcançou-o.

Estavam curvados, ofegantes, observando.

A cena que Graham viu era bastante feroz e estranha. A nevasca quase cessara; uns poucos flocos isolados flutuavam aqui e acolá. Mas a ampla área diante deles estava iluminada por um fantasmagórico brilho branco, quebrado apenas por massas gigantescas, formas que se moviam e amplas faixas de escuridão impenetrável, semelhantes a titãs inábeis e sombrios. O universo ao redor era feito de estruturas metálicas e vigas de ferro: para Graham, tudo surgia desmesuradamente gigantesco e entrelaçado. As beiradas das hélices dos monstruosos moinhos de vento, que mal se moviam devido à calmaria, eram enormes curvas que brilhavam e se deslocavam lentamente em meio à neblina luminosa. A luz salpicada de neve atingia tudo: as vigas, os suportes, as incessantes faixas que se deslocavam dotadas de uma resolução que parecia ao mesmo tempo hesitante e indomável, de um lado para o outro na escuridão. Com toda essa intensa atividade repleta de formulação e planejamento, a imensa desolação mecânica a que assistiam, coberta de neve, parecia esvaziada de toda presença viva – exceto as duas solitárias testemunhas –, tão remota, inacessível e praticamente virgem de contato humano como certos locais alpinos nos quais a neve permanecia intocada.

— Eles já devem estar nos perseguindo – gritou o guia. — Ainda não chegamos à metade do caminho. Embora esteja bem frio, precisamos nos esconder aqui por algum tempo, até a neve ficar um pouco mais espessa, talvez.

Seus dentes tiritavam.

— Onde estão os mercados? – perguntou Graham olhando para fora. — Onde estão as pessoas?

O outro não respondeu.

— *Veja*! – murmurou Graham, inclinando-se para bem perto de seu interlocutor, antes de ficar rígido, em silêncio.

A neve voltou a cair mais e mais densa. No meio dos pequenos turbilhões brancos, saindo da escuridão negra do horizonte, surgiu alguma coisa vaga, enorme e bastante rápida. Aproximou-se fazendo curvas acentuadas e giros velozes, asas gigantes que deixavam para trás um rastro de vapor branco condensado. Deslocou-se com leveza e facilidade planando pelos céus para fazer uma curva mais aberta, desaparecendo no constante fluxo de neve. Através das costelas da coisa voadora, Graham distinguiu dois homens pequenos a distância, muito miúdos e ativos, fazendo uma varredura daquelas áreas nevadas munidos de objetos semelhantes a binóculos. Em questão de segundos, passaram de bem visíveis a esfumaçados pelas camadas de neve, e depois ficaram ainda menores e mais remotos, antes de desaparecer de vez.

— *Agora*! – gritou seu companheiro. — Por aqui!

Ele puxou Graham pela manga e, sem perda de tempo, os dois correram pela descida vertiginosa de uma galeria metálica abaixo dos moinhos de vento. Sem enxergar direito, Graham colidiu com seu líder, que se virou para ele, detendo seu caminho de repente. Eles estavam a uma dúzia de jardas de um abismo negro que se estendia, até onde a vista alcançava, à direita e à esquerda. Parecia que eles não poderiam prosseguir para nenhuma direção.

— Faça o mesmo que eu – sussurrou o guia. Ele abaixou-se e rastejou até a beirada, colocou a cabeça no precipício e se contorceu até deixar uma das pernas pendendo. Parecia procurar, pelo tato, alguma base para o pé, o que acabou encontrando. Logo deslizou o resto do corpo da beira para o precipício. Sua cabeça reapareceu. — Há uma saliência – murmurou. — Estará escuro durante todo o percurso. Por isso, faça o mesmo que eu.

Graham hesitou, colocou-se de quatro, rastejou até a beirada e contemplou a escuridão aveludada. Por um segundo de debilidade, sentiu-se sem coragem para avançar ou para recuar, mas sentou-se e jogou as pernas para baixo, notando a mão do guia, e teve a horrível sensação de deslizar pela margem do abismo até o incomensurável para cair sobre algo líquido. Estava em uma calha lamacenta, na escuridão impenetrável.

— Por aqui – ouviu o murmúrio do guia, o sinal para que começasse a rastejar pela calha escorregadia em razão da neve derretida, pressionando o corpo contra a parede. Eles prosseguiram por esse caminho durante alguns minutos. Para Graham, era como se centenas de estágios da miséria humana, centenas de graus de frio, umidade e exaustão tivessem se passado, minuto a minuto. Em pouco tempo já não sentia os pés e as mãos.

A calha tinha uma inclinação para baixo. Percebeu que agora estavam muitos pés abaixo do limite dos edifícios. Linhas amorfas de um branco espectral, que lembravam sombras de janelas com as venezianas baixadas, erguiam-se acima deles. Encontraram um cabo preso sobre uma dessas janelas brancas, vagamente visível, que se lançava nas sombras insondáveis. Subitamente sua mão se chocou com a do guia.

— *Quieto*! – murmurou este último em tom suave.

Graham olhou para cima, assustado, e viu planar as imensas asas da máquina voadora lenta e silenciosamente sobre sua cabeça, atravessando a amplitude do céu azul acinzentado manchado pela neve incessante. Logo estava oculta novamente.

— Fique quieto; eles estão manobrando para virar.

Por algum tempo, ambos permaneceram imóveis. O companheiro de Graham então se levantou e se dirigiu ao cabo, que pareceu mover-se emitindo um som indistinto.

— O que é isso? – perguntou Graham.

A única resposta foi um grito abafado. O homem agachara-se imóvel. Graham percebeu que o outro mirava a longa faixa do céu e resolveu fazer o mesmo, seguindo os olhos de seu companheiro. Viu a máquina voadora pequena, indistinta, remota. As asas abriram-se de cada lado e ficou nítido que ela se deslocava, crescendo rapidamente. Estava seguindo a margem do precipício que os dois defrontavam.

Os movimentos do homem ficaram convulsivos. Empurrou duas barras cruzadas nas mãos de Graham, as quais não podia ver, mas cuja forma conseguiu conceber pelo tato. Elas estavam suspensas por cordas finas presas ao cabo. Havia também empunhaduras feitas de algum tipo de substância elástica.

— Coloque a cruz entre as pernas – disse o guia, histericamente, mas no tom mais baixo possível – e segure firme as empunhaduras. Segure firme e não solte!

Graham fez tudo exatamente como ordenado.

— Pule – disse a voz do companheiro. — Pelo amor de Deus, pule.

Por um solene segundo, Graham emudecera. Depois se julgou afortunado por ter a escuridão escondido seu rosto. Não disse nada, apenas começou a tremer violentamente. Olhava de soslaio para a sombra que descia rápido do céu atrás dele.

— Pule! Pule, por Deus! Ou eles nos pegarão – gritou o guia, e a violência do discurso materializou-se com um empurrão para a frente.

Graham oscilou convulsivamente, choramingou aos soluços, à sua revelia, e desceu de forma vertiginosa no poço de escuridão enquanto a máquina voadora se precipitava depressa. Estava sentado na barra cruzada de madeira e segurava as cordas com o aperto da morte. Ouviu um ruído alto, algo que se chocou de modo planejado contra a parede. Ouviu o zunido da polia em sua corda. Ouviu gritar os aeronautas. Sentiu um par de joelhos pressionando suas costas... Cruzava impetuosamente os ares, caindo. Toda a sua força estava concentrada nas mãos. Teria gritado, mas mal conseguia respirar.

Adentrou como um raio um local iluminado que o fez segurar as cordas com mais força ainda. Reconheceu a grande passagem como sendo uma das vias móveis, com aquelas luzes suspensas, aquelas vigas de sustentação entrelaçadas. Todo esse cenário deslocava-se em sua direção e logo foi ultrapassado. Teve a breve visão de uma enorme boca que se abria em um escancarado bocejo para engoli-lo.

Depois estava na escuridão de novo, a queda parecia interminável, mas ainda segurava a empunhadura com as mãos doloridas, e eis que se fez um estrondo, uma explosão de luz. Ele estava agora em um salão iluminado com uma multidão turbulenta a seus pés. O povo! Seu povo! Um proscênio, um palco surgiu; seu cabo conduziu-o a uma abertura à direita de tal arranjo. Sentia que se deslocava mais lentamente, e em seguida com vagar ainda maior. Percebeu com nitidez gritos que diziam: "Salvo! O Mestre. Ele está salvo!". O palco agora crescia diante dele, ao mesmo tempo que sua velocidade diminuía. Então...

Ouviu o homem que descia atrás dele gritando, como se subitamente aterrorizado, um grito que reverberou em outro, vindo de baixo. Sentiu que não estava mais deslizando pelo cabo, mas caindo junto com ele. Houve um alvoroço de gritos, lamentos e berros. Sentiu a pressão de algo macio contra sua mão estendida, bem como o impacto da queda através de seu braço...

Ele queria ser deixado em paz e o povo estava tentando levantá-lo. Acreditou ter sido carregado em seguida até a plataforma, mas nunca teve certeza disso. Também não sabia o que acontecera com o guia. Quando sua mente voltou à tona, viu-se de pé; mãos ansiosas ajudavam Graham a erguer-se. Encontrava-se em uma grande alcova, localizada naquilo que sua experiência dizia serem os camarotes inferiores, se é que se encontrava mesmo em um teatro.

Um tumulto esplendoroso chegou a seus ouvidos, o rugido de uma tempestade, os gritos de uma multidão incontável.

— É o Dorminhoco! O Dorminhoco está entre nós!

— O Dorminhoco está aqui! O Mestre! O Dono! O Mestre está aqui. Ele está são e salvo.

A visão de Graham detinha-se no grande salão lotado de pessoas. Não via indivíduos; sua consciência flutuava pela espuma de rostos rosados, de braços em saudação e de vestimentas. Sentia a influência oculta da vasta massa humana a se derramar sobre ele, que o fazia flutuar. Sacadas, galerias, arcadas maiores que forneciam perspectivas remotas, em todos os lugares havia pessoas, uma arena gigantesca de gente, densamente comprimida e animada. Próximo dali estava o cabo caído, feito uma enorme cobra; fora cortado pelos tripulantes da máquina voadora na extremidade oposta, por isso a queda no salão. Alguns homens aparentemente se dedicavam a retirar esse elemento do caminho. Mas o efeito geral era estranhamente vago, até mesmo os edifícios pareciam pulsar ao ritmo da potência de tantas vozes.

Ainda estava abalado, pouco firme, observando todos ao seu redor. Alguém o ajudava, sustentando-o pelo braço.

— Levem-me para algum lugar menor – implorava –, um lugar menor – e não conseguiu dizer mais nada. Um homem de preto avançou, segurou-lhe o braço ainda sem sustentação. A consciência vaga de Graham também registrou prestativos sujeitos abrindo uma porta diante dele. Alguém o guiou até uma cadeira. Cambaleava. Tombou na cadeira e cobriu o rosto com as mãos; tremia violentamente, o sistema nervoso no limite. Sentiu que sua capa fora retirada, mas não se lembrava como; a calça púrpura que trajava estava escura de umidade. As pessoas corriam ao redor dele, muitas coisas estavam acontecendo, mas por algum tempo simplesmente não deu ouvidos a elas.

De fato, conseguira escapar. Milhares de vozes aos gritos diziam isso a ele. Estava salvo. Esse pessoal todo tomava seu partido. Sentiu que soluçava, buscando respirar, mas permaneceu sentado ainda com o rosto coberto. O ar estava repleto de gritos de incontáveis indivíduos.

O DORMINHOCO

IX.
O POVO MARCHA

Percebeu que alguém tentava passar-lhe um copo contendo um líquido claro. Viu então que estava diante de um jovem preto com vestimenta amarela. Tomou a dose imediatamente. Em questão de segundos, já se sentia bem melhor. Bem próximo a ele, um homem alto, trajando um manto negro, apontava para uma porta entreaberta que dava para o salão. Esse homem gritava perto dos ouvidos de Graham, embora o que ele dissesse ainda soasse indistinto devido ao tremendo barulho no grande teatro. Atrás do homem postava-se uma moça em manto cinza prateado que Graham, mesmo em meio a tamanha confusão, percebeu ser dotada de intensa beleza. Seus olhos escuros, cheios de assombro e curiosidade, estavam fixos em Graham; seus lábios abertos tremiam. A porta parcialmente aberta permitia vislumbrar o salão lotado e ouvir o altíssimo rugir irregular da massa humana, como uma mescla de impactos, gritos e palmas que se extinguiam a distância, apenas para começar de novo, subindo de tom até alcançar a sonoridade de um trovão próximo. E isso continuou intermitentemente durante todo o período em que Graham esteve no camarote. Os lábios do homem de preto moviam-se e Graham percebeu que eles articulavam algum tipo de explicação.

Ainda contemplava estupidamente tudo o que acontecia ao seu redor quando subitamente decidiu ficar em pé. Segurou o braço do homem que gritava.

— Diga-me! – berrou. — Quem sou eu? Quem sou eu?

Os outros aproximaram-se para ouvir o que ele falava.

— Quem sou eu? – seus olhos buscavam respostas nos rostos.

— Eles não disseram nada a ele! – gritou a garota.

— Diga-me! Diga-me! – implorou Graham.

— Você é o Mestre da Terra. Você é o dono do mundo.

Não acreditou ter ouvido corretamente. Resistiu à persuasão. Fingiu não entender, não escutar. Elevou a voz novamente.

— Acordei faz apenas três dias, os quais estive aprisionado. Julgo que estamos diante de algum tipo de luta entre numerosos grupos de pessoas da cidade; estamos em Londres?

— Sim – respondeu o jovem.

— E os que estavam no grande salão do Atlas branco? O que tudo aquilo teria a ver comigo? De alguma forma tem a ver comigo. O *porquê*, eu não sei. Drogas? Parece-me que, enquanto estive dormindo, o mundo enlouqueceu... Quem eram os conselheiros sob o Atlas? Por que eles tentaram me drogar?

— Para mantê-lo inconsciente – disse o homem de amarelo. — Para evitar a sua interferência.

— Mas *por quê*?

— Porque *você* é o Atlas, meu amo – prosseguiu o homem de amarelo. — O mundo está em seus ombros. Eles o governam em seu nome.

Os sons do salão esmoreceram na distância, transformados em um silêncio atravessado por uma voz monótona. Então, sem aviso, após essas últimas palavras, veio um tumulto ensurdecedor de rugidos e trovões, o furor da multidão, vozes roucas e estridentes, o que parecia serem impactos, ruídos que encobriam os anteriores. Enquanto esse tumulto durou, as pessoas no camarote não conseguiram se comunicar nem mesmo aos gritos.

Graham levantou-se. Sua inteligência agarrava-se desesperadamente às coisas que acabara de ouvir.

— O Conselho – repetiu inexpressivo, e então um nome surgiu em sua mente. — E quem é Ostrog? – disse.

— Ele é o organizador, o organizador da revolta. Nosso líder, em seu nome.

— Em meu nome?... E vocês? Por que ele não está aqui?

— Ele... ele nos incumbiu da tarefa. Eu sou irmão dele, na verdade, meio-irmão, Lincoln. Ele deseja que o senhor se mostre para todas essas pessoas antes de se juntar a ele. Por isso ele não está aqui. Ele se encontra nos escritórios dos cata-ventos, comandando tudo. O povo está em marcha.

— Em seu nome – gritou o mais jovem. — Em seu nome eles governaram, esmagaram, tiranizaram. Até que finalmente...

— Em meu nome! Meu nome! Mestre?

A voz do mais jovem tornou-se repentinamente muito nítida – tratava-se de um intervalo na tempestade que era o tumulto exterior, pleno de indignação vociferante –, e era uma voz muito penetrante que emanava de baixo do nariz aquilino vermelho e do bigode espesso.

— Ninguém acreditava que você despertaria, ninguém mesmo. Eram astutos, esses malditos tiranos! Mas eles foram pegos de surpresa. Não sabiam se o melhor seria drogá-lo, matá-lo ou hipnotizá-lo.

E mais uma vez o ruído do salão abafou todos os outros sons.

— Ostrog está pronto, nos escritórios dos cata-ventos... Há até mesmo um rumor de que agora mesmo a luta começou.

O sujeito que disse chamar-se Lincoln aproximou-se de Graham.

— Ostrog planejou tudo. Confie nele. Temos nossas organizações muito bem preparadas. Dominaremos as plataformas aéreas. Aliás, Ostrog deve estar fazendo isso agora mesmo. E então...

— Este teatro público – berrava o de amarelo – é mera contingência. Temos cinco miríades de homens treinados...

— Temos armas – exclamou Lincoln. — Temos planos. E um líder. A polícia deles foi expulsa das ruas e agora se reorganiza em... – (inaudível). — É agora ou nunca. O Conselho está em crise. Já não confiam sequer em seus mais bem treinados homens...

— Ouça o povo clamando seu nome!

A mente de Graham comportava-se como uma noite de lua cheia e nebulosidade: ora escura e desalentadora, ora desobstruída e horripilante. Ele era o Mestre da Terra, ele era um homem encharcado pela neve derretida. De todas as impressões flutuantes que lhe surgiam, as predominantes configuravam um antagonismo. De um lado, o Conselho Branco: poderoso, disciplinado e restrito, do qual acabara de escapar por um triz. Do outro, multidões em escala monstruosa, massas compactas de matéria humana indistinta clamando seu nome, saudando-o como Mestre. O primeiro grupo o havia aprisionado enquanto debatia como matá-lo. Esses milhares que gritavam continuamente do outro lado da porta o haviam resgatado. Mas o motivo pelo qual tudo acontecera daquele modo lhe escapava.

A porta abriu-se e a voz de Lincoln foi engolida e afogada enquanto um grupo de indivíduos invadia o local. Os intrusos encaminharam-se na direção de Lincoln e Graham gesticulando; os lábios aparentemente estavam em movimento, mas produziam apenas vozes inaudíveis. "Mostrem-nos o Dorminhoco! Mostrem-nos o Dorminhoco!", era o que melhor se distinguia em meio ao alvoroço. Berrando a plenos pulmões, alguns homens pediam "Ordem! Silêncio!".

Graham olhou pela porta aberta e viu uma imagem alongada do salão externo: uma confusão imensa e incessante de massa humana, rostos congestionados a berrar, homens e mulheres lado a lado, vestimentas azuis esvoaçantes, mãos estendidas. Muitos estavam em pé; um homem em andrajos marrom-escuros, uma figura macilenta, estava sentado, acenando com um pano preto. Percebeu o encantamento e a expectativa nos olhos da garota. O que essas pessoas esperavam dele? Estava vagamente consciente de que o tumulto do lado de fora mudara, de alguma maneira, de tom e forma, concentrando-se agora em batidas e marchas. Mas a mente de Graham também mudara. Por algum tempo não reconhecera a influência que o estava transformando. Mas o momento inicial, que beirava o pânico, passara. Agora tentava fazer novas perguntas audíveis, em vão.

Lincoln gritava nos ouvidos de Graham, que já não o ouvia. Todos os outros, exceto a garota, gesticulavam em direção ao salão. Percebera então o que acontecera ao som do tumulto. Toda aquela massa de indivíduos estava cantando. E não era uma simples canção. As vozes estavam em uníssono, com uma base de música instrumental que atingia o ouvido como uma torrente – era a mescla intrincada de barulhos, a música de órgão, trombetas, a pompa de marchas em estilo patriótico utilizadas no início de guerras. Toda essa gente marcava o tempo batendo os pés – tump, tump.

Graham foi encaminhado à porta. A isso obedeceu mecanicamente. O poder do canto dominou-o, agitou-o, encorajou-o. O salão abriu-se para ele, um vasto organismo de cores esvoaçantes que se agitava ao ritmo da música.

— Faça uma saudação para eles – disse Lincoln –, faça uma saudação para eles.

— Isto aqui – disse uma voz do outro lado –, ele precisa usar isto aqui.

Surgiram braços que o seguraram na soleira da porta e, de repente, havia uma capa negra em seus ombros. Com um movimento de braço ele ajustou a vestimenta e seguiu Lincoln. Percebeu que a garota de cinza prateado estava bem perto, o rosto radiante, o corpo expressando entusiasmo a cada movimento. Por um instante, ela se transformou diante dele: vermelha e ansiosa, personificava a canção entoada no salão. Ele emergiu na alcova novamente. Incontinente, as ondas de choque entoadas explodiram quando ele surgiu, terminando em uma cascata de gritos. Guiado por Lincoln, Graham marchou obliquamente por todo o centro do palco, encarando toda aquela gente.

O salão era um espaço vasto e intrincado – galerias, balcões, amplos níveis ao estilo dos anfiteatros, arcadas gigantescas. A certa distância, no alto, surgiu algo que aparentava ser a boca de uma imensa passagem, repleta de humanidade em luta. A própria multidão era agitada por massas congestionadas. Figuras individuais destacavam-se do todo, impressionavam a visão de Graham momentaneamente e perdiam-se de novo. Perto da plataforma, uma mulher bela e bem-feita, cujos cabelos cobriam o rosto e que brandia um estandarte verde, balançava carregada por três homens. Próximo a esse grupo, um velho aflito trajando vestes azuis mantinha com extrema dificuldade seu lugar em meio ao tumulto. Mais atrás, um rosto imberbe berrou pela grande cavidade de uma boca sem dentes. Uma voz clamou aquela palavra enigmática, "Ostrog". Todas as percepções de Graham eram vagas, com uma exceção: a emoção maciça daquela canção ritmada. A multidão marcava o andamento com a batida dos pés no solo – tump, tump, tump, tump. Os bastões e outras armas verdes eram agitados, brilhavam e balançavam. Foi nesse momento que Graham percebeu que aqueles mais próximos depois do palco estavam marchando à sua frente, dirigindo-se a uma grande arcada, gritando: "Para o Conselho!". Tump, tump, tump, tump. Graham ergueu o braço e o furor foi redobrado. Lembrava-se de que deveria gritar "Marchar!". Sua boca moldava palavras heroicas e inaudíveis. Ergueu o braço em saudação novamente e apontou para a arcada, gritando "Avante!". Agora a massa não mais marcava o tempo, mas marchava de fato, com um ruído similar – tump, tump, tump, tump. Nas hostes que seguiam adiante, havia homens barbados, velhos, jovens, mulheres em vestes esvoaçantes e braços desnudos, garotas. Homens e mulheres da nova era! Vestes opulentas e farrapos cinzentos flutuavam juntos no turbilhão daquele movimento, embora o tom predominante fosse o azul. Um monstruoso estandarte negro foi estendido à sua direita. Notou um negro em vestes azuis, uma mulher de amarelo enrugada, um grupo de loiros de elevada estatura, todos muito pálidos, serem arrastados teatralmente diante de Graham. Viu ainda dois chineses. Um jovem, vestido de branco da cabeça aos pés, cabelos negros, corpulento, feições amareladas, olhos brilhantes, escalou a plataforma clamando lealdade, e saltou para baixo novamente e recuou, olhando para trás. Cabeças, ombros, mãos segurando armas, todos oscilavam seguindo as cadências daquela marcha.

Faces surgiam do caos na direção de Graham, ainda parado no meio do palco. Olhos encontravam-se com os dele e desapareciam. Homens gesticulavam, gritavam coisas particulares inaudíveis. Os rostos, na maior parte, estavam avermelhados, mas muitos ostentavam palidez cadavérica. A doença grassava ali, e as mãos de muitos que acenavam eram magras e ossudas. Homens e mulheres da nova era! Encontro estranho e incrível! Como a maior parte do fluxo de pessoas se dirigia à direita ao passar diante dele, passarelas de remotas alturas dentro do salão faziam afluir incessantes ondas de gente para substituir as que se deslocavam. Tump, tump, tump, tump. A canção gritada em uníssono era enriquecida e tornada ainda mais complexa pela realimentação prodigiosa dos ecos nas arcadas e nas passagens. Homens e mulheres misturavam-se nas filas. Tump, tump, tump, tump. O mundo inteiro parecia marchar. Tump, tump, tump, tump. Até mesmo o cérebro de Graham dava a impressão de tremer. As roupas esvoaçam como bandeiras, e mais e mais rostos surgiam em profusão abundante.

Tump, tump, tump, tump. Lincoln pressionou Graham para que se encaminhasse na direção das arcadas. Era um andar inconsciente, marcado pelo ritmo geral, em que mal se percebia como movimento e melodia se entrelaçavam. A multidão, os gestos, a canção, tudo se movia na mesma direção; a maré de pessoas serpenteava desde lá de cima até aparecerem no nível de seus pés, com os rostos voltados para o alto. Estava ciente de que havia um caminho diante dele, de que estava cercado de adeptos, guardas e dignidades, com Lincoln à sua direita. Surgiram mais criados, enquanto um ponto cego à esquerda o fazia perder de vista a multidão em seu deslocamento. À frente de Graham iam as costas da guarda de negro, que se dividia sempre de três em três. Ele marchava em um pequeno caminho separado, que cruzava acima da arcada com a torrente que corria logo abaixo, sempre clamando seu nome. Não sabia para onde estava indo; não queria saber. Olhou para trás, para a amplidão lancinante no salão. Tump, tump, tump, tump.

X.
A BATALHA DA ESCURIDÃO

Ele não estava mais no salão. Marchava agora ao longo de uma galeria suspensa sobre uma das grandes ruas de plataformas móveis que atravessavam a cidade. Adiante e atrás dele estavam seus guardas. A forma côncava das vias móveis logo abaixo estava congestionada pela massa de pessoas em marcha, caminhando para a esquerda, que gritava, acenava com mãos e braços, alastrava-se por todo o campo de visão, berrava a plenos pulmões conforme avançava ou recuava, até que os globos de luz elétrica ficaram para trás na perspectiva geral, escondendo as cabeças nuas que pululavam. Tump, tump, tump, tump.

A canção era um sonoro bramido para Graham agora. Não mais suportada pela música, estava áspera e ruidosa. O compasso dos pés que batiam no solo, tump, tump, tump, tump, entrelaçava-se com a irregularidade atroadora da turba indisciplinada que se multiplicava nas vias mais elevadas.

De forma abrupta, percebeu o contraste. Os edifícios no lado oposto da via pareciam desertos, os cabos e as pontes que cruzavam as passagens estavam vazios, sombrios. Surgiu na mente de Graham a ideia de que esse local também deveria fervilhar de pessoas.

Foi perpassado subitamente por curiosa sensação – uma espécie de pulsação! Parou de novo. Os guardas adiante dele continuaram marchando; os que estavam atrás pararam como ele. Viu ansiedade e medo no rosto deles. A pulsação tinha algo a ver com as luzes. Nesse instante, olhou para cima.

A princípio, imaginou que se tratava de algo que afetara a iluminação pura e simplesmente, um fenômeno isolado sem conexão com o que acontecia abaixo. Cada enorme globo, cujo brilho esbranquiçado cegava, era como que apertado, comprimido por uma sístole seguida por uma diástole transitória, e de novo uma sístole que parecia apertar com força. Escuridão, luz, escuridão, luz, em rápida alternância.

Graham percebeu que o estranho comportamento das luzes estava relacionado com as pessoas abaixo. A aparência das casas e das vias, a aparência das massas compactas mudara devido ao que parecia ser uma confusão de luzes vívidas e sombras móveis. Um aglomerado de sombras ganhou agressiva existência, crescia, ampliava-se com rapidez crescente, uma multidão que recuava e ressurgia ainda mais forte. A canção e a marcha cessaram. A unanimidade dos marchantes fora perceptivelmente detida. Havia redemoinhos vivos e fluxos em entradas laterais, além de gritos de "As luzes!". Vozes berravam ao mesmo tempo: "As luzes! As luzes!". Olhou para baixo. Nessa dança da morte das luzes, a área ao redor transformou-se em uma arena de luta pavorosa. Os imensos globos brancos assumiram um tom púrpura esbranquiçado, um tom púrpura com brilho vermelho, piscando cada vez mais rápido no tremor entre a luz e sua extinção. Esse tremor logo terminou, restando do brilho avermelhado uma vasta obscuridade. Bastaram dez segundos para que a extinção da luz fosse consumada, restando apenas uma escuridão ruidosa, uma monstruosidade negra que subitamente engolira aquelas altivas miríades de pessoas.

Sentiu formas invisíveis ao seu redor. Agarraram seus braços. Alguma coisa atingiu dolorosamente sua canela. Uma voz surgiu aos berros em seu ouvido:

— Está tudo bem, tudo bem.

Graham sacudiu a paralisia da surpresa do primeiro momento. Sentiu o choque de sua testa com a de Lincoln antes de questionar aos berros:

— O que é essa escuridão?

— O Conselho cortou as correntes elétricas que alimentam a cidade. Devemos esperar parados. O povo prosseguirá. Eles vão...

Sua voz foi abafada, pois uma gritaria imensa começara. "Salvem o Dorminhoco. Protejam o Dorminhoco." Um dos guardas tropeçou em Graham e inadvertidamente feriu-lhe a mão com um golpe de sua arma. Um tumulto brutal surgiu como um furacão ao redor dele, a cada minuto mais ruidoso, denso, furioso. Fragmentos de sons conhecidos chegavam a seus ouvidos, mas eram sugados pela balbúrdia antes que ele pudesse compreendê-los. Homens pareciam bradar ordens conflitantes, outros respondiam. De repente, uma sucessão de gritos agudos surgiu assustadoramente próximo de Graham.

Uma voz bradou em seu ouvido:

— A polícia vermelha – e desapareceu imediatamente, antes que pudesse pensar em uma pergunta.

À distância, ouvia-se um som crepitante que se tornava mais nítido, acompanhado de clarões de luz rápidos vindos dos caminhos mais distantes. Por meio dessas luzes, Graham pôde distinguir cabeças e corpos de homens armados como seus guardas, visíveis apenas por um breve instante. O ruído crepitante dominou toda a área, com momentos muito breves de luz logo engolfados por trevas, que caíam como cortinas.

Um repentino clarão de luz cegou seus olhos e uma vasta extensão febril de homens que lutavam confundiu sua mente. Gritos e vivas surgiram de várias direções. Buscava furiosamente a fonte de luz. Um homem pendia do ponto mais elevado de um dos cabos, segurando uma corda na qual havia uma estrela ofuscante que conseguira fazer a escuridão recuar.

Os olhos de Graham concentraram-se novamente nas ruas. Uma aglomeração avermelhada não muito distante chamou sua atenção. Era uma densa concentração de homens vestidos de vermelho apinhados no ponto mais alto da via, as costas coladas contra a impiedosa falésia de um edifício, cercados por enxames de inimigos. Lutavam, armas brilhando durante os movimentos ascendentes e descendentes; cabeças desapareciam nas extremidades da disputa para serem substituídas por outras mais. Os pequenos clarões vindos das armas verdes tornaram-se breves jatos de fumaça cinzenta enquanto a luz durou.

Abruptamente, o clarão momentâneo extinguiu-se e as ruas voltaram a mergulhar na escuridão total, no mistério turbulento.

Sentiu que algo ou alguém o empurrava. Estavam arrastando-o pela galeria. Alguém gritava – podia ser para ele. Estava confuso demais para distinguir os sons. Foi jogado contra a parede, algumas pessoas tropeçaram cegamente nele. Para Graham, parecia que seus guardas estavam lutando uns com os outros.

Logo o homem suspenso que segurava uma estrela pela corda reapareceu, deixando toda a cena com um branco deslumbrante. O grupo de roupas vermelhas parecia maior e mais próximo; seu ápice estava a meio caminho do corredor central. Levantando os olhos, Graham viu que certo número desses homens agora surgia também nas escurecidas galerias inferiores do edifício do lado oposto, disparando contra a cabeça dos adversários no caos fervilhante de pessoas que dominava os caminhos inferiores. O significado de tudo aquilo começou a fazer sentido para Graham: a marcha do povo fora conduzida para uma emboscada desde o início. Jogados para o meio da confusão devido ao apagar das luzes, eram agora atacados pela polícia vermelha. Nesse momento, percebeu que estava abandonado à própria sorte, que seus guardas e Lincoln seguiam na direção contrária àquela em que ele se encontrava antes da escuridão. Viu que eles lhe gesticulavam desesperadamente, voltando para o local em que ele permanecia parado. Nova gritaria medonha surgiu nas vias próximas. Dessa vez, pareceu que toda a lateral do edifício do lado oposto estava coalhada de homens em trajes vermelhos. Apontavam para ele e gritavam. Uma multidão repetia o grito de "O Dorminhoco! Salvem o Dorminhoco!".

Algo se chocou contra a parede acima da cabeça de Graham. Olhou para o local do impacto e viu espalhada a forma de uma estrela metálica prateada. Lincoln estava bem perto. Sentiu seu braço ser agarrado e depois apenas o som de pof, pof. Ele era o alvo e eles haviam errado duas vezes.

Demorou algum tempo para entender o que acontecia. A rua estava oculta, tudo estava oculto enquanto tentava ver alguma coisa. O segundo clarão já se apagara.

Lincoln agarrou o braço de Graham, arrastando-o pela galeria. "Antes que acionem a próxima luz!", ele gritava. O ritmo das passadas daquele sujeito era contagiante. O instinto de autopreservação de Graham falou mais alto que a paralisia de sua incredulidade aturdida. Tornou-se por um tempo uma criatura cega pelo temor de morrer. Correu, tropeçou pelo caminho minado de incerteza em meio à escuridão, colidiu com seus guardas quando se viravam para acompanhá-lo. Velocidade era seu único desejo, para escapar da galeria perigosa na qual estava exposto. Um terceiro clarão chegou bem perto de seus antecessores. Com ele, o tumulto de gritos aparentemente aumentou, como uma resposta histérica ao que acontecia em todas as vias. Os casacos vermelhos, Graham podia ver claramente, já quase alcançavam a passagem central. As faces incontáveis do inimigo voltavam-se na direção dele e gritavam. A fachada branca oposta era um salpicado contínuo e denso de vermelho. Toda essa maravilha dizia respeito a ele, projetava-o como um pivô. Eram os guardas do Conselho que tentavam recapturá-lo.

A sorte de Graham era que os disparos feitos no calor da hora contra ele haviam sido os primeiros em 150 anos. Ouviu as balas ricocheteando acima de sua cabeça e um jorro de metal derretido passar rente à orelha. Percebeu sem sequer olhar que toda a fachada do lado oposto, uma emboscada desmascarada, estava lotada de policiais vermelhos que gritavam e atiravam contra ele.

Um dos seus guardas caiu bem à sua frente e Graham, impossibilitado de parar, pulou o corpo que se contorcia.

Em um segundo, tinha mergulhado ileso em uma passagem negra. Alguém vindo a toda velocidade provavelmente na direção transversal chocou-se violentamente contra ele. Foi arremessado para baixo de uma escada na escuridão absoluta. Cambaleante, acabou novamente atingido e apoiou-se na parede com as mãos. Nesse momento, foi pressionado pelo peso absurdo de corpos que fervilhavam e tentou abrir caminho para a direita. Uma grande pressão imobilizou-o. Não conseguia respirar, suas costelas pareciam esmagadas. Sentiu um relaxamento momentâneo, depois toda a massa de pessoas que se deslocava junto levou-o de volta para o grande teatro do qual ele tinha saído tão recentemente. Houve momentos em que seus pés não tocavam o solo e ele cambaleava aos empurrões. Ouviu gritos de "Eles estão chegando!". Depois outros, abafados, bem próximos. Seu pé tropeçou em algo macio: logo surgiu um uivo rouco de onde pisava. E mais gritos de "O Dorminhoco!", mas ele estava muito confuso para falar. Ainda ouvia o crepitar das armas verdes. Por certo tempo, perdeu a vontade individual: era um átomo de pânico, cego, irracional, mecânico. Empurrava e buscava uma saída por todos os lados, a perna batendo com enorme violência em um degrau e logo escalando um aclive. Foi quando, sem aviso, surgiram diante dele, saídos da escuridão, os rostos que o cercavam: fantasmagoricamente brancos, paralisados, aterrorizados, suados, em um clarão lívido. Um rosto bastante jovem estava próximo, não mais que a 20 polegadas de distância. Na época, tratou-se de incidente passageiro, sem nenhum valor emocional. Tempos depois, esse rosto voltou para visitá-lo em seus sonhos. Pois esse jovem, em pé e rígido no meio da multidão, fora baleado e já estava morto.

Uma quarta estrela branca devia ter sido deflagrada pelo homem no alto dos cabos. A luz veio brilhando através das enormes janelas e arcadas, mostrando a Graham que ele agora fazia parte de uma massa densa de figuras negras que pareciam voar, pressionadas para trás em toda a área inferior do teatro. Dessa vez, as imagens eram pálidas e fragmentárias, cortadas e obstruídas por sombras negras. Os guardas vermelhos, cada vez mais perto, abriam caminho em meio à multidão. Não saberia dizer se eles já o haviam visto. Procurou por Lincoln e seus guardas: estavam próximos ao palco, rodeados por um grupo cerrado de revolucionários com divisas negras, que olhavam por todos os lados em busca dele. Graham percebeu que estava a uma pequena distância da extremidade oposta da multidão – atrás dele, com uma barricada como separação, estavam os assentos do teatro agora vazios. Uma ideia repentina lhe ocorreu. Começou a lutar para desvencilhar-se da barricada. Quando a alcançou, o brilho da estrela apagou-se.

Em um momento, jogara fora a grande capa que não apenas impedia seus movimentos, mas o deixava bastante visível. Ela se foi, deslizando por seus ombros. Ouviu alguém tropeçar nas dobras da vestimenta descartada. Em outro momento, escalara a barricada e estava na escuridão do outro lado. Em seguida, tateando o caminho, viu-se na extremidade inferior de uma passarela ascendente. Na escuridão, o som dos disparos cessou dando lugar ao barulho de passadas e vozes em tom baixo. Sem perceber, seu pé atingiu um inesperado degrau, ele tropeçou e caiu. Assim que isso ocorreu, poças e ilhas no meio da escuridão que o cercava foram iluminadas de novo. O tumulto ressurgiu, ruidoso, e a luz de uma quinta estrela brilhou através dos enormes vãos envidraçados das paredes do teatro.

Graham então rolou sobre alguns dos assentos, ouvindo a gritaria e o matraquear seco das armas, tentando levantar-se e caindo novamente, descobrindo apenas nesse momento que alguns homens com divisas negras já estavam junto dele, abrindo fogo contra os homens de vermelho mais abaixo. Pulavam de assento em assento, agachando-se vez por outra para recarregar as armas. Por instinto, abaixou-se em meio aos assentos, pois projéteis saraivavam em todas as direções, rasgando os encostos pneumáticos e arrebentando as estruturas de metal leve. Igualmente movido pelo instinto, marcou a direção das passarelas, a maneira mais plausível que teria de escapar assim que o véu de escuridão caísse de novo.

Um jovem trajando vestes de um azul desbotado aproximou-se, protegendo-se como podia com os assentos. "Olá!", disse, o pé cruzando o espaço livre a umas 6 polegadas do rosto do Dorminhoco, que estava agachado.

O jovem não demonstrava nenhum sinal de reconhecê-lo. Virou-se para abrir fogo e gritar na direção do inimigo. "Para o inferno com o Conselho!" Estava para atirar de novo, quando Graham viu metade do pescoço dele desaparecer. Uma gota úmida caiu na bochecha de Graham. A arma verde ficou paralisada a meia altura. Por um breve instante, o jovem ficou imóvel e quieto, o rosto sem expressão, mas logo começou a inclinar-se para a frente. Seus joelhos dobraram-se. A queda do homem coincidiu com o cair da escuridão. Ao som do corpo que bateu no chão sem vida, Graham levantou-se e correu como se sua vida dependesse disso, até que um degrau descendente, em uma das passarelas, o fez tropeçar. Um pouco atordoado, levantou-se e continuou em disparada.

Quando a sexta estrela começou a brilhar, Graham já estava perto de um amplo túnel. Acelerou a corrida para aproveitar a luz, pegou um corredor e virou em uma esquina para encontrar novamente a mais absoluta escuridão. Caiu outra vez, de lado, rolou sobre si mesmo e voltou a ficar em pé. Via-se como mais um fugitivo no meio de uma multidão invisível que pressionava em uma mesma direção. O único pensamento desse grupo de pessoas, naquele momento, também dominava a mente de Graham: era necessário escapar da luta. Empurrando e golpeando, cambaleou, correu, viu-se em uma prisão humana sufocante, perdeu terreno, mas de repente o território aparentava estar livre de novo.

Durante alguns minutos, correu em plena escuridão por uma passagem sinuosa. Logo estava cruzando um campo aberto e livre. Depois um longo declive, um lance de degraus, um local plano. A gritaria voltou a explodir:

— Eles estão chegando! Os guardas estão chegando. Eles vão atirar. Abandonem a luta. Vão atirar. Ficaremos mais seguros na Via Sete. Sigam para a Via Sete! – na multidão, além de homens, havia mulheres e crianças.

O numeroso grupo convergiu para uma arcada, atravessou um túnel curto para emergir em um novo espaço aberto, fracamente iluminado. As figuras negras que o cercavam por todos os lados começaram a espalhar-se e a correr na direção do que naquele crepúsculo parecia ser uma gigantesca escadaria. Graham as seguiu e houve uma dispersão à direita e à esquerda... Percebeu que não fazia mais parte da multidão. Parou próximo do degrau mais alto. Diante dele, nesse nível, havia conjuntos de assentos e um pequeno quiosque. Graham optou por subir e ali ficar, ofegante, protegendo-se à sombra dos beirais dessa construção.

Tudo parecia vago e cinza, mas foi possível reconhecer que essa grande escadaria era constituída por várias plataformas de vias móveis, agora imóveis de novo. A plataforma inclinava-se, dirigindo-se para cima de ambos os lados, acompanhando os edifícios altíssimos que iam além, imensos fantasmas pálidos com inscrições e anúncios impossíveis de distinguir. Através das vigas e dos cabos, via-se uma leve faixa de céu pálido. Grupos de pessoas passaram correndo. Seus gritos e falas eram a indicação de que buscavam juntar-se à luta. Outras figuras menos barulhentas passavam, esvoaçantes e tímidas, em meio às sombras.

Vindos de um ponto distante do fim da rua, ele pôde ouvir os sons de uma batalha. Mas era evidente para Graham que essa não era a rua que partia do teatro. A batalha inicial parecia ter perdido o som, emudecida. E era por ele que continuavam lutando!

Por algum tempo, Graham assumiu a postura de um indivíduo que interrompe momentaneamente a leitura intensa de um livro quando dúvidas repentinas surgem a respeito daquilo que tinha como inquestionável. Inicialmente, pouco se importara com os detalhes: passava por um efeito generalizado de enorme espanto. Curiosamente, enquanto fugia da prisão do Conselho, o encontro com a gigantesca massa humana no salão e o ataque desferido pela polícia vermelha contra os milhares que o acompanhavam ficaram bem nítidos em sua mente, e isso lhe custou certo esforço para se lembrar do despertar e reviver o intervalo meditativo nos cômodos silenciosos. No início, sua memória saltava esses intervalos e levava-o de volta para a cascata de Pentargen, trêmula ao vento, e para todo o sombrio esplendor do litoral da Cornualha, iluminado pelo sol. Esse violento contraste dotava tudo de um ar irreal. Nesse momento, as lacunas da memória foram preenchidas e ele começou a compreender a própria posição.

A coisa toda não era mais um insondável enigma, como quando esteve nos cômodos silenciosos. Agora já tinha delineado o contorno da estranha situação. De alguma forma, tornara-se o dono do mundo e grandes potências políticas estavam em confronto para tomá-lo. De um lado, o Conselho e sua polícia vermelha, que pretendiam, aparentemente, usurpar suas posses e possivelmente matá-lo. Do outro, a revolução que o havia libertado, tendo esse invisível "Ostrog" como líder. Toda a gigantesca cidade estava convulsionada pela luta. Era o desenvolvimento frenético do seu mundo! "Não compreendo", começou a gritar. "Não compreendo!" Escapulira por entre os antagonistas do conflito e encontrara esse intervalo de liberdade no crepúsculo. O que aconteceria a seguir? O que estava acontecendo agora? Imaginou os policiais de vermelho ocupados em caçá-lo encontrando, no caminho, os revolucionários com divisas negras.

De qualquer forma, o acaso fornecera a Graham essa oportunidade de respirar. Poderia esconder-se, inadvertido, entre os transeuntes e observar o desenrolar da situação. Seus olhos seguiam a sombria e intrincada imensidão de edifícios no crepúsculo quando percebeu a beleza do nascer do sol acima de tudo, pois o mundo voltara a ser iluminado pela velha e familiar luz do dia. Já recuperara o fôlego. Suas vestes tinham secado após a fuga em meio à neve.

Percorreu milhas nesses caminhos crepusculares, sem falar com ninguém, sem ser abordado por quem quer que fosse – era uma figura perdida na escuridão, entre muitas outras, embora ainda fosse o cobiçado homem de 200 anos, o inestimável e inadvertido dono do mundo. Onde houvesse luzes, multidões compactas ou excitação acima do normal, surgia nele o medo do reconhecimento, evitando tais ambientes pelo uso de escadarias que levavam para sistemas de vias transversais em níveis mais baixos ou mais altos. Durante esse percurso, notara que as lutas cessaram, embora toda a cidade ainda estivesse sobressaltada com o conflito. Teve de correr, por exemplo, para evitar uma multidão de homens em marcha que faziam varredura pelas ruas. Todas as pessoas que via pareciam envolvidas na batalha. Na maior parte, eram homens carregando o que julgava serem armas. A luta aparentemente se concentrara na região onde ele estava. Vez por outra um rugido distante e outras remotas sugestões de embate alcançavam seus ouvidos. Era o momento em que se dava o conflito entre a precaução e a curiosidade. A precaução em geral vencia e ele continuava seu caminho evitando as lutas – tanto quanto fosse possível. Caminhava pela escuridão sem ser molestado ou reconhecido. Depois de algum tempo, mesmo o eco mais distante da batalha deixou de existir, enquanto uma quantidade decrescente de pessoas cruzava seu caminho. Por fim, as ruas ficaram desertas. As fachadas dos edifícios cresciam, amplas e ásperas; parecia ter chegado a um distrito de armazéns abandonados. A solidão crescia em seu íntimo e seu ritmo diminuiu.

Sentia uma fadiga crescente. Sentava-se às vezes em algum dos numerosos bancos das vias superiores, deixando de lado momentaneamente o curso que percorria. Mas uma inquietação febril, o reconhecimento de que estava implicado de forma vital na luta que se desenrolara, não permitia descanso em qualquer lugar por muito tempo. Teria o conflito ocorrido apenas em função dele?

E então, em um local distante, Graham sentiu o choque de um terremoto: o rugido trovejante, o vento forte de ar congelado que se derramava pela cidade, as vidraças que se partiam, o deslizamento e a queda de pedaços de alvenaria. Era uma série de concussões em proporções gigantescas. Uma massa de vidro e metal caiu de telhados remotos na galeria do meio, a menos de 100 jardas de distância dele, e de onde partiam gritos e sons abafados de tumulto. Graham, assim, foi surpreendido no meio de sua tarefa sem propósito, tendo de zarpar de volta para o centro da cidade sem rumo definido.

Um homem veio correndo na direção dele. Percebeu que retomava o autocontrole. "O que aconteceu?", perguntou o homem quase sem fôlego. "Isso foi uma explosão." Antes que Graham pudesse falar, o homem já estava bem longe.

Os grandes edifícios ascendiam, escuros, velados por esse crepúsculo desconcertante, embora no céu já fosse dia claro. Observou muitas particularidades estranhas, sem entender nenhuma delas naquele momento; tentou até pronunciar algumas das muitas inscrições fonéticas. Mas qual seria o proveito, depois de aplicar doloroso esforço mental para decifrar uma confusão de letras esquisitas, em dar com o seguinte resultado: "Aqui está adamita" ou "Escritório do Trabalho – lado menor"? Um pensamento grotesco surgiu: todas essas casas semelhantes a penhascos eram propriedade dele!

A perversidade da provação que experimentava veio à sua mente, vívida. De fato, dera um salto temporal de maneira parecida ao que muitos romancistas imaginaram diversas vezes. Quando esse fato se consolidou em seu pensamento, percebeu que estava preparado. Sua mente agora se sentara para contemplar o espetáculo. O problema é que nenhum espetáculo ocorreu, apenas uma sucessão de ameaças vagas, sombras pouco simpáticas e véus obscuros. Em algum lugar desse sombrio labirinto, sua morte era buscada. Será que, afinal de contas, seria morto sem ser reconhecido? A destruição poderia estar oculta numa emboscada na próxima esquina. Um grande desejo de ver mais, de conhecer, cresceu em seu interior.

Ficou com medo das esquinas. Parecia mais seguro ter algum tipo de esconderijo. Onde poderia esconder-se de forma totalmente invisível quando as luzes voltassem? Por fim sentou-se em um banco no recuo de uma das vias mais elevadas, sentindo que estava sozinho ali.

Esfregou os nós dos dedos nos olhos extenuados. Supunha que, ao abri-los, as escuras vias paralelas e a intolerável altitude dos edifícios teriam desaparecido. Talvez descobrisse que tudo o que ocorrera nos últimos dias – o despertar, as multidões em histeria, a escuridão e a batalha – não passara de fantasmagoria, uma forma nova e mais nítida de sonho. Deveria ser um sonho, pois tudo parecia tão inconsequente, irracional. Por que alguém lutaria por ele? Por que um mundo teoricamente mais razoável o consideraria o Dono, o Mestre?

Assim pensava, absorto. Então observou o mundo ao seu redor outra vez. Sentia uma pequena e vaga esperança de encontrar algo familiar, algum aspecto da vida do século XIX, a despeito de tudo. Esperava ver talvez o pequeno porto de Bocastle logo adiante, os penhascos de Pentargen ou o quarto de sua casa. Mas os fatos não se curvam ao desejo humano. Um esquadrão de homens com um estandarte negro atravessava as sombras mais próximas, atento a prováveis confrontos. No horizonte, diante de Graham, subia uma vertiginosa fachada, vastidão negra preenchida com seus suaves caracteres incompreensíveis.

— Não é um sonho – disse em voz alta. — Não é, não é um sonho – inclinou o rosto e cobriu-o com as mãos.

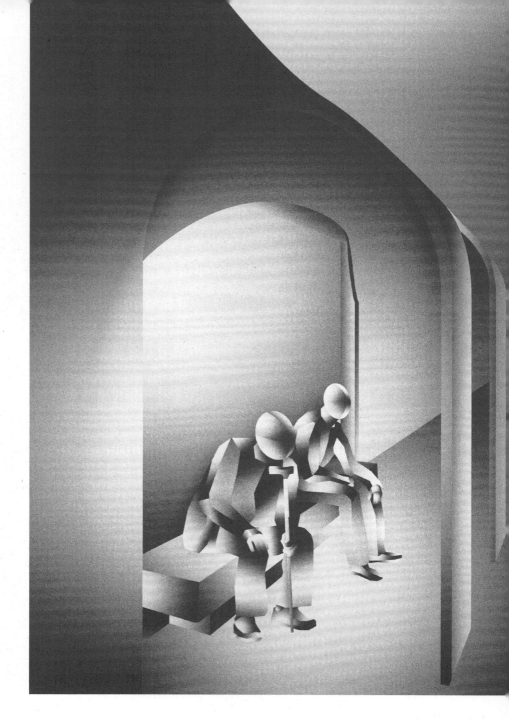

XI.
O VELHO QUE SABIA DE TUDO

Uma tosse bem próxima assustou-o.

Voltou-se bruscamente para encontrar uma figura pequena, encurvada, sentada algumas jardas adiante, na sombra de uma cerca.

— Tem alguma novidade? – um velho perguntou com voz esganiçada e asmática.

Graham hesitou.

— Nenhuma – respondeu.

— Achei melhor sentar aqui até as luzes voltarem – prosseguiu o velho. — Esses canalhas azuis estão em todos os lugares, todos mesmo.

A resposta de Graham foi um som inarticulado. Tentava ver o velho, mas a escuridão ocultava-lhe o rosto. Embora sentisse um ardente desejo de iniciar uma conversa, não sabia por onde começar.

— Escuridão detestável – o velho disse repentinamente. — Escuridão detestável. Ficar longe da minha casa no meio de tantos perigos.

— É uma situação difícil – aventurou-se Graham. — Deve ser difícil para você.

— No escuro. Um velho perdido no escuro. Isso porque o mundo todo enlouqueceu. Guerra, lutas. A polícia apanhando e os patifes à solta. Por que não mandam buscar uns negros para nos proteger...? Não quero mais saber de passagens escuras. Tropecei em um homem morto.

— Estaremos mais seguros juntos – disse o velho –, claro que, nesse caso, se a companhia for certa – e espreitou Graham abertamente. Levantou-se sem aviso e caminhou na direção dele.

Aparentemente, esse escrutínio foi satisfatório. O velho sentou-se, aliviado por não estar mais sozinho.

— Olha – disse –, vivemos tempos terríveis! Guerra, lutas, temos até que pular os corpos. Homens, jovens e fortes, morrendo na escuridão. Meus filhos! Tenho três filhos. Só Deus sabe por onde andam agora.

A voz cessou. Em seguida, o velho apenas repetiu com a voz trêmula:

— Só Deus sabe por onde andam agora.

Graham ainda remoía perguntas que não traíssem sua ignorância absoluta. Mas foi o velho quem, mais uma vez, quebrou o silêncio.

— Esse Ostrog vai ganhar – ele disse. — Ele vai ganhar. O que será do mundo sob o comando dele, ninguém sabe. Meus filhos estão nos cata-ventos, todos os três. Uma de minhas noras foi amante dele por algum tempo. Amante dele! Como vê, não fazemos parte do povo mais ordinário. Embora tenham me enviado para dar umas voltas justo esta noite, com todos os riscos... Eu sei o que está acontecendo. Percebi antes da maioria. Mas essa escuridão! E depois tropeçar às cegas em um cadáver!

A respiração ofegante do velho era audível.

— Ostrog! – disse Graham.

— O maior líder que o mundo já conheceu – respondeu a voz.

Graham esquadrinhou sua mente.

— O Conselho não é muito bem-visto pelo povo – arriscou dizer.

— Quase ninguém apoia o Conselho. E os que apoiam... Eles já tiveram sua época. Ora! Deveriam ter mantido os aliados mais inteligentes. Mas realizaram eleições duas vezes. E Ostrog... agora que ele lançou tudo o que tinha, nada será como antes. Por duas vezes eles rejeitaram Ostrog... Ostrog, o Líder. Os ataques de fúria que ele teve nessas duas ocasiões são conhecidos, porque ele é terrível. Só os Céus podem salvar o Conselho! Nada no mundo poderá deter Ostrog, agora que ele conseguiu o apoio das Empresas de Trabalho, para lançá-las contra seus inimigos. Ninguém teria ousado fazer algo assim. Todos os de azul armados e marchando! Ele vai arrasar todos eles, se vai.

O silêncio voltou a predominar por um momento.

— Esse tal Dorminhoco... – começou o velho.

— Sim – disse Graham –, continue.

A voz senil adotou agora o tom confidencial do murmúrio; aproximou seu rosto obscuro e pálido.

— O verdadeiro Dorminhoco...

— Sim – disse Graham.

— Morreu anos atrás.

— O quê? – Graham disse sobressaltado.

— Anos atrás. Morreu. Anos atrás.

— Não me diga! – falou Graham.

— Digo, sim. É como eu disse. O tal Dorminhoco que despertou foi trocado durante a noite. Colocaram um infeliz drogado e inconsciente no lugar. Mas não posso contar a todos tudo o que sei. Não posso contar a todos tudo o que sei.

Por algum tempo, o velho restringiu-se a resmungos inaudíveis. O segredo que guardava parecia avassalador.

— Não sei quem colocou o Dorminhoco para dormir. Isso aconteceu antes do meu tempo. Mas sei quem foi que injetou os estimulantes para acordá-lo outra vez. Era tudo ou nada, despertar ou morrer. Despertar ou morrer. Esse é o jeito de Ostrog fazer as coisas.

Graham estava tão chocado que teve de interromper esse discurso, fazer o velho repetir algumas passagens, repetir algumas perguntas para ter certeza do significado e da loucura do que ouvia. Assim, seu despertar não fora natural! Seria tudo isso apenas uma superstição senil ou haveria alguma verdade nas palavras do velho? Após uma busca nos recantos mais obscuros de sua memória, Graham recordou-se de um sonho no qual sentia uma agulhada no braço que trouxe como consequência certo efeito estimulante. Ocorreu-lhe que estava com sorte: finalmente encontrara alguém que poderia ensinar-lhe algo daquela nova era. Enquanto isso, o velho escarrou e cuspiu em um canto antes de retomar, com a voz aguda, seu discurso:

— De início, o rejeitaram. Eu acompanhei tudinho.

— Rejeitaram quem? – perguntou Graham. — O Dorminhoco?

— O Dorminhoco? *Não*. Ostrog. Ele era terrível, de verdade! E prometeram a ele que, se não fosse daquela vez, seria na próxima. Como foram tolos em não temê-lo ainda mais! Agora ele usa a cidade como uma moenda, e somos nós os triturados. Triturados. Pois ele pôs mãos à obra: os trabalhadores cortavam a garganta uns dos outros, matavam um chinês ou um policial do trabalho de vez em quando, mas deixavam todos os outros em paz. Mas tantos mortos! Assaltos! Escuridão! Fazia uma grosa de anos que eu não via algo assim. Sabe o que mais? Vai sobrar para os pequenos carregarem o fardo mais pesado quando os grandes caírem, se vai...

— O que é que... que você não via... fazia uma grosa de anos?...

— Hein? – perguntou o velho.

O velho começou a queixar-se da maneira de Graham retalhar as palavras, obrigando-o a refazer seu questionamento.

— Lutas e assassinatos, armas nas mãos, imbecis gritando por liberdade e coisas do tipo – respondeu. — Em toda a minha vida, não vi nada parecido. Com certeza é como nos velhos tempos, como quando o povo de Paris se rebelou, três grosas de anos atrás. Era a isso que eu me referia. Mas esse parece ser o destino do mundo. O caos tinha de voltar. Eu sei disso. Eu sei disso. Faz cinco anos que Ostrog está trabalhando e os problemas têm aumentado dia a dia. Também há fome, ameaças, muitos discursos e armas. Os de roupa azul e seus boatos. Ninguém está seguro. Tudo é decadência e ruína. E aqui estamos nós! Revoltas, batalhas, o Conselho chegando ao fim.

— Você está bem informado a respeito de todos esses assuntos – comentou Graham.

— Eu sei muito bem interpretar o que escuto por aí. Eu não ouço só o que dizem as Máquinas de Palavrório.

— Não – continuou Graham, imaginando o que diabos seria uma Máquina de Palavrório –, mas você tem certeza de que esse... Ostrog... organizou toda essa rebelião e arranjou uma forma de despertar o Dorminhoco? Apenas para se impor, uma vez que não foi eleito pelo Conselho?

— Todo mundo sabe que foi isso mesmo o que aconteceu – respondeu o velho. — Apenas os tolos discordam. O que Ostrog quer é ser o líder de alguma forma. Com ou sem o Conselho. Todo mundo com o mínimo de conhecimento sabe disso. Chegamos então a esse ponto, com cadáveres empilhados na escuridão! Onde você esteve que não ouviu falar do problema entre Ostrog e os Verneys? Aliás, você pensa que os problemas dizem respeito a quê? Ao Dorminhoco, é? Pensa que o Dorminhoco é real e acordou por vontade própria, é?

— Sou um homem meio lento, mais velho do que aparento ser e também um tanto esquecido – respondeu Graham. — Muito do que aconteceu, especialmente nos últimos tempos, é bem pouco claro para mim, como se eu mesmo fosse o Dorminhoco, por assim dizer.

— Hã! – disse então o velho. — Velho, você? Não parece! Mas realmente não é todo mundo que conserva a memória em uma idade tão avançada quanto a minha. Só que tudo o que eu disse é notório! E você não é tão velho quanto eu, nem de longe. Bem, talvez não seja certo julgar outro homem por mim mesmo. Eu sou jovem, embora velho. Talvez você seja velho, embora jovem.

— Isso mesmo – concordou Graham. — Minha história é estranha. Eu sei muito pouco. Praticamente nada. O Dorminhoco e Júlio César dão na mesma para mim. Por isso, é muito interessante ouvi-lo falar dessas coisas.

— Sei de algumas coisas – disse o velho. — Sei de uma ou outra coisa. Mas... Quieto!

Os dois homens ficaram em silêncio, ouvindo. Houve um baque pesado, uma concussão que fez tremer o banco em que estavam sentados. Alguns transeuntes pararam para trocar informações aos gritos. O velho estava cheio de perguntas – gritou várias delas a um sujeito que passou por perto. Graham, encorajado por esse exemplo, levantou-se e aproximou-se de outro. Mas ninguém sabia o que tinha acontecido.

Ele então voltou para o seu lugar e encontrou o velho resmungando interrogações vagas em voz baixa. Por algum tempo, não trocaram palavra.

O sentido dessa luta gigantesca, ao mesmo tempo próxima e distante, oprimia a imaginação de Graham. O velho estaria correto? Ele e as pessoas que viu marchar? Os revolucionários estariam vencendo? Ou estariam todos errados e a guarda vermelha retomara o controle da situação? Parecia que, a qualquer momento, a maré contínua da guerra chegaria até o silencioso recanto da cidade onde estavam. Convinha-lhe captar e processar tudo o que fosse útil enquanto houvesse tempo. Voltou-se para o velho com uma pergunta que, contudo, não formulou. Mas esse movimento repentino disparou algum mecanismo no ancião, que começou a falar novamente.

— Hã! Veja só como as coisas funcionam! – disse o velho. — Esse Dorminhoco no qual todos os idiotas depositaram sua confiança... Tenho aqui toda a história dele, sempre fui muito bom com histórias. Quando eu era apenas um garoto, faz tempo isso, costumava ler livros impressos. Você pode não acreditar nisso; é provável que você nunca tenha visto um, eles apodrecem e viram pó, e a Companhia Sanitária os queima para produzir lixivita. Mas eles eram bem práticos, apesar de sujos. Aprendia-se muito com eles. Essas novas e tão faladas Máquinas de Palavrório... a você elas não devem parecer tão novas, não é?... são fáceis de ouvir e mais fáceis ainda de esquecer. Mas eu consegui rastrear esse Dorminhoco desde o começo de tudo.

— Você não vai acreditar – começou Graham lentamente –, mas sou bem ignorante das coisas, sempre mergulhado nos meus problemas, envolvido em situações tão estranhas que não sei quase nada desse Dorminhoco. Quem era ele?

— Hã! – respondeu o velho. — Compreendo, compreendo. Ele era um pobre coitado que se engraçou com uma mulher faceira. Pobre alma! E então ele caiu nesse transe. Existiam alguns registros antigos, umas coisas de tonalidade marrom, como é mesmo que se chamavam – fotografias de prata –, mostrando-o deitado, uma grosa e meia de anos atrás. Uma grosa e meia!

"Engraçou-se com uma mulher faceira, pobre alma", Graham falou para si suavemente, logo completando em voz alta:

— Sim, continue.

— Você deve saber que ele tinha um primo, de nome Warming, sujeito solitário e sem filhos que fizera fortuna investindo nas rodovias, as primeiras rodovias de adamita. Com certeza você conhece essa história, não é? Não? Ora, o fato é que ele comprou todas as patentes e criou uma empresa enorme. Por essa época, havia grosas e mais grosas de empresas e negócios, todas bem separadas. Grosas e mais grosas! As rodovias que ele criou acabaram com as ferrovias, aquelas coisas antigas, dentro de duas dúzias de anos; ele as adquiria e adamitava. Mas, como ele não desejava dividir sua fortuna ou largá-la nas mãos de acionistas, deixou tudo para o Dorminhoco, colocando como responsável um Conselho de Administradores Legais, que ele escolhera e treinara. Ele sabia que o Dorminhoco jamais despertaria, que ele continuaria a dormir até morrer. Sabia bem disso. E, de repente, bum! Outro sujeito, nos Estados Unidos, que perdera os dois filhos em um acidente de barco, seguiu Warming e colocou outra imensa herança no nome do Dorminhoco. O tal Conselho se viu, logo de cara, com um espólio de uma dúzia de miríades de leões para administrar.

— Qual era o nome dele?

— Graham.

— Não... Digo... Desse americano que apareceu na história.

— Isbister.

— Isbister! – exclamou Graham. — Ora, nunca ouvi falar dele.

— Claro que não – disse o ancião. — Claro que não. As pessoas não aprendem muita coisa na escola hoje em dia. Mas eu sei tudo sobre ele. Ele era um americano rico que saiu da Inglaterra e legou ao Dorminhoco ainda mais dinheiro do que Warming. Como ele juntou tanto? Isso eu não sei direito. Alguma coisa relacionada com captura de imagens usando máquinas. Mas ele conseguiu muito dinheiro e o deixou ao nosso Dorminhoco, de forma que o Conselho começou aí. Era apenas um Conselho de Administradores Legais no início.

— E como a coisa toda cresceu tanto?

— Hã! Mas você está por fora da realidade mesmo. Dinheiro atrai dinheiro; além disso, doze cérebros funcionam melhor que um. Eles desempenharam a função com perfeição. Souberam misturar política e dinheiro e continuaram aumentando o capital pela aplicação de taxas e juros. A coisa se expandiu, e como. Por anos, os doze membros do Conselho esconderam o crescimento do capital pertencente ao Dorminhoco usando nomes falsos, empresas de fachada, todas essas artimanhas. O Conselho se espalhava por meio de contratos, créditos, ações; compraram cada partido político, cada jornal que havia. Basta ouvir as velhas histórias para ver como o Conselho cresceu rapidamente. Chegou aos bilhões e bilhões de leões o patrimônio do Dorminhoco. E todo esse crescimento foi fruto de uma extravagância, por desejo de Warming e de Isbister após o acidente com os filhos.

— Os homens são estranhos – continuou o velho. — O mais estranho para mim foi como o Conselho conseguiu trabalhar sem rupturas e brigas internas por tanto tempo. Todos os doze. Mas eles trabalharam como um grupo desde o início. E procederam furtivamente. Nos meus dias de juventude, falar do Conselho era o mesmo que um ignorante citar o nome de Deus. Ninguém imaginava que ele pudesse cometer algum erro. Ninguém sabia se seus membros eram casados ou coisa do tipo! Senão, eu seria mais sábio.

— Os homens são estranhos – repetiu o velho. — Aqui estamos: você, jovem e ignorante, e eu, com 70 anos, o que poderia significar tranquilamente que minha memória estivesse extinta, explicando tudo, curto e grosso.

— Setenta anos – prosseguiu –, mas eu vejo e ouço: ouço melhor do que vejo. E raciocino com clareza e me mantenho atualizado a respeito de tudo. Setenta!

— A vida é estranha. Eu tinha uns 20 quando Ostrog ainda era um bebê. Eu me lembro bem dele antes que chegasse à chefia do Controle de Cata-Ventos. Vi tantas mudanças. Hã! Também já vesti o azul. No fim das contas, vivi para ver todo esse conflito, essa escuridão e esse tumulto de homens mortos sendo carregados em pilhas pelas ruas. E tudo obra dele! Obra dele!

A voz do velho extinguiu-se lentamente em louvores nada articulados a Ostrog.

Graham ponderava.

— Deixe-me ver – disse – se eu entendi certo.

Estendeu a mão e começou a enumerar os itens com os dedos.

— O Dorminhoco estava em seu transe...

— Ele foi trocado – disse o velho.

— Talvez. Enquanto isso, o patrimônio dele cresceu nas mãos dos doze responsáveis legais até chegar ao ponto de praticamente engolir toda a riqueza do mundo. Os doze membros, por conta do patrimônio que administravam, tornaram-se senhores do mundo. Porque eram o poder que dominava o dinheiro, da mesma forma que o antigo Parlamento inglês costumava...

— Hã! – replicou o velho. — Isso mesmo. Boa comparação. Você não é tão...

— Agora esse tal Ostrog provocou uma revolução mundial ao despertar repentinamente o Dorminhoco. Ninguém, a não ser gente simples e supersticiosa, acreditaria nesse despertar, aliás: Bom, com o despertar, o Dorminhoco reivindicaria sua herança junto ao Conselho após todos esses anos.

O ancião tossiu em sinal de concordância.

— É estranho – disse – encontrar alguém que soube de tudo isso pela primeira vez em uma única noite.

— Pois é – assentiu Graham –, é estranho.

— Já esteve em uma Cidade dos Prazeres? – perguntou o velho. — Por toda a minha vida desejei isso – disse sorrindo. — Mesmo agora – continuou –, poderia desfrutar de um pouco de diversão. Apreciaria ao menos ver coisas bonitas – resmungou então algo que Graham não compreendeu.

— O Dorminhoco... quando foi que ele despertou? – questionou Graham repentinamente.

— Faz três dias.

— Onde ele está?

— Com Ostrog. Ele conseguiu escapar do Conselho faz mais ou menos quatro horas. Onde o senhor esteve esse tempo todo, meu caro? O Dorminhoco estava no salão dos mercados, onde a luta começou. Toda a cidade estava falando sobre isso aos gritos. Todas as Máquinas de Palavrório. Foi gritado aos quatro ventos. Mesmo os tolos que representam o Conselho já admitiram. Todos estavam correndo para vê-lo desperto, todos estavam pegando em armas. Você estava bêbado? Adormecido? Mesmo assim! Você deve estar brincando! Com certeza está fingindo. Foi para interromper o fluxo de notícias das Máquinas de Palavrório e evitar que mais gente se reunisse que cortaram a luz, e por isso estamos nessa maldita escuridão. Você quer dizer...?

— Eu fiquei sabendo que o Dorminhoco foi resgatado – disse Graham.

— Mas, voltando ao que você disse um minuto atrás, tem certeza de que Ostrog está com ele?

— Ele jamais deixaria um prêmio desses escapar – afirmou o velho.

— E o Dorminhoco? Tem certeza de que ele não é genuíno? Nunca ouvi falar de...

— É assim que os tolos processam tudo. Dessa forma. Como se não houvesse milhares de coisas de que provavelmente nunca ouviram falar. Conheço Ostrog muito bem e sei do que ele é capaz. Não disse isso antes? De certa forma, tenho alguma intimidade com Ostrog. Sim, certa intimidade. Através da minha nora.

— Suponho então que...

— Sim?

— Suponho que não há condições de o Dorminhoco fazer valer a própria opinião. Assim, ele seria como um fantoche, seja nas mãos de Ostrog ou do Conselho, de quem ganhar essa luta.

— Nas mãos de Ostrog, certamente. Por que o tal Dorminhoco não seria um fantoche? Observe bem a posição que ele ocupa. Tudo será feito por ele, cada prazer deste mundo está disponível aos caprichos dele. Por que ele deveria fazer valer alguma opinião?

— O que são essas Cidades dos Prazeres? – perguntou Graham abruptamente.

O ancião obrigou-o a repetir a pergunta. Quando ficou claro qual era o sentido das palavras de Graham, deu violenta cotovelada nele.

— Isso já é *demais* – disse. — Você está fazendo troça de um idoso. Suspeito de que você sabe de muitas coisas e tudo isso é fingimento.

— Talvez – disse Graham. — Mas claro que não! Por que eu deveria fingir? Não, eu realmente não faço ideia do que seja uma Cidade dos Prazeres.

O velho gargalhou de maneira significativa.

— Quer saber mais? Não sei ler o alfabeto que usam, não sei que tipo de dinheiro usam, não faço ideia de quais países ainda existem. Não sei onde estou. Nem sequer sei fazer contas. Também não sei onde conseguir comida, água ou abrigo.

— Ora, ora – disse o velho –, se você tivesse um copo de bebida nas mãos, colocaria no ouvido ou no olho?

— Gostaria que você me contasse a respeito de todas essas coisas.

— Ha, ha! Bem, cavalheiros que se vestem de seda devem ter lá a sua diversão – uma mão esquelética acariciou o braço de Graham por um breve momento. — Seda! Ora, ora! Mas, apesar de tudo, eu gostaria de ser esse sujeito que colocaram no lugar do Dorminhoco. Deve ser bem divertido para ele. Toda a pompa e os prazeres. Tudo bem que a cara dele é bem estranha. Quando ainda permitiam que as pessoas pudessem vê-lo, comprei bilhetes e lá fui eu. A imagem do verdadeiro, que está nas fotografias, é bem semelhante à do falso. Ele é amarelo. Mas a qualquer momento ele vai ficar farto de tudo. Nosso mundo é estranho. Mas pense na sorte do sujeito. A sorte que ele teve. Espero que ele seja mandado para Capri. É o melhor lugar que imagino para um novato se divertir à beça.

Uma crise de tosse interrompeu o velho novamente. Quando se recompôs, continuou a resmungar sobre sua inveja de estranhos prazeres e delícias.

— Que sorte ele teve! Que sorte! Toda a minha vida estive em Londres esperando uma chance.

— Mas você não sabe se o Dorminhoco morreu – disse Graham de súbito.

O ancião obrigou-o a repetir a pergunta.

— Ninguém vive além de dez dúzias de anos. Não é da natureza das coisas – disse o velho. — Não sou tolo. Os tolos podem acreditar nisso, mas eu não.

As últimas palavras do velho fizeram Graham perder a paciência.

— Não sei se você é tolo ou não – disse. — Só sei que está errado sobre o Dorminhoco.

— Hã?

— Você está errado sobre o Dorminhoco. Não disse antes, mas digo agora. Você está errado sobre o Dorminhoco.

— Como você sabe? Pensei que não soubesse de nada, nem mesmo das Cidades dos Prazeres.

Graham fez uma pausa.

— Você não sabe – disse o velho. — Como poderia saber? Foram poucos os que...

— Eu *sou* o Dorminhoco.

Teve de repetir o que acabara de dizer.

Houve uma breve pausa.

— É uma coisa muito idiota o que disse agora, se me perdoa a franqueza. Poderia colocá-lo em maus lençóis em um momento como esse – disse o velho.

Graham, levemente ofendido, repetiu sua afirmação.

— Eu disse e repito: sou o Dorminhoco. Anos atrás, caí no sono em uma pequena vila feita de pedra. Era uma época em que havia sebes, vilas e hospedarias. Todo o interior era recortado em pequenos pedaços, pequenas propriedades. Nunca ouviu falar desse tempo? E fui eu, eu que estou agora a conversar com você, que acordei novamente faz quatro dias.

— Há quatro dias! O Dorminhoco! Mas *eles* estão com o Dorminhoco. Estão com ele e nunca o deixarão escapar. Isso é pura baboseira! Você estava falando coisas sensatas até agora. Consigo imaginar tudo como se eu mesmo estivesse lá: atrás do Dorminhoco vai o Lincoln, o tutor, pois não o deixarão circular por aí sozinho. Creio firmemente nisso. Você é um sujeito esquisito. Um desses gozadores. Agora percebo por que você fala tão entrecortado, mas...

O velho parou de falar abruptamente. Graham pôde ver seus gestos.

— Como se Ostrog fosse permitir que o Dorminhoco saísse por aí sozinho! Não, está contando essas bobagens para a pessoa errada. Hã! Como se eu fosse cair nessa. Qual é o seu jogo? Além disso, é do Dorminhoco que estamos falando.

Graham levantou-se.

— Escute aqui – disse. — Eu sou o Dorminhoco.

— Você é um sujeito esquisito – respondeu o velho –, sentado aqui no escuro, falando desse jeito estranho e contando uma mentira dessas. Mas...

A exasperação de Graham transformou-se em riso.

— Isso é absurdo – gritou. — Absurdo. Meu sonho precisa terminar. Está ficando mais louco a cada instante. Aqui estou eu neste maldito crepúsculo, nunca ouvi falar de um sonho ambientado no crepúsculo antes, um anacronismo de duzentos anos tentando convencer um velho tolo da minha identidade, enquanto... Ahhhh!

Começou a caminhar, varrido pela irritação. Mas logo o velho estava em seu encalço.

— Hã! Também não precisa ir embora! – gritou o velho. — Sou um velho tolo, eu sei. Não vá embora. Não me deixe na escuridão.

Graham hesitou e parou de caminhar. Subitamente percebeu a loucura de ter contado seu segredo.

— Não pretendia ofendê-lo duvidando do que dizia – começou o velho, que se aproximava. — Não pretendia ofender. Chame a si mesmo de Dorminhoco, se assim preferir. Tudo isso é bobagem...

Graham hesitou outra vez. Depois se virou abruptamente e seguiu seu caminho.

Por algum tempo, ouviu os passos vacilantes do velho em seu encalço e seus gritos ofegantes, que aos poucos desapareceram. Logo a escuridão o engoliu e Graham não o viu mais.

XII.
OSTROG

Graham agora tinha uma visão mais clara de sua posição. Por um tempo perambulou sem rumo, mas, após a conversa com o velho, o empenho em descobrir o tal Ostrog tornou-se em sua mente uma decisão inevitável. Uma coisa era evidente: os que estavam nos quartéis-generais da revolta foram bem eficientes em abafar a notícia de seu desaparecimento. A cada segundo, contudo, esperava ouvir um relatório que informasse sobre sua morte ou recaptura pelo Conselho.

Logo depois, um homem parou diante dele.

— Você ouviu as novas? – perguntou.

— Não! – Graham respondeu sobressaltado.

— Quase uma duzena – disse o estranho. — Uma duzena de homens! – e correu.

Alguns homens e uma garotinha correram na escuridão, gesticulando e gritando: "Renderam-se! Desistiram!", "Uma duzena de homens!", "Duas duzenas de homens!", "Viva Ostrog! Viva Ostrog!". Mas toda essa euforia logo se tornou indistinta.

Em seguida, outros homens apareceram aos berros. Por algum tempo, a atenção de Graham esteve absorvida com os fragmentos de discurso que captava. Duvidava de que tudo o que ouvia era mesmo dito em inglês. Chegavam-lhe excertos flutuando, como se se tratasse de um inglês *pidgin*, talvez o dialeto crioulo e outras distorções obscuras e mutiladas. Não ousava abordar quem quer que fosse com suas perguntas. A impressão do encontro com todas aquelas pessoas sacudiu algumas de suas preconcepções a respeito da luta, confirmando a fé do velho em Ostrog. Foi com lentidão que Graham se dispôs a crer que aquelas pessoas estavam comemorando a derrota do Conselho, que aquele Conselho que o perseguira com mão e vigor tão fortes era agora o lado mais fraco do conflito. Se fosse assim, como isso o afetaria? Muitas vezes, Graham hesitou diante de questões fundamentais. Chegou a se virar e caminhar por longo tempo atrás de um homenzinho de convidativa silhueta rechonchuda, mas foi incapaz de dominar a desconfiança para falar com o sujeito.

Também foi com muita lentidão que percebeu que poderia perguntar a localização dos tais "escritórios dos cata-ventos", o que quer que "escritórios dos cata-ventos" realmente pudesse significar. A primeira pergunta que fez resultou simplesmente em uma vaga indicação de que ele deveria ir para algum lugar na direção de Westminster. A segunda pista levou-o à descoberta de um atalho através do qual acabou por se perder. Disseram que ele deveria abandonar os caminhos que utilizara até então – uma vez que não conhecia outra forma de deslocamento – e descer uma das escadarias centrais, que conduzia a um caminho transversal dominado pela escuridão. Então vieram algumas aventuras triviais: a principal, o encontro ambíguo com uma criatura invisível de voz grosseira que falava o que parecia ser um bizarro dialeto do inglês e que em um primeiro momento se poderia imaginar ser um idioma estrangeiro. Seu discurso era um fluxo espesso no qual boiavam cadáveres de expressões em inglês, o dialeto insidioso dos tempos modernos. Logo apareceu outra voz, uma garota cantarolando "tralalá, tralalá". Ela dirigiu-se a Graham com um inglês nada diferente daquele pronunciado pela criatura invisível. Dizia ter perdido a irmã, tropeçou nele sem necessidade e deu uma risada ao agarrá-lo para retomar o equilíbrio. Mas uma palavra dele de vaga reclamação a fez também desaparecer nas trevas.

Os sons ao seu redor cresciam em número e em intensidade. Pessoas passavam por Graham aos tropeços, falando com excitação. "Eles se renderam!", "O Conselho! Com certeza, não foi o Conselho!", "É o que estão todos dizendo nas ruas!". A passagem pareceu ficar maior. De repente, a parede que a confinava desapareceu. Graham estava agora em um espaço bem mais amplo, onde se ouvia a agitação de muitas pessoas à distância. Perguntou então sobre seu caminho para uma figura indistinta. "Continue seguindo reto", respondeu uma voz feminina. Abandonou a parede que lhe servia de guia e acabou por tropeçar em uma pequena mesa na qual havia utensílios de vidro. Os olhos de Graham, agora mais acostumados à escuridão, notaram um amplo panorama com mesas dos dois lados. Caminhou por esse corredor. Ouvia, em algumas das mesas, o ruído de vidro e o som de gente alimentando-se. Havia pessoas com sangue-frio suficiente para jantar ou para roubar comida apesar de toda a convulsão social e a escuridão. À distância e nas alturas, ele distinguiu uma luz pálida em formato semicircular. Conforme se aproximava, uma forma escura surgiu e encobriu a fonte de luz. Graham tropeçou em degraus e percebeu que estava em uma galeria. Ouviu um choro que vinha de duas meninas amedrontadas, escondidas atrás de uma grade. Essas crianças ficaram em silêncio ao ouvir o som de suas passadas. Tentou consolá-las, mas elas continuaram imóveis até o momento em que ele as deixou. Conforme se afastava, pôde ouvir o choro das duas novamente.

Encontrou então a base de uma escadaria e uma ampla entrada. Podia distinguir a luz crepuscular acima e optou por subir pela escuridão, até que chegou a uma rua com vias móveis novamente. Ali pululavam pessoas desordenadamente, todas a marchar e a gritar. Cantavam fragmentos da canção revolucionária, a maioria desafinada. Aqui e ali, algumas tochas criavam sombras breves e histéricas. Graham perguntou a direção para os novos passantes e por duas vezes topou com o dialeto grosseiro que acabara de conhecer. Na terceira tentativa, obteve uma resposta que conseguiu compreender. Ele ainda estava a 2 milhas dos escritórios dos cata-ventos em Westminster, mas o trajeto era bem fácil a partir dali.

Quando, por fim, se aproximou do distrito onde se localizavam os tais escritórios, tudo o que viu indicava que a vitória sobre o Conselho fora completa: procissões festivas em marcha pelas ruas, demonstrações tumultuosas de júbilo e o restabelecimento da energia na cidade. Contudo, ainda não ouvira nada a respeito de seu sumiço.

A restauração da energia na cidade foi assustadoramente repentina. De uma hora para a outra, todos piscavam os olhos, imóveis e ofuscados, pois o mundo se tornara incandescente. Quando a luz ressurgiu, Graham estava chegando ao ponto mais extremo da multidão excitada que congestionava as vias próximas aos escritórios dos cata-ventos. A sensação de visibilidade, de estar exposto, transformou em aguda ansiedade a pálida intenção que ele nutria de encontrar Ostrog.

Ele foi empurrado, obstruído e ameaçado por homens graves e exaustos de tanto gritar seu nome, muitos deles feridos e sangrando por militarem em sua causa. A fachada dos escritórios era iluminada por uma espécie de imagem em movimento cujo conteúdo não podia enxergar, pois, a despeito de seus esforços enérgicos, Graham não conseguia aproximar-se do local devido à densidade da multidão. Com base nos fragmentos de diálogo que captava, julgou que as imagens animadas tratavam da batalha pela Casa do Conselho. Ignorância e indecisão tornaram seus movimentos mais lerdos e menos eficazes. Não conseguia ter uma ideia que fosse para chegar à fachada ampla do seu destino. Continuava seguindo a massa humana lentamente até o momento em que percebeu que a escadaria descendente no caminho central levava diretamente ao interior dos edifícios. Isso lhe forneceu uma meta, mas o congestionamento era tão denso que demorou a alcançá-la. Quando finalmente pôde avançar, encontrou uma intrincada obstrução e teve uma calorosa discussão de quase uma hora – primeiro em uma guarita e depois em outra – antes de lograr o envio de uma mensagem para o homem que, acima de todos os outros, desejava ardentemente vê-lo. Sua história foi recebida com escárnio no início; mais calejado, Graham simplesmente disse que estava de posse de informações extraordinariamente importantes para Ostrog ao alcançar a segunda escadaria. A natureza das informações ele não estava autorizado a dizer. Enviaram esse recado com alguma relutância. Ele aguardou em uma sala menor, bem ao lado do poço do elevador, e por fim apareceu Lincoln, ansioso, envergonhado, surpreso. Ele parou na porta, analisando Graham, depois avançou efusivamente.

— Sim – exclamou. — É o senhor. Não está morto! Meu irmão o aguarda – explicou Lincoln. — Ele está sozinho nos escritórios dos cata-ventos. Temíamos que você tivesse sido morto no teatro. Ele duvidava disso. As coisas estavam muito complicadas e urgentes, apesar do que dissemos *por lá*. Não fosse por isso, ele teria vindo a seu encontro.

Pegaram o elevador, depois atravessaram uma passagem estreita, cruzaram um amplo salão – que estaria totalmente vazio não fosse por dois mensageiros apressados – e entraram em uma sala relativamente menor cuja mobília se resumia a um amplo canapé e a um grande disco oval, cinzento e nebuloso, que pendia de cabos da parede. Nesse cômodo, Lincoln deixou Graham sozinho por alguns instantes sem entender as imagens que apareciam lentamente nesse disco.

Sua atenção foi arrebatada por um som que começou a surgir abruptamente. Tratava-se da aclamação frenética de uma multidão gigantesca, mas remota, que rugia de exaltação. O som terminou de forma tão abrupta quanto começara, como um barulho captado entre o abrir e o fechar de uma porta. Da sala contígua ouviu o som de passos apressados e um tilintar melodioso, como se uma corrente frouxa deslizasse sobre os dentes de uma roda.

Foi então que ouviu a voz de uma mulher, o agitar suave de tecidos.

— É Ostrog! – ouviu a tal mulher dizer. Um pequeno sino tocou irregularmente, depois tudo mergulhou no silêncio outra vez.

Agora ouvia vozes, passos e movimentação externa. Os passos de alguém destacavam-se dos outros sons e aproximavam-se firmes, medidos. A cortina foi levantada lentamente. Um homem alto, de cabelos brancos, em trajes de seda cor de creme surgiu, observando Graham com o braço levantado.

Por um momento, a forma branca permaneceu segurando a cortina, antes de largá-la e avançar. Graham impressionou-se com a testa muito ampla, os olhos muito azuis e pálidos afundados embaixo de sobrancelhas brancas, o nariz aquilino e a boca apertada e resoluta. As dobras de pele em torno dos olhos e a inclinação nos cantos da boca contradiziam a postura ereta e denunciavam que se tratava de um homem velho. Graham levantou-se instintivamente, e por um breve instante ambos permaneceram em silêncio, fitando um ao outro.

— Você é Ostrog? – perguntou Graham.

— Eu sou Ostrog.

— O Líder?

— Assim me chamam.

Graham sentia o inconveniente peso do silêncio.

— Devo a você, e não tenho palavras para agradecer, o fato de eu estar em segurança – disse pouco depois.

— Temíamos que fosse morto – respondeu Ostrog. — Ou colocado para dormir de novo, para sempre. Fizemos de tudo para manter nosso segredo, o segredo do seu desaparecimento. Onde esteve? Como conseguiu chegar até aqui?

Graham contou a história toda, resumidamente.

Ostrog ouviu em silêncio.

Depois esboçou um sorriso vago.

— Sabe o que eu estava fazendo quando me avisaram que você estava aqui?

— Não tenho ideia.

— Preparávamos um sósia para substituí-lo.

— Um sósia?

— Um sujeito o mais parecido com você que pudéssemos encontrar. A ideia era hipnotizá-lo, para poupá-lo da tarefa de atuar. Isso era imperativo. O sentido da revolta depende da ideia de que você está acordado, vivo e aqui conosco. Agora mesmo, uma multidão no teatro clama por vê-lo. Eles não confiariam em alguém... Você sabe, é claro, algo sobre... sobre a sua condição?

— Muito pouco – respondeu Graham.

— Temos o seguinte – Ostrog começou a andar de um lado para outro e virou-se. — Você é o dono absoluto... do mundo. Você é o Rei da Terra. Seus poderes são limitados por maneiras diversas e intrincadas, mas você é o mandatário, a figura popular do governo. Esse Conselho Branco, o Conselho de Administradores, como era chamado...

— Ouvi informações vagas a respeito de tudo isso.

— Imagino.

— Encontrei um ancião bastante loquaz.

— Compreendo... Como você sabe, ainda temos massas humanas... creio que está familiarizado com essa palavra, bem da sua época... Nossas massas o veem como nosso verdadeiro líder. Da mesma maneira que muitas pessoas do seu tempo viam a Coroa como a sede do poder. As massas, em todo o mundo, estão descontentes com os representantes legais e seu regime. No geral, trata-se de um descontentamento bem antigo, a velha disputa do homem médio com sua medianidade: a miséria do trabalho, da disciplina, da inadequação. Mas os seus representantes têm governado mal. Em diversos assuntos, especialmente na administração das Empresas de Trabalho, eles foram bastante imprudentes. Desperdiçaram um sem-número de oportunidades. Nós, do partido popular, já agitávamos por reformas quando surgiu o seu despertar. Sim, surgiu! Se tivesse sido tudo combinado, ainda assim não teria surgido em melhor hora – Ostrog sorriu. — A opinião pública, desconsiderando os seus muitos anos de quietude, já estava cogitando despertá-lo e suplicar que assumisse a liderança, quando então... bum!

Com um gesto amplo, ele sugeriu o levante popular, e Graham meneou a cabeça indicando ter compreendido.

— O Conselho está uma desordem... Houve desentendimentos. Sempre houve. Não conseguiam decidir o que fazer com você. Sabe como o aprisionaram?

— Compreendo. Compreendo. E agora? Vencemos?

— Vencemos. De fato, vencemos. Esta noite, em cinco horas decisivas. De repente, estávamos postados em todos os lugares. O pessoal do cata-vento e o das Empresas de Trabalho, na casa dos milhões, conseguiram romper a defesa inimiga. Também conquistamos o pessoal dos aeroplanos.

— Sim – disse Graham.

— Tudo isso foi essencial, é claro. Ou eles poderiam ter escapado. Praticamente toda a cidade se sublevou, até mesmo os mortos se uniriam aos vivos em nosso levante! Todos os de azul, os do serviço público, com exceção de alguns aeronautas e de quase metade da polícia vermelha. Você foi resgatado, e a própria polícia das ruas, que estava contra nós (o Conselho não conseguiu a adesão sequer da metade deles), foi destroçada, está desarmada ou morta. Toda a Londres é nossa agora. Apenas a Casa do Conselho permanece como foco de resistência.

— Metade dos membros da polícia vermelha que permaneceram fiéis a eles caiu naquela tola tentativa de recapturá-lo. Eles ficaram desnorteados quando perderam seu rastro. Jogaram tudo o que tinham no teatro. Cercamos as forças da Casa do Conselho por lá. Realmente, hoje tivemos uma noite vitoriosa. Sua estrela brilha em todos os cantos da cidade. Apenas um dia atrás, o Conselho Branco governava da mesma forma que sempre fizera por uma grosa de anos, durante um século e meio. Então, com apenas o sussurrar de uma notícia e um grupo bem armado aqui e ali, de repente conseguimos!

— Ignoro os fatos – começou Graham. — Veja, desconheço as condições desse conflito, por isso gostaria que me explicasse. Onde está o Conselho? Onde está acontecendo a luta?

Ostrog caminhou pela sala. Ouviu-se o som de um leve estalo e repentinamente tudo estava escuro, menos a tela oval, que brilhava. Por um momento, Graham ficou bastante intrigado.

Mas logo notou que o disco cinzento e fosco adquiria cor e profundidade, ganhando a forma de uma janela oval, que dava vista para uma cena estranha, pouco familiar.

A princípio, não era possível nem sequer imaginar do que se tratava. Havia um local iluminado pelo sol de inverno, cinza e claro. Do outro lado da imagem, a meio caminho entre o observador e o ponto mais remoto de visão, um cabo robusto de fios brancos trançados pendia, esticado verticalmente. Percebeu então as fileiras de grandes moinhos de vento, os amplos espaços abertos, os ocasionais golfos de escuridão, tudo muito semelhante ao que Graham vira durante a fuga da Casa do Conselho. Logo ele distinguiu uma coluna de figuras vermelhas marchando ordenadamente por um espaço aberto, cercado por fileiras de homens de preto. Foi nesse momento que entendeu, antes mesmo da intervenção de Ostrog, que assistia naquela tela oval ao desenrolar dos fatos mais recentes. As pancadas de neve noturna se foram. Graham supôs que aquele espelho era algum substituto moderno para a câmara escura, mas essa questão não foi explicada a ele. Viu que, apesar de marchar da esquerda para a direita, a coluna de figuras vermelhas ultrapassava os limites da tela pela esquerda. Por um momento espantou-se, até perceber que a imagem passava silenciosa, à maneira dos panoramas, cruzando o espelho oval.

— Em breve, poderá ver como foi a luta – disse Ostrog ao seu lado. — Esses indivíduos de vermelho, deve ter notado, são prisioneiros. Esse é o telhado de Londres, todas as casas são praticamente contínuas agora. As ruas e os espaços públicos ganharam uma cobertura, um telhado. As fendas e abismos que existiam no seu tempo desapareceram.

Algo que estava fora do foco obliterou metade da tela. A forma sugeria um homem. Houve um brilho metálico, um clarão, algo que arrebatou a tela oval, assim como o abrir e fechar da pálpebra de um pássaro. Mas logo a cena estava clara novamente. Agora Graham contemplava homens correndo entre os moinhos de vento, apontando armas que soltavam rápidos brilhos esfumaçados. A concentração desses homens ficava mais e mais densa à direita. Gesticulavam – pode ser que gritassem, mas isso a imagem não mostrava. Eles e os moinhos de vento lentamente desapareceram do campo de visão do espelho.

— Agora – disse Ostrog – veremos a Casa do Conselho. — Uma extremidade negra piscou na imagem, chamando atenção de Graham. Logo não era mais uma extremidade, mas uma cavidade, um grande espaço escuro no meio dos edifícios agrupados. Desse local, espirais de fumaça alçavam-se em direção ao pálido céu de inverno. Massas de ruínas lúgubres daquilo que fora uma construção; vigas e pilares incrivelmente obliterados surgiam como um gesto de desespero vindo dessa escuridão cavernosa. Em torno desses vestígios de edifícios esplêndidos, numerosos e minúsculos homens vagavam e escalavam, apinhando-se.

— Aí está a Casa do Conselho – disse Ostrog –, a última fortaleza do inimigo. Os idiotas gastaram munição suficiente para mantê-los por um mês na detonação dos edifícios que a cercavam, na vã tentativa de atrapalhar nosso ataque. Você deve ter ouvido as explosões, não? Fizeram em pedaços boa parte das vidraças de toda a cidade.

Enquanto Ostrog falava, Graham viu que, para além dessa área de ruínas, dominando a cena com sua altura vertiginosa, estava a massa robusta do edifício branco. Tal massa fora isolada pela impiedosa destruição dos arredores. Intervalos enegrecidos marcavam as passagens que a batalha destroçara; grandes salões perderam suas coberturas e a decoração interior se mostrava à luz crepuscular de inverno, e pelas paredes esburacadas pendiam festões de cabos arrebentados e fragmentos de hastes metálicas contorcidas. Em meio a tal panorama, vasto e detalhado, moviam-se pequenas manchas vermelhas, os defensores do Conselho pertencentes à polícia vermelha. De vez em quando, focos de brilho iluminavam as sombras abismais. À primeira vista, pareceu a Graham que um ataque contra o edifício branco isolado estava em curso, mas então se deu conta de que o lado dos revoltosos não avançava: ao contrário, protegido pelos destroços colossais que cercavam a última fortaleza dos vermelhos, fazia disparos espasmódicos.

E não fazia nem dez horas desde que Graham tinha estado embaixo de um duto de ventilação no pequeno aposento duplo dentro daquele remoto edifício, imaginando o que estava acontecendo no mundo!

Observando atentamente as cenas de guerra que ocorriam silenciosamente no centro do espelho, Graham notou que o edifício branco no meio estava cercado de ruínas por todos os lados, enquanto Ostrog prosseguia seu relato, empregando frases concisas para descrever como os defensores utilizaram essa estratégia avassaladora para isolar-se de uma possível invasão. Falou então em tom indiferente, das perdas de vidas ocasionadas pela imensa destruição. Indicou um necrotério improvisado nas ruínas, mostrou ambulâncias que enxameavam como ácaros-do-queijo ao longo de uma vala que devia ter sido uma rua de vias móveis. Ostrog estava mais interessado em mostrar partes específicas da Casa do Conselho e a distribuição dos sitiantes. Em pouco tempo, a guerra civil que convulsionava Londres já não era nenhum mistério para Graham. Aquilo que ocorrera da noite para o dia não fora uma tumultuosa revolta, não fora uma batalha equilibrada, mas um golpe de Estado esplendidamente organizado.

Ostrog mergulhava em detalhes fascinantes: ele parecia conhecer a função da mais remota mancha preta ou vermelha que se arrastava no espelho.

Estendeu então um enorme braço negro pela imagem luminosa para mostrar de onde Graham escapou e a rota de fuga no meio das ruínas. De fato, Graham reconheceu o abismo no qual havia a canaleta por onde caminhara e as pás do moinho atrás das quais se escondera da máquina voadora. O resto do caminho sucumbira entre os destroços. Observou novamente a Casa do Conselho, agora já parcialmente oculta, e, do lado direito, uma ladeira na qual havia um conjunto de domos e pináculos. Vagos, obscuros e distantes, planavam na cena.

— E o Conselho foi realmente derrubado? – perguntou.

— Derrubado – respondeu Ostrog.

— E eu... Realmente é verdade que eu...?

— Você é o Mestre do Mundo.

— Mas e aquela bandeira branca...

— Trata-se do estandarte do Conselho, o estandarte dos dirigentes do mundo. Mas ela cairá. A batalha está terminada. O ataque ao teatro foi a última e frenética cartada. Eles devem ter apenas uns mil homens, se muito. Mas alguns deles não são inteiramente leais. A munição também está no fim. E nós estamos revivendo a antiga arte da guerra. Estamos fundindo nossas armas.

— Bom... preciso de alguma ajuda aqui. Esta cidade representa todo o mundo?

— Esta cidade é praticamente tudo o que restou do império deles. No exterior, as cidades ou apoiam a nossa revolução ou aguardam o resultado. O seu despertar deixou o Conselho perplexo, paralisado.

— Mas o Conselho não possui máquinas voadoras? Por que elas não estão lutando ao lado deles?

— Sim, o Conselho possui essas máquinas. Mas a maioria dos aeronautas está conosco. Eles não vão se arriscar a lutar do nosso lado, mas também não nos atacarão. Nós *tivemos* de neutralizar os aeronautas. Metade deles nos apoia e os outros sabem disso. De maneira mais direta, eles sabiam que você tinha escapado e que aqueles que estavam em sua perseguição foram eliminados. Matamos o homem que atirou em você, cerca de uma hora atrás. Também ocupamos as plataformas aéreas logo no início, em todas as cidades onde isso foi possível, parando e capturando os grandes aeroplanos. No caso das máquinas voadoras menores que conseguiram alçar voo – pois algumas escaparam –, abrimos fogo e as mantivemos perto da Casa do Conselho. Se essas aeronaves caírem, não conseguirão levantar voo de novo porque não têm espaço disponível à sua volta para manobrar. Algumas dessas máquinas aéreas foram abatidas, outras tiveram de pousar e foram capturadas, e as que restaram partiram em direção ao continente para tentar encontrar alguma cidade que as aceitasse antes de o combustível acabar. A maioria desses homens deu graças por ter conseguido uma rendição e não ofereceu grande resistência. Um levante dentro de uma máquina voadora não é uma perspectiva muito atraente. O Conselho não pode fazer nada nesse sentido. Os dias dele terminaram.

Com isso, Ostrog deu uma sonora risada e voltou-se novamente para o espelho oval, agora com a tarefa de mostrar a Graham o que queria dizer com plataformas aéreas. Até as quatro mais próximas pareciam remotas e obscuras na névoa fina da manhã. Mas era visível que se tratava de vastas estruturas, a julgar pelo padrão dos elementos ao redor delas.

Conforme essas formas vagas passavam para o lado esquerdo da imagem, tornou a surgir o terreno no qual os homens de vermelho marchavam desarmados. Logo depois, as ruínas enegrecidas, e de novo a amplitude branca e sitiada da Casa do Conselho. Não lembrava mais um amontoado fantasmagórico, uma vez que adquirira um brilho âmbar sob a luz do sol, que era vez por outra obliterada pela sombra de uma nuvem que passava. Não muito distante, a luta dos seres minúsculos seguia seu andamento e suspense, ainda que, naquele exato momento, os defensores vermelhos tivessem cessado fogo.

Assim, em um ambiente de quietude sombria, o homem do século XIX assistiu aos momentos finais de uma grande revolução, ao estabelecimento forçado de uma nova lei em seu nome. Com a essência de um sobressalto, descobriu que esse era seu mundo, e não aquele que tinha deixado para trás; que aquilo que via não era um mero espetáculo que teria um clímax e depois terminaria; que nesse mundo viveria quanto tempo ainda lhe restasse, com todos os seus deveres, perigos e responsabilidades. Surgiram-lhe novas perguntas. Ostrog começou a responder a elas, mas em seguida interrompeu-se abruptamente.

— Tais coisas poderei explicar depois, com detalhes. No momento há outras que... que precisam ser feitas. O povo está se deslocando na direção deste setor da cidade, pelas vias móveis, vindo de todos os lugares possíveis: os mercados, os teatros, tudo está lotado. Você deve se apresentar ao povo. Eles clamam por você. Nos outros países, também há o desejo de vê-lo. Paris, Nova York, Chicago, Denver, Capri, milhares de cidades estão vivendo um sério tumulto, indecisas, clamando por seu nome. O despertar foi um desejo de todos e, agora que ele aconteceu, muitos mal conseguem acreditar...

— Mas, certamente... Não sei se posso...

Ostrog fez uma solicitação para o outro lado da sala. A imagem no disco oval então empalideceu e sumiu, ao mesmo tempo que a luz voltou a iluminar o recinto.

— Isto é um cinetotelefotógrafo – explicou. — Sua saudação ao povo, feita bem aqui nesta sala, será vista por miríades e miríades de pessoas que, comprimidas e imóveis em salões escuros em todo o mundo, aguardam ansiosamente por um sinal. Elas verão a imagem em preto e branco, é claro, não como aqui. E você poderá ouvir os gritos pela tela, reforçando os gritos no salão.

— Temos também um dispositivo – prosseguiu Ostrog – usado por nossos diretores e dançarinas. Creio que seja uma novidade para você. Fique em pé na luz brilhante e eles verão não você, mas uma imagem sua ampliada em uma tela maior, de modo que mesmo a pessoa que estiver incrivelmente distante no recanto mais remoto de uma galeria poderá, se quiser, contar seus cílios.

Graham agarrou-se desesperadamente a uma das perguntas que tinha em mente.

— Quantos habitantes há em Londres? – perguntou.

— Oitocentas e vinte miríades.

— Oitocentas e quanto?

— Mais de 33 milhões.

Esse número ultrapassava os limites da imaginação de Graham.

— Esperam que você diga alguma coisa – explicou Ostrog. — Não o que você chamaria de discurso, mas o que as pessoas de nosso tempo denominam "uma palavra", apenas uma breve sentença, seis ou sete palavras. Algo formal. Se me permite sugerir algo, poderia ser: "Despertei e meu coração está com vocês". É esse tipo de coisa que eles desejam.

— Mas como assim? – perguntou Graham.

— Diga: "Despertei e meu coração está com o povo". Depois faça uma saudação, uma mesura régia. Mas primeiro você precisa de mantos negros, pois sua cor é o negro. O que acha? Em seguida, eles se dispersarão e voltarão para seus lares.

Graham hesitou.

— Estou em suas mãos – disse.

Ostrog estava visivelmente de acordo com isso. Ponderou por um breve momento, voltou-se para a cortina e deu orientações rápidas para auxiliares invisíveis. Quase imediatamente trouxeram-lhe um manto negro, irmão gêmeo daquele que Graham vestira no teatro. Assim que a peça repousou em seus ombros, chegou à sala o som estridente de uma campainha agudíssima. Ostrog voltou-se para questionar um de seus homens, depois pareceu mudar de ideia, puxou a cortina e desapareceu.

Graham ficou parado, ao lado do auxiliar prestativo, escutando os passos de Ostrog se distanciarem no corredor. Era possível ouvir algo como um diálogo: perguntas e respostas rápidas, depois homens correndo. A cortina foi novamente aberta e Ostrog estava de volta; seu rosto maciço brilhava de entusiasmo. Cruzou a sala quase que em um passo, apagou as luzes, agarrou o braço de Graham e apontou para o espelho.

— Foi só virarmos as costas um breve momento – disse.

Graham viu o dedo indicador de Ostrog, negro e colossal, apontar para a Casa do Conselho. Ele não entendeu de imediato. Então notou que o mastro que carregava a imensa bandeira branca estava vazio.

— Quer dizer que...? – principiou Graham.

— O Conselho se rendeu. Seu domínio finalmente se extinguiu para todo o sempre.

— Veja! – Ostrog agora apontava para uma espiral negra que se elevava do mastro.

A imagem oval empalideceu quando Lincoln puxou a cortina e entrou.

— Os clamores estão ainda mais intensos – disse.

Ostrog continuou segurando o braço de Graham.

— Nós incitamos o povo – respondeu Ostrog. — Nós lhe demos armas. Pelo menos por hoje, seus desejos devem ser a lei.

Lincoln manteve a cortina aberta para que Graham e Ostrog passassem...

No caminho para os mercados, Graham teve a breve visão de um longo e estreito salão de paredes brancas no qual pessoas – sempre de azul – carregavam estranhas coisas cobertas, semelhantes a esquifes, em torno dos quais sujeitos trajando o púrpura da profissão médica perambulavam. Desse comprido salão era possível ouvir lamentos, gemidos, choro. Teve a impressão de ver uma cama vazia manchada de sangue, muitos homens deitados em outras, todos com ataduras empapadas de sangue. Mas esse foi o breve relance de uma alameda fechada. Logo um contraforte bloqueou-lhe a visão e seguiram novamente em marcha acelerada na direção dos mercados...

O rugido da multidão estava agora bem próximo: parecia um trovão contínuo. Mas um fluxo de bandeiras negras chamou atenção de Graham, bem como o movimento ondulatório das roupas azuis e dos farrapos marrons, a vastidão congestionada de gente no teatro ao lado dos mercados públicos. Eram as primeiras coisas que via ao sair da longa passagem. A visão tornou-se mais ampla. Graham percebeu que adentrava o grande teatro, aquele de sua primeira aparição pública, que lhe parecera um gigantesco tabuleiro de xadrez que alternava luz e escuridão quando fugiu da polícia vermelha. Dessa vez, entrou por uma galeria em um nível superior, acima do palco. Tudo estava iluminado. Seus olhos procuraram a passarela que utilizara em sua fuga, mas não conseguiu encontrá-la, devido às dezenas de camaradas que a ocupavam; tampouco viu sinal dos assentos destruídos, dos encostos arrebentados e quaisquer outros traços de luta, por causa da densa multidão. Com exceção do palco, tudo estava abarrotado até o limite. Olhando de cima, o efeito que se tinha era contemplar uma vasta área pontilhada de rosa, em que cada ponto era um rosto que se voltava em sua direção. Quando surgiu ao lado de Ostrog, cessaram as ovações ao longe, bem como as cantorias, e um interesse comum domou e unificou a desordem. Parecia que cada indivíduo de todas essas miríades o contemplava.

XIII.
O FIM DA VELHA ORDEM

Até onde o discernimento de Graham conseguia alcançar, era quase meio-dia quando o estandarte branco do Conselho foi derrubado. Mas algumas horas adicionais foram necessárias para formalizar a rendição. Assim, depois que proferiu "uma palavra", foi levado para seus novos aposentos nos escritórios dos cata-ventos. A contínua excitação das últimas doze horas deixara-o completamente esgotado, até mesmo sua curiosidade estava fatigada. Por algum tempo, permaneceu sentado, inerte e passivo, com os olhos abertos. Após breve intervalo, caiu no sono. Foi acordado por dois auxiliares médicos que vieram com estimulantes para revigorá-lo. Depois de engolir os medicamentos e acatar o conselho dos auxiliares de tomar um banho de água fria, sentiu o rápido retorno de seu interesse e sua energia, sendo capaz de acompanhar Ostrog por muitas milhas (assim parecia) de passagens, elevadores e vias móveis que levavam à cena final do governo do Conselho Branco.

O caminho passava, de forma truncada, por uma infinidade labiríntica de edifícios. Por fim, chegaram a uma passagem que terminava em uma espécie de curva, desdobrando-se diante deles uma abertura retangular na qual eram visíveis as nuvens aquecidas pelo pôr do sol e, na linha do horizonte, as ruínas da Casa do Conselho. Um tumulto de gritos logo se ergueu diante dele. Em outro momento, chegaram à beira de um penhasco formado pelos edifícios destruídos que pairavam sobre o abismo de destroços. Uma vasta área materializava-se aos olhos de Graham, nem um pouco diferente da bela e estranha visão que tivera no espelho oval.

Esse espaço que se abria como um anfiteatro de ruínas parecia agora ocupar quase uma milha em direção à sua extremidade exterior. A luz do sol que chegava nele adquiria um aspecto dourado à esquerda, e mais abaixo, à direita, as tonalidades escuras predominavam. Acima, a sombra cinzenta da Casa do Conselho, que ficava no meio, bem como a imensa bandeira negra da rendição que se desdobrava em lentas espirais contra o abrasivo sol do entardecer. Salas, salões e passagens rachados escancaravam-se estranhamente, massas de metal contorcido projetavam-se da totalidade complexa de destroços, conjuntos infinitos de cabos destruídos pendiam como barreiras de algas marinhas, e de seu alicerce vinha um tumulto de vozes inumeráveis, violentas concussões e o som de trombetas. Toda a imensa área ao redor do maciço branco era um círculo de desolação. Apenas ruínas enegrecidas, esqueletos das fundações e o que sobrara das estruturas de madeira dos edifícios destruídos por ordens do Conselho. Fragmentos de vigas, paredes titânicas ainda de pé, florestas de pilares mais robustos. Nesse universo de escombros, veios de água surgiam e brilhavam. Perdida na distância, depois da vaga silhueta de outros edifícios, estava a fonte de abastecimento de água, a uma altura de 200 pés, um jorro em cascata luminosa que soava como trovão. Por todos os lados, numerosos agrupamentos de pessoas.

Onde quer que houvesse espaço e algum lugar para se colocar o pé, havia pessoas. Pareciam pequenas, diminutas, visíveis, a não ser nos locais onde o sol as tocava, pintando-as de uma tonalidade ouro que tornava tudo indistinguível. Escalavam as paredes vacilantes, concentravam-se em grupos próximos aos pilares maiores. Toda a gente estava apinhada ao longo dos limites do círculo de ruínas. O ar estava tomado por gritos, uma vez que todos pressionavam em direção à área central.

Os andares superiores da Casa do Conselho pareciam desertos, nem um único ser humano era visível. Apenas a bandeira da rendição pendia pesadamente contra a luz. Os mortos estavam dentro do edifício, ou ocultos pela multidão, ou tinham sido levados embora. Graham conseguiu ver alguns poucos corpos abandonados nas valas e nos cantos das ruínas, bem como nas águas que corriam.

— Meu amo, por acaso lhes dará o ar de sua graça? – perguntou Ostrog. — Estão realmente ansiosos para vê-lo.

Graham titubeou, mas depois caminhou em direção à extremidade de uma parede arrebentada. Olhou para baixo; era uma figura alta e solitária, de negro, contra o céu.

Lentamente, as inúmeras pessoas nas ruínas tomaram ciência da sua presença. Conforme isso foi acontecendo, grupos menores de homens em uniformes negros surgiam ao longe, empurrando a multidão na direção da Casa do Conselho. Viu as pequenas cabeças negras tornarem-se rosadas porque agora eram rostos voltados para cima, contemplando-o, e viu então surgir uma onda de aclamação varrendo todo o lugar. Ocorreu-lhe que deveria responder com uma reverência. Levantou o braço, apontou para a Casa do Conselho, depois recolheu a mão. As vozes abaixo dele tornaram-se unânimes, ganharam volume, chegaram até ele como ondulações de júbilo.

Antes da rendição, o céu a oeste estava azul esverdeado e pálido, com Júpiter brilhando fortemente ao sul. Com o passar do dia, as transformações no firmamento não foram tão perceptíveis ou rápidas: o avanço da noite ocorrera sereno e belo. Em terra, havia pressa, agitação, ordens conflitantes, pausas, desenvolvimentos espasmódicos de organização, um clamor ascendente e confusão. Antes de o Conselho sair do edifício, alguns homens exaustos e suados, orientados por gritos contraditórios, carregavam pelas compridas passagens e câmaras centenas de corpos daqueles que pereceram no combate corpo a corpo...

Guardas de negro alinhavam-se pelo caminho que o Conselho tomaria para sair e, até onde a vista alcançava, no crepúsculo enevoado daquelas ruínas, em enormes bolsões em torno da capturada Casa do Conselho e nas falésias partidas dos edifícios circunjacentes, havia pessoas e mais pessoas, e suas muitas vozes – mesmo quando não estavam gritando saudações – eram como o murmúrio do mar em uma praia de pedras. Ostrog escolhera um enorme e altivo monte de destroços, onde rapidamente surgiram um palco de madeira e colunas de metal. As estruturas essenciais já estavam prontas, embora o zunido e o clangor de maquinaria ainda soassem intermitentemente nas sombras dessa construção temporária.

O palco possuía um pequeno estrado no qual se encontrava Graham, com Ostrog e Lincoln ao seu lado, um pouco à frente de um reduzido grupo de oficiais. Um tablado abaixo, bem mais espaçoso, cercava esse tombadilho elevado, e nele postou-se a guarda vestida de negro, elemento central da revolta armada com suas estranhas pistolas verdes, cujo nome Graham ainda não conhecia. Aqueles que se situavam mais próximos dele perceberam que seus olhos vagavam perpetuamente da concentração de pessoas nas ruínas para a massa sombria que era a Casa do Conselho, de onde os representantes em breve sairiam, e daí para as vertiginosas falésias do que restara dos edifícios da região, depois outra vez para as pessoas. As vozes da multidão elevaram-se na forma de um tumulto ensurdecedor.

Graham finalmente viu os conselheiros – primeiro à distância, sob o brilho das luzes temporárias que marcavam o caminho –, um pequeno grupo de figuras brancas que cruzava uma arcada negra. Dentro da Casa do Conselho, haviam estado na mais completa escuridão. Graham observava-os conforme se aproximavam, passando perto de uma luminosa estrela elétrica, enquanto o ameaçador rugido da multidão sobre aqueles que concentraram o poder total nas mãos por 150 anos os acompanhava. Agora já era possível distinguir seus rostos: cansados, pálidos, ansiosos. Piscavam ante o brilho que emanava ao redor de Graham e Ostrog. Graham confrontou a aparência deles com a estranha frieza que haviam demonstrado no salão de Atlas... Já conseguia reconhecer alguns deles: o homem que socou a mesa diante de Howard, um corpulento de barba ruiva, outro delicado, pequeno, de pele escura e um peculiar crânio alongado. Notou também que dois deles cochichavam, olhando continuamente para Ostrog, que estava atrás de Graham. Em seguida veio um belo homem moreno e de grande estatura, que caminhava cabisbaixo. De repente, ele olhou para cima e seus olhos tocaram Graham por um momento, passando depois para Ostrog. O trajeto que fora aberto para eles era tão deliberado que os obrigava a ficar contornando antes de chegar ao caminho inclinado de tábuas que ascendia ao palco, onde aconteceria, em definitivo, a rendição.

— O Mestre! O Mestre! Deus e o Mestre! – gritava o povo.

— Para o inferno com o Conselho!

Graham observou as incontáveis multidões, que a perder de vista se transformavam numa cerração de brados, depois Ostrog ao seu lado, branco, firme, impassível. Voltou novamente o olhar para o grupo dos Conselheiros Brancos. E então procurou no céu as imóveis e familiares estrelas. O elemento prodigioso de seu destino, de repente, parecia mais palpável do que nunca. Seria mesmo este o seu destino: ter tanto aquela vida imemorial de duzentos anos atrás como esta de agora?

O DORMINHOCO

XIV.
DO CESTO DA GÁVEA

Assim, após muitos atrasos misteriosos e ao longo de uma avenida de batalhas e dúvidas, o homem do século XIX chegou, por fim, à posição de líder universal de um mundo bastante complexo.

De início, quando finalmente despertou do longo sono, logo seguido pelo seu resgate e pela rendição do Conselho, não conseguia reconhecer nada a seu redor. Seus esforços renderam algumas pistas e tudo o que acontecera até então, de repente, voltou à sua mente com a insinceridade de uma história que ouvimos alguém contar ou ler em um livro. E, mesmo antes que suas memórias estivessem claras, a exaltação da fuga e sua espantosa projeção persistiam em sua mente. Ele era o dono do mundo. O Mestre da Terra. Essa nova época era, com todas as letras, sua. Ele não mais desejava descobrir que todas as suas experiências não passaram de sonho; ele ansiava agora convencer a si mesmo de que eram reais.

Um lacaio obsequioso auxiliou Graham a se vestir, sob a direção de um digno escudeiro, um homenzinho cujo rosto indicava ascendência japonesa, embora falasse inglês como um inglês. Por esse sujeito, soube muito do que acontecia no mundo. A revolução já era um fato aceito e a cidade retomava seu fluxo e seus negócios. No exterior, a queda do Conselho fora, de modo geral, muito bem recebida. O Conselho não era popular em nenhuma parte, e os milhares de cidades da América Ocidental, ainda com ciúmes, após duzentos anos, de Nova York, de Londres e do Oriente, sublevaram-se quase unanimemente dois dias antes da notícia da prisão de Graham. Paris vivia conflitos internos. O resto do mundo permanecia em suspense.

Enquanto fazia seu desjejum, um telefone tocou em um canto, e o escudeiro chamou atenção de Graham para a voz de Ostrog, que saía do aparelho fazendo perguntas educadas. Graham interrompeu seu momento de descanso para responder. Pouco tempo depois, Lincoln apareceu e Graham expressou um forte desejo de falar ao povo e de ver mais essa nova vida que desabrochava diante dele. Lincoln então informou que dali a três horas haveria uma importante reunião na qual estariam presentes alguns oficiais e suas esposas, nas dependências do chefe dos escritórios dos cata-ventos. O desejo de Graham de atravessar os caminhos da cidade era, no momento, impossível devido à enorme agitação do povo. Contudo, podia dar uma olhada na cidade a partir da vista aérea que o vigia dos cata-ventos tinha em uma espécie de cesto da gávea. Graham concordou, sendo então conduzido por seu escudeiro, a quem Lincoln fez um delicado cumprimento. Desculpava-se por não acompanhá-los, alegando que deveria dar atenção às urgentes necessidades de seu trabalho administrativo.

O cesto localizava-se em um ponto mais elevado que o mais gigantesco dos moinhos de vento, mais de mil pés acima dos telhados da cidade. Era uma pequena plataforma discoide na ponta de uma filigrana metálica, sustentada por cabos. Para chegar ao cume, Graham foi puxado em um pequeno leito que se deslocava por meio de cordas. Na metade da extensão da haste aparentemente frágil, uma galeria iluminada, da qual pendia um conjunto de tubos, revelava-se em detalhes quando vista de cima, em lenta rotação sobre o anel de um trilho exterior. Esse conjunto de refletores era chamado de *specula*, conjuntamente com os espelhos do vigia dos cata-ventos, num dos quais Ostrog mostrara a Graham a chegada da nova ordem. O criado japonês subira na frente dele e ambos gastaram cerca de uma hora fazendo e respondendo a perguntas.

Era um dia cheio de promessas, dotado da peculiar qualidade da primavera. O roçar do vento aquecia a pele. A tonalidade do céu era de um azul intenso e a vasta extensão de Londres brilhava fulgurante ao sol da manhã. O ar estava desobstruído, sem fumaça ou neblina, e doce como o que se respira em um vale.

Com exceção do aglomerado oval e irregular de ruínas em torno da Casa do Conselho e da bandeira negra da rendição que ainda flutuava diante dela, a poderosa cidade, vista de cima, exibia poucos sinais da súbita revolução que, na imaginação de Graham, mudara o destino do mundo em uma noite e em um dia. Ainda havia uma multidão de pessoas vagando nessas ruínas e, um pouco mais adiante, nos enormes arcabouços das plataformas que em tempos de paz serviam ao transporte aéreo entre várias cidades da Europa e da América, vitoriosos também se aglomeravam. Por um caminho estreito feito de tábuas, elevado por cavaletes, um numeroso grupo de trabalhadores ocupava-se de restaurar a conexão de cabos e fios entre a Casa do Conselho e o resto da cidade, numa preparação para a transferência do quartel-general de Ostrog dos escritórios dos cata-ventos para lá.

Assim, a vasta e luminosa extensão seguia sem grandes perturbações, dotada de uma serenidade ainda mais gigantesca quando comparada às áreas mais agitadas. Isso fez Graham, observando tudo de um ponto elevadíssimo, quase esquecer os milhares de pessoas que permaneciam fora de seu campo de visão, na luz artificial do labirinto quase subterrâneo, feridas ou mortas na batalha da noite anterior. Quase se esqueceu das alas improvisadas, com punhados de cirurgiões, médicos e enfermeiros trabalhando febrilmente. Sim, estava quase esquecendo todo o espanto, a consternação e a inovação que sentiu sob a iluminação elétrica. Muito abaixo, nos caminhos ocultos do formigueiro humano, onde a revolução triunfara, o negro pintava cada elemento – distintivos negros, bandeiras negras, festões negros, por todos os lados, em todas as ruas. E lá fora, sob a luz fresca do sol, mais adiante da cratera da batalha final, e como se nada tivesse acontecido com a terra, a floresta de cata-ventos que tanto crescera durante o regime do Conselho prosseguia pacificamente com sua atividade incessante.

No limite da distância, espicaçado, retalhado e denteado pelas hélices dos cata-ventos, elevavam-se as Surrey Hills, azuis e pálidas. Ao norte, mais perto, os contornos aguçados de Highgate e Muswell Hill, semelhantemente retalhadas. E por toda a zona rural, disso Graham bem sabia, em cada cume e monte menor, onde antes as sebes se entrelaçavam e havia cabanas, igrejas, estalagens e fazendas em meio ao verde, moinhos de vento – muito parecidos aos que via agora, girando exatamente do mesmo modo –, postavam-se como imensos reclames, desoladores e únicos, símbolos da nova era. Projetavam suas sombras e armazenavam incessantemente a energia que fluía pelas artérias da cidade. Abaixo deles, incontáveis rebanhos e manadas pertencentes à British Food Trust, uma de suas propriedades, eram protegidos por guardas e vigias solitários.

Nenhuma silhueta familiar interrompia o conjunto de formas gigantescas. As construções mais antigas da cidade – St. Paul Cathedral, que Graham sabia ter sobrevivido, assim como muitos dos velhos edifícios de

Westminster – não eram visíveis, estando curvadas e cobertas pelo crescimento vertiginoso dessa era. Também o Tâmisa não conseguia, com seu fluxo e seu brilho prateado, quebrar a imensidão urbana. Os sedentos sistemas hidráulicos centrais drenavam cada gota de suas águas antes mesmo que elas pudessem alcançar os limites da cidade. O leito e o estuário do velho rio, completamente secos, eram agora um canal de água do mar. Um novo tipo de barqueiro encardido atuava ali, trazendo o material pesado do comércio diretamente da Pool of London[1] para os trabalhadores. As cores sombrias e desbotadas predominavam a leste, entre o céu e a terra, em meio aos muitos mastros colossais das embarcações ancoradas. Pois todo o comércio mais pesado, que não demandava pressa, vinha em gigantescos navios movidos a vela de todos os cantos do mundo, ao passo que os produtos pesados que demandavam urgência vinham em navios mecânicos menores e mais ágeis.

Ao sul, acima dos montes, surgia uma vasta rede de aquedutos que carregavam água do mar para os esgotos. Em três direções distintas, corriam linhas pálidas – as estradas, pontilhadas por manchas cinzentas que se moviam. Na primeira ocasião que se apresentasse, Graham estava decidido a ir conhecer essas estradas. Isso ocorreria logo depois de pilotar uma aeronave, como em breve faria. Seu escudeiro descrevia essas estradas como um par de superfícies suavemente curvas, com cerca de 100 jardas de largura. Cada uma delas destinava-se ao tráfego em uma direção, ambas feitas de uma substância artificial chamada adamita, que, até onde foi possível compreender, era uma espécie de vidro bastante duro. Ao longo dessas estruturas, estranhos veículos deslocavam-se – todos com estreitas bases móveis e circulares de borracha, dotados de uma, duas ou quatro rodas – a uma velocidade de 1 a 6 milhas por minuto. As ferrovias tinham desaparecido; poucos aterros ferroviários sobreviveram como trincheiras coroadas de ferrugem aqui e ali. Alguns até mesmo serviam de base para as estradas de adamita.

Uma das primeiras coisas a atrair a atenção de Graham na paisagem foram as grandes frotas de balões e pipas que flutuavam irregularmente, tanto para o norte como para o sul, ao longo das linhas aéreas percorridas pelos aeroplanos. Os grandes aeroplanos não estavam no céu naquele momento. Os voos das máquinas maiores tinham cessado, e apenas um pequeno monoplano era visível fazendo voos circulares na distância azulada acima de Surrey Hills, uma mancha distante subindo, inexpressiva.

---

1   Trecho do rio Tâmisa próximo à London Bridge, acessível a embarcações grandes.

Algo que Graham já havia percebido, que no início achava muito difícil de imaginar, era que todas as vilas e cidades menores haviam desaparecido. Atinou que o que restara, aqui e acolá, era somente uma série de edifícios semelhantes a gigantescos hotéis postados a cada milha quadrada de monocultura, e que esses trechos preservavam o nome de alguma cidade – como Bournemouth, Wareham ou Swanage. Contudo, o escudeiro convencera-o rapidamente da inevitabilidade dessas alterações. A velha ordem havia pontilhado o interior do país com fazendas, e a cada 2 ou 3 milhas havia uma propriedade rural, uma estalagem, um sapateiro, uma mercearia e uma igreja – formando, assim, uma vila. A cada 8 milhas tinha-se um condado, com advogado, mercado de grãos, tecelão, seleiro, veterinário, médico, costureiro, chapeleiro e assim por diante, simplesmente porque a distância de 8 milhas, em termos de deslocamento, era bastante confortável para os fazendeiros. Mas um dia as ferrovias chegaram, depois as ferrovias leves, depois os novos e velozes carros motorizados que substituíram carroças e cavalos, até que surgiram as estradas elevadas, de madeira, borracha e adamita, além de outros componentes elásticos e duráveis. Assim, desapareceu a necessidade de haver tantos comércios locais um após o outro. E as cidades maiores cresceram. Atraíram os trabalhadores com a força gravitacional de oportunidades aparentemente infinitas; já os patrões viam nelas uma força de trabalho de dimensões oceânicas.

Conforme os padrões de conforto cresciam, aumentava a complexidade da sobrevivência. A vida no interior tornou-se mais cara, ou limitada, ou impossível. Com o desaparecimento da figura do vigário e do juiz de paz, com a extinção do clínico geral – substituído pelo especialista na cidade –, os vilarejos perderam definitivamente sua identidade cultural. O telefone, o cinematógrafo e o fonógrafo substituíram livros, jornais, mestres-escolas e cartas, de modo que viver longe das grandes cidades e de seu cabeamento de energia era o mesmo que viver no isolamento dos selvagens. No campo, já não havia condições de obter roupas, alimentos (especialmente tendo em vista as exigências cada vez maiores da época), médicos aptos para alguma emergência, companheiros ou profissão.

Além disso, a mecanização da agricultura fez um engenheiro equivaler a trinta trabalhadores. Assim, invertendo a situação do empregado citadino nos tempos em que Londres possuía áreas inabitadas devido ao ar terrivelmente poluído, os trabalhadores agora se dirigiam de noite para a metrópole e sua vida de delícias para deixá-la novamente pela manhã. A cidade engolira a humanidade; o homem chegara a um novo estágio em seu desenvolvimento. Primeiro, o nomadismo, a caça, depois a agricultura e seu Estado, cujas vilas, cidades e portos nada mais eram que quartéis--generais e mercados de interior. E agora, como consequência lógica de uma época de inovações, havia essa gigantesca aglomeração de gente.

Tais informações, que aos olhos do homem contemporâneo não passavam de meros fatos consumados, exauriram a imaginação visual de Graham. E, quando tentou conceber as coisas estranhas que existiriam "muito mais além" no Continente, malogrou completamente.

Imaginou uma cidade depois da outra, cidades em grandes planícies, cidades ao lado de grandes rios, vastas cidades às margens do mar, cidades em espiral ao redor de montanhas nevadas. Na vasta maioria da Terra falava-se o inglês; incluindo os dialetos hispano-americanos, dos hindus, negros e crioulos, era a língua de dois terços da humanidade. No Continente, com exceção de curiosos atavismos sobreviventes, apenas outros três idiomas se mantinham: o alemão, falado de Antioquia a Gênova, e que confluía com a mescla de espanhol e inglês em Cádis; o russo galicizante que, na Pérsia e no Curdistão, se encontrava com o inglês das Índias, além do inglês *pidgin* em Pequim; e o francês, ainda claro e brilhante, o idioma da lucidez, que dividiu o Mediterrâneo com o inglês das Índias e o alemão, e que também era uma viva influência no dialeto negro do Congo.

Em todos os lugares, no planeta que se resumia a cidades – com exceção dos territórios no "cinturão negro" dos trópicos –, a mesma organização social cosmopolita predominava. Dos polos ao equador, as posses e as responsabilidades de Graham multiplicavam-se. O mundo inteiro estava civilizado; o mundo inteiro vivia em cidades; o mundo inteiro era sua propriedade...

No obscuro sudeste, resplandecentes, misteriosas, voluptuosas e, de certo modo, terríveis, brilhavam as tais Cidades dos Prazeres, que Graham conhecera no cinematógrafo-fonógrafo e pelas palavras do velho que sabia de tudo. Locais inacreditáveis, reminiscências da legendária Síbaris, cidades de arte e beleza – de arte mercenária e de beleza mercenária –, deslumbrantes cidades estéreis de música e movimento, para onde se dirigiam todos os que lucravam com a feroz e inglória luta econômica que ocorria nos iluminados labirintos logo abaixo de Graham.

Que era uma luta feroz, Graham já sabia. Tão feroz que muitos desses habitantes do futuro se referiam à Inglaterra do século XIX como um local idílico, de vida tranquila. Voltou os olhos imediatamente para a cena diante dele, tentando conceber as fábricas gigantescas daquele intrincado labirinto...

XV.
PESSOAS NOTÁVEIS

Os aposentos oficiais nos escritórios dos cata-ventos poderiam ter espantado Graham caso neles tivesse entrado recém-desperto de sua vida no século XIX, mas agora ele já estava bem mais acostumado às escalas desse novo tempo. Entrou por um daqueles painéis deslizantes, com os quais estava familiarizado, e saiu num patamar no topo de uma escadaria de degraus amplos e suaves, pela qual subiam e desciam homens e mulheres trajando as vestes mais brilhantes que já tinha visto. Dessa posição, era possível ver logo abaixo variados e sutis ornamentos de um branco opaco, de cor de malva e púrpura decorando as pontes aparentemente feitas de porcelana e filigrana, que terminavam num ponto muito distante formando um misterioso emaranhado de telas perfuradas.

Ao olhar para o alto, identificou camadas e mais camadas de galerias ascendentes cujas fachadas eram viradas para a área da mencionada plataforma. O ar estava repleto do palavrório de vozes inumeráveis e de uma música que descia do alto, alegre e inebriante, cuja origem ele não foi capaz de descobrir.

A alameda central estava lotada de gente, mas de forma alguma incomodamente abarrotada; deveria haver, no máximo, alguns milhares de pessoas ali. Os trajes eram brilhantes, até fantásticos – os homens tão ou mais caprichados que as mulheres, uma vez que a sobriedade nas vestimentas, herança da influência puritana na chamada dignidade masculina, desaparecera havia muitos anos. O cabelo dos homens, da mesma forma, embora raramente muito comprido, era quase sempre cheio e cacheado, demandando acabamento refinado no barbeiro, e a calvície fora abolida da Terra. Cabeleiras crespas com cortes retos que teriam deliciado Rossetti[1] abundavam, e havia um cavalheiro, indicado a Graham com o misterioso título de "amorista", cujo cabelo dividido em dois resultava em tranças *à la Marguerite*. As tranças terminando em rabo de cavalo estavam na moda, de forma que aparentemente os cidadãos de ascendência chinesa não se envergonhavam mais de sua origem. Havia pouca uniformidade na moda em matéria de vestuário. Homens de corpo mais bem-feito usavam calças justas, mas também havia mangas bufantes e fendas, mantos e capas. As modas do tempo de Leão X constituíam uma provável predominância, mas concepções estéticas orientais também possuíam razoável força. A obesidade masculina, que na idade vitoriana costumava ser resolvida com arriscados modelos cheios de botões, o exagero impiedoso do tecido apertado ao corpo, vestidos noturnos armados e sufocantes, agora não era nada além da base para a ampla abundância de dobras e plissados. Por outro lado, a esbelteza delicada era bem frequente. Para Graham, um sujeito tipicamente rígido de uma época igualmente rígida, esses homens aparentavam ser não apenas excessivamente graciosos de perto, mas também excessivamente expressivos em suas faces vívidas. Eles gesticulavam, exprimiam surpresa, interesse, divertimento e, acima de tudo, demostravam as emoções que excitavam sua mente para as moças próximas com surpreendente franqueza. Mas, mesmo à primeira vista, sobressaía o fato de a maioria ali ser mulher.

As damas, em companhia desses cavalheiros, exibiam em seus vestidos postura e maneiras próximas às dos homens, embora com menos ênfase e mais complexidade. Algumas preferiam a simplicidade clássica na forma de um manto comum, com a sutileza do plissado, parecido com o estilo do Primeiro Império francês. Braços e ombros femininos desnudos brilhavam por onde Graham passava. Outras optavam por vestimentas justíssimas, sem sinal de cinto ou costura na cintura, algumas vezes com longas dobras caindo dos ombros. As deliciosas confidências do vestido de noite não diminuíram com a passagem de dois séculos.

O movimento dessas pessoas era extremamente gracioso. Graham comentou com Lincoln que via os sujeitos ao seu redor como esboços móveis de Rafael, e Lincoln disse a ele que obter um conjunto gestual

---

1   Dante Gabriel Rossetti (1828-1882), poeta e pintor inglês de origem italiana.

apropriado era parte da educação de cada indivíduo de posses. Cada entrada do novo Mestre era saudada com uma espécie de suave aplauso, mas todos mostravam a distinção em suas maneiras ao não cercar Graham ou aborrecê-lo com algum persistente escrutínio ao vê-lo descer as escadas em direção à alameda central.

Com Lincoln, já tinha aprendido que aqueles eram os líderes da sociedade londrina; praticamente todos ali eram oficiais poderosos ou tinham alguma relação com um oficial poderoso. Muitos haviam retornado de Cidades dos Prazeres europeias apenas para saudá-lo. As autoridades aeronáuticas, que ao desertar desempenharam um papel cujo poder decisivo na derrocada do Conselho só fora menor que o do próprio Graham, eram gente de grande influência, da mesma forma que os responsáveis pelo Controle dos Cata-Ventos. No mais, também estavam presentes oficiais superiores do Departamento de Alimentação. O controlador das Pocilgas da Europa tinha fisionomia particularmente melancólica e interessante, além de modos delicadamente cínicos. Um bispo paramentado cruzou a visão de Graham, trocando palavras com um cavalheiro que usava trajes idênticos à representação tradicional do poeta Geoffrey Chaucer, incluindo a grinalda de louros.

— Quem é aquele? – foi a pergunta quase involuntária de Graham.

— O bispo de Londres – respondeu Lincoln.

— Não, o outro, quero dizer.

— Um poeta laureado.

— Ainda se escreve...?

— Naturalmente ele não escreve poemas. Trata-se de um primo de Wotton, um dos conselheiros. Mas também é um dos Realistas da Rosa Vermelha[2], um delicioso clube que insiste em manter certas tradições.

— Asano[3] me disse que ainda existe um rei.

— O rei não foi mais tolerado. Tiveram de expulsá-lo. Era da linhagem dos Stuart, creio eu, mas de fato...

— Era um elemento excessivo?

— Muito excessivo.

---

2   A Rosa Vermelha era o símbolo da dinastia Lancaster durante a Guerra das Rosas, no século XV.

3   Personagem mencionado no capítulo anterior – o escudeiro japonês –, cujo nome era revelado em um trecho suprimido por Wells nas últimas edições do romance.

Nem todas as informações que Graham recebia eram facilmente processadas, mas tudo parecia parte coerente com a inversão geral que caracterizava a nova era. Fez uma condescendente vênia ao ser apresentado ao primeiro do grupo de pessoas importantes. Era evidente que distinções de classe sutis prevaleciam mesmo nessa assembleia especial e que era apenas uma pequena porção dos convidados, um grupo ainda mais proeminente, que Lincoln considerava adequado apresentar-lhe. O primeiro foi o mestre aeronauta, um homem cuja face bronzeada contrastava estranhamente com as compleições delicadas que o cercavam no salão. O fato era que a deserção dele fora crucial para a derrota do Conselho, o que o tornava alguém muito importante.

As maneiras do sujeito contrapunham-se favoravelmente, de acordo com as ideias de Graham, à atitude geral. Em termos de conversa, o mestre aeronauta ofereceu alguns poucos lugares-comuns, garantias de lealdade e francos questionamentos a respeito da saúde do Mestre. Possuía uma expressão suave, um sotaque que não era marcado pelo frequente *staccato* do inglês contemporâneo. Sua fala era admiravelmente clara e, através dela, afirmou que era um simples "lobo dos ares" – essa foi a exata expressão que utilizou –, que não era chegado a tolices, que era um sujeito perfeitamente viril e antiquado, que não arvorava muito conhecimento e que aquilo que desconhecia não precisava ser conhecido. Fez uma vênia concisa, ostensivamente livre de obsequiosidade, e saiu de cena.

— Fico feliz em ver que certos tipos ainda existem – disse Graham.

— Fonógrafos e cinematógrafos – disse Lincoln com certo desprezo. — Ele estudou muito bem a vida através deles.

Graham olhou outra vez para a forma corpulenta do mestre aeronauta. Ele parecia estranhamente um eco do passado.

— A verdade é que nós o compramos – prosseguiu Lincoln. — Em parte. E, em parte, ele tinha medo de Ostrog. Tudo dependia dele.

Lincoln então se voltou abruptamente para apresentar o inspetor-geral do ensino público. Era uma figura esbelta, trajando uma toga acadêmica de tom azul acinzentado, que sorria para Graham através de um pincenê em estilo vitoriano. Ele ilustrava suas observações por meio de gestos com uma mão muito bem-cuidada. Graham ficou imediatamente interessado nas funções de tal cavalheiro, fazendo-lhe várias perguntas diretas. O inspetor-geral parecia divertir-se, silenciosamente, com o estilo áspero do Mestre, mas as respostas que fornecia eram um tanto vagas no que tangia ao monopólio educacional da empresa que administrava. Contratos eram estabelecidos com o consórcio que administrava as diversas municipalidades de Londres. Mas ele tinha como foco, na verdade, apontar entusiasticamente o avanço educacional em relação aos tempos vitorianos.

— Conquistamos o pacote completo do conhecimento – dizia –, o pacote completo, sem dúvida. Não existe mais uma única prova no mundo. Não está feliz com nosso progresso?

— E como fazem o trabalho com os alunos? – Graham perguntou.

— Nós tornamos tudo muito atrativo. Tanto quanto possível. Se não for possível atraí-los para o conteúdo, deixamos de lado o que pretendíamos ministrar. Assim, podemos cobrir um campo imenso.

Começaram a surgir os detalhes do processo, o que aumentou consideravelmente a duração da conversa. Graham soube que o setor de extensão universitária ainda existia, mas com um formato modificado.

— Existe certo tipo de garotas, por exemplo – explicou o inspetor-geral, inflado ao perceber como o propósito de sua função parecia útil –, com uma paixão absolutamente adequada para o estudo mais rígido, especialmente quando não é muito difícil. Nós atendemos milhares delas. Neste momento – colocou um toque napoleônico em seu discurso –, quase quinhentos fonógrafos estão sendo usados por toda a Londres, em aulas a respeito de como Platão e Swift influenciaram a vida amorosa de Shelley, Hazlitt e Burns. Depois elas vão escrever ensaios a partir dessas aulas, e os melhores trabalhos serão colocados em um *hall* de notáveis. Consegue perceber como o pequeno germe vitoriano floresceu? A classe média iletrada do passado está extinta.

— E as escolas públicas de ensino fundamental, também estão sob seu controle? – perguntou Graham.

De fato, o inspetor-geral tinha o controle "completo". Graham, em seus dias democráticos do passado, tinha um apaixonado interesse por esses assuntos, de modo que acelerou a velocidade de suas perguntas. Certas frases casuais que ouvira do velho que sabia de tudo, com quem conversara na escuridão, voltavam à sua mente. O inspetor-geral de fato endossava as ideias do velho.

— Nós tentamos e conseguimos tornar o ensino fundamental prazeroso aos pequenos. Como eles logo terão de trabalhar, nos concentramos em alguns poucos princípios fundamentais: obediência, assiduidade...

— Então vocês ensinam bem pouco a eles?

— Por que deveríamos ensinar mais? Isso apenas traria problemas, descontentamento. Nós preferimos divertir nossos alunos. E olhe que mesmo assim ainda surgem descontentamentos, agitação. De onde é que os trabalhadores tiram suas ideias, não sabemos dizer. Devem contá-las um para o outro. Apareceram alguns sonhadores socialistas, até mesmo anarquistas! Isso *deve ter sido* fruto de agitadores infiltrados. Eu assumo plenamente, sempre assumi, meu dever principal, que é a luta contra o descontentamento popular. Por que deixar alguém ser dominado pela infelicidade?

— Imagino – disse Graham, meditativo. — Mas há muito mais coisas que eu gostaria de saber.

Lincoln, que estudava o rosto de Graham durante a conversa, interveio.

— Devo apresentar outras pessoas – disse em voz baixa.

O inspetor-geral do ensino público foi embora gesticulando.

— Talvez – começou Lincoln, interceptando um olhar casual – o senhor queira conhecer algumas dessas senhoras?

A filha do controlador das Pocilgas era uma pessoa particularmente adorável, pequena, cabelos ruivos e animados olhos azuis. Lincoln deu alguma folga a ele para que conversasse com ela, que se mostrou uma entusiasta dos "bons e velhos tempos", palavras que ela usou para se referir à época do início do transe de Graham. A moça conversava e sorria, e seus olhos – que também sorriam – pareciam exigir certa reciprocidade.

— Eu tentei – começou a moça –, muitas e muitas vezes, imaginar esses românticos tempos do passado. No seu caso, não se trata de imaginar, mas de recordar. Quão estranho e superlotado deve lhe parecer nosso mundo! Vi fotografias e imagens do passado, as pequenas casas isoladas, construídas com esses tijolos feitos de lama queimada, enegrecidos de fuligem das chaminés, as linhas férreas, os anúncios simplórios, os puritanos solenes e ferozes em seus estranhos casacos negros, com aqueles curiosos chapéus altos, os trens e as pontes ferroviárias, cavalos e gado, havia até cães meio selvagens nas ruas. E, de repente, você acorda nisto aqui!

— Nisto aqui – repetiu Graham.

— Alheio à sua vida, a tudo o que lhe era familiar.

— Minha vida anterior não foi nada feliz – disse Graham. — Não me arrependo de perdê-la.

Ela lançou um breve olhar para ele. Houve uma pausa. Ela suspirou, como se buscando encorajamento.

— Não?

— Não – respondeu Graham. — Foi uma vida reles, mesquinha. Mas esta... Nós pensávamos que nosso mundo era bastante complexo, povoado e civilizado. Agora, ainda que minha nova vida tenha apenas quatro dias, olhando para trás vejo que meu mundo era estranho, bárbaro, o início incipiente desta nova ordem. Deve ser difícil compreender quão pouco eu conheço deste mundo.

— Pode me perguntar o que quiser – disse a moça, sorrindo.

— Diga-me então quem são essas pessoas. Ainda estou às cegas aqui. É intrigante. Seriam generais?

— Homens com chapéus e plumas?

— Claro que não. Suponho que sejam pessoas no controle dos grandes negócios públicos. Quem é aquele cavalheiro distinto ali?

— Aquele? Trata-se de um oficial muito importante. Chama-se Morden. Ele coordena o Departamento de Pílulas Antidispépticas. Ouvi dizer que seus trabalhadores às vezes produzem uma miríade de miríades de pílulas nas 24 horas do dia. Imagine só, uma miríade de miríades!

— Miríade de miríades. Não é à toa que ele parece tão cheio de si – disse Graham. — Pílulas para indigestão! Que época maravilhosa! E aquele outro, vestido de púrpura?

— Ele na verdade não pertence à nata, se é que me entende. Mas nós gostamos bastante dele, é muito divertido e esperto. É um dos chefes de departamento da Faculdade de Medicina da London University. Todos da área médica, como já deve saber, vestem aquele tom de púrpura. Mas, claro, quem recebe um salário para *fazer* alguma coisa... – ela sorriu, rindo da pretensão social das pessoas daquela categoria.

— Há por aqui algum de seus grandes escritores ou artistas?

— Nenhum escritor. Em geral, são pessoas muito esquisitas, preocupadas apenas com elas mesmas. E eles discutem terrivelmente! Com certeza lutariam, alguns deles, pelas melhores posições na escadaria! Horrível, não? Contudo, penso que Wraysbury, o famoso capilotomista, esteja aqui. Ele é de Capri.

— Capilotomista... – disse Graham. — Ah! Lembro-me agora. Um artista, por que não?

— Nós temos de ser muito generosos com ele – respondeu a moça, como que se desculpando –, pois nossa cabeça está nas mãos dele – ela sorriu.

Graham hesitou diante do convite feito por ela para um elogio à celebridade capilar, mas lançou um olhar significativo.

— As artes do seu mundo se desenvolveram junto com a civilização? – perguntou. — Quais são seus grandes pintores?

Ela observava-o com ar de dúvida. Depois gargalhou.

— Por um momento – ela disse –, pensei que estava se referindo a... – gargalhou de novo. — Não, com certeza você se refere àqueles bons homens que conquistavam grande estima das pessoas da sua época porque conseguiam cobrir grandes espaços de tela com tintas a óleo! Indivíduos bem obtusos. E ainda por cima as pessoas colocavam as coisas que eles produziam em molduras douradas e as penduravam em fileiras nas paredes de seus quartinhos quadrados. Não temos nada desse gênero. Acho que esse tipo de coisa enfadou a todos.

— Mas a quem você pensou que eu me referia?

De forma significativa, ela colocou um dos dedos na bochecha, que brilhava acima de qualquer suspeita, e observou-o sorrindo, muito faceira, bela e convidativa.

— E aqui – e indicou a pálpebra.

Graham teve um momento de ousadia. Depois a memória grotesca de uma pintura que vira certa vez, *Tio Toby e a viúva*[4], cruzou sua mente. Uma vergonha arcaica abateu-se sobre ele. Tomou ciência, de forma incisiva, de que estava exposto a toda essa gente importante.

— Entendo – observou de forma bastante inadequada. Virou-se desajeitado, evitando o fascinante desembaraço daquela jovem. Procurou ansioso ao redor, vendo que imediatamente inúmeros pares de olhos passaram a se preocupar com outros afazeres. Era possível também que Graham estivesse levemente corado. — Quem é aquele que está conversando com a senhora em vestes cor de açafrão? – perguntou, evitando os olhos da moça.

Disseram-lhe que a pessoa em questão era um dos grandes produtores de espetáculos da América, recém-regressado de uma produção gigantesca no México. Seu rosto lembrava a Graham um busto de Calígula. Outro indivíduo de traços marcantes era o *mestre* da *Mão de Obra Negra*.

---

4   Tela de Charles Robert Leslie (1794–1859), que ilustra uma cena do romance *A vida e as opiniões do cavalheiro Tristram Shandy*, de Lawrence Sterne (1713–1768), na qual a viúva pede que tio Toby confira se não há um cisco em seu olho.

O título, em um primeiro momento, não lhe deixou nenhuma impressão, mas logo depois voltou com força: um mestre da Mão de Obra Negra? A pequena dama que acompanhava Graham, nem um pouco embaraçada, indicou outra mulher, pequena e encantadora, como sendo uma das esposas subsidiárias do bispo anglicano de Londres. Teceu elogios à coragem episcopal – embora ainda existisse uma antiquada regra a respeito da monogamia no meio clerical –, pois "não se trata de uma condição natural nem de um arranjo conveniente. Por que o desenvolvimento espontâneo do afeto precisa ser diminuído e restrito pelo fato de um homem ser padre?".

— A propósito – ela prosseguiu –, você é anglicano? – Graham estava prestes a fazer algumas perguntas hesitantes a respeito do *status* de uma "esposa subsidiária", aparentemente um eufemismo, quando o retorno de Lincoln interrompeu aquela conversa tão sugestiva e interessante. Cruzaram a alameda central na direção de um homem alto em traje carmesim e dois outros, bastante simpáticos, vestindo roupas típicas da Birmânia (ou assim parecia a Graham), que o aguardavam timidamente. Depois de trocar algumas amenidades com o grupo, passou para outras apresentações.

Em pouco tempo, as numerosas impressões de Graham começaram a se organizar em um efeito geral. De início, o brilho daquela curiosa assembleia despertara todos os seus sentimentos democráticos; sentira-se hostil e sarcástico. Mas não é da natureza humana a capacidade de resistir a uma atmosfera de cortesia. Em breve, a música, a luz, o jogo de cores, todos aqueles braços e ombros brilhantes, o toque das mãos, o interesse transitório dos rostos sorridentes, o som espumante de vozes habilmente moduladas, a atmosfera de homenagem, o interesse e o respeito urdiram um tecido indiscutivelmente prazeroso ao toque. Por algum tempo, Graham esqueceu suas amplas resoluções. Entregou-se à intoxicação que sua posição garantia, portou-se de modo mais convincentemente régio, seus pés caminharam com segurança, o manto negro desdobrava-se com mais ousadia, e o orgulho enobrecia sua voz. Afinal de contas, era um mundo interessante e brilhante este em que se encontrava.

Olhou para cima e avistou, atravessando uma das pontes de porcelana e encarando-o diretamente, o rosto – quase imediatamente escondido pela multidão – da garota que ele avistara durante a noite na saleta que ficava depois do teatro durante sua fuga do Conselho. E ela o observava.

Inicialmente, Graham não se recordou de onde a teria visto. Depois lhe veio uma vaga lembrança de emoções arrebatadoras do primeiro encontro de ambos. No entanto, a teia dançante da melodia que o cercava no salão afastava de sua memória a ária da canção da grande marcha.

A dama com a qual conversava repetiu uma observação e Graham retomou o flerte de estilo regencial no qual estava engajado.

Contudo, uma angústia inexplicável, um sentimento que cresceu até a insatisfação, afetou sua mente. Estava transtornado, como que por um dever parcialmente esquecido, como que pela sensação de que questões importantes escapavam dele em meio a tanta luz e brilho. A atração que todas aquelas mulheres que pululavam ao redor exerciam sobre ele começou a cessar. Graham não dava mais respostas vagas e desajeitadas para os avanços amorosos sutis que ele agora sabia, com certeza, serem endereçados a ele, de modo que seus olhos vagaram para outra visão da garota que encontrara no início da revolta.

Onde foi que a vira, precisamente...?

Graham estava em uma das galerias superiores conversando com uma dama de olhos enormes e brilhantes a respeito da adamita – assunto que fora escolha dele, não dela. Ele acabara de interromper as calorosas garantias de devoção pessoal que ela demonstrava com uma série de perguntas diretas. Percebeu que a tal dama, de modo semelhante ao que ocorrera com outras naquela noite, era menos informada que simpática. De repente, lutando contra o turbilhão anestesiante da melodia que os envolvia, veio cair sobre ele, rouca e imensa, a música da revolução, a grande canção que ouvira no salão.

Ah, agora a lembrança voltava!

Vislumbrou alarmado e percebeu acima dele uma claraboia olho de boi através da qual a canção chegava a seus ouvidos. Mais além estavam os caminhos superiores dos cabos, a névoa azul e os suportes suspensos das luzes das vias públicas. Ele ouvira a canção invadir um tumulto de vozes e parar. Ele percebia muito claramente o ruído e o alvoroço das plataformas móveis, acompanhados do murmúrio de muitas vozes. Teve a vaga impressão de algo que lhe era oculto, o instinto de que, do lado de fora, nas ruas, uma imensa multidão deveria estar assistindo ao que acontecia ali, no lugar onde seu Mestre se divertia.

Embora a canção tivesse silenciado de modo tão repentino e a música dessa reunião houvesse voltado, o refrão da música da marcha, uma vez iniciado, deixou-se ficar em sua mente.

A dama de olhos claros prosseguia lutando com os mistérios da adamita quando Graham percebeu novamente a garota do teatro. Ela vinha agora da galeria na direção dele; ele a viu antes que ela o visse. As vestes dela eram de um cinza luminoso e vago, o cabelo negro caía até o sobrolho como se fosse uma nuvem, e, quando Graham a avistou, a luz fria da abertura circular no teto atingiu aquele seu rosto abatido.

A dama em apuros com a adamita viu a mudança de expressão dele e sentiu que era sua chance de escapar.

— Gostaria de conhecer aquela garota, meu amo? – perguntou com audácia. — Ela é Helen Wotton, sobrinha de Ostrog. Domina muitos assuntos sérios. É uma das pessoas mais sérias que existem. Garanto que gostará dela.

No momento seguinte, Graham já estava conversando com a jovem, e a dama de olhos claros desaparecera da vista.

— Lembro-me bem de você – disse Graham. — Você estava naquela pequena sala no momento em que todos cantavam e marcavam o ritmo com os pés. Antes que eu atravessasse o salão.

O embaraço momentâneo da moça passou. Ela olhou para ele com o rosto impassível.

— Foi muito bonito – disse ela, ainda hesitando, e depois falou com um esforço repentino. — Todas aquelas pessoas dariam a vida por você, meu amo. Incontáveis foram os que morreram para salvá-lo naquela noite.

A face dela enrubesceu. Olhou rapidamente para os lados tentando garantir que mais ninguém ouvisse aquilo que estava dizendo.

Lincoln surgiu um pouco distante ao longo da galeria, caminhando diretamente na direção dos dois. Ela o viu e voltou-se para Graham dominada por estranha ansiedade, com um salto súbito para o campo da confidência e da intimidade.

— Meu amo – disse rapidamente –, não posso falar nada aqui e agora. Mas o povo vive uma situação muito difícil e infeliz. São oprimidos e mal governados. Não se esqueça do povo, que encarou a morte para que você pudesse viver.

— Mas não sei de nada a respeito... – começou Graham.

— Não posso falar mais nada agora.

O rosto de Lincoln surgiu bem próximo a eles. Fez um gesto, um pedido de desculpas para a garota.

— O novo mundo lhe parece divertido, meu amo? – perguntou Lincoln com um sorriso de deferência, indicando gestualmente a amplitude e o esplendor da multidão reunida. — De qualquer forma, deve ter lhe parecido muito mudado.

— Sim – respondeu Graham. — Muita coisa mudou. Mas, no fim das contas, não mudou tanto assim.

— Espere até estar viajando pelos ares – complementou Lincoln. — O vento está mais leve. Agora mesmo um aeroplano o espera.

A atitude da garota era de alguém que espera ser dispensado.

Graham olhou para o rosto dela, prestes a fazer uma pergunta, percebeu uma vaga advertência em sua expressão, fez uma rápida vênia para ela e acompanhou Lincoln.

XVI.
O MONOPLANO

As plataformas aéreas de Londres localizavam-se, todas elas, em uma área irregular em meia-lua no lado sul do rio. Cada uma das plataformas formava três grupos de duas e mantinha os nomes de antigos montes e vilas suburbanas. Eram, nesta ordem: Roehampton, Wimbledon Park, Streatham, Norwood, Blackheath e Shooter's Hill. Eram estruturas uniformes que se erguiam bem acima dos telhados da cidade. Cada uma tinha em torno de 4 mil jardas de comprimento por cerca de mil de largura. O material empregado em sua construção era um composto de alumínio e ferro que substituíra o ferro na arquitetura. As plataformas mais elevadas formavam um arcabouço trabalhado de vigas através das quais havia elevadores e escadas. A superfície superior era uma expansão uniforme, com partes – chamadas de transportadoras iniciais – que podiam ser elevadas e se desdobravam em trilhos levemente inclinados no fim da estrutura.

Graham chegara às plataformas aéreas utilizando as vias públicas. Foi acompanhado por Asano, seu escudeiro japonês. Lincoln havia sido chamado por Ostrog, ambos ocupadíssimos com questões administrativas. Vários guardas armados da polícia dos cata-ventos aguardavam o Mestre do lado de fora dos escritórios centrais. Eles abriram espaço para Graham no caminho móvel superior. Sua passagem até as plataformas de voo fora inesperada, embora uma considerável multidão estivesse reunida para acompanhá-lo até seu destino. Durante o percurso, o povo ovacionava seu nome e era possível ver inúmeros homens, mulheres e crianças vestidos de azul pululando pelas escadarias do caminho central, gesticulando e berrando. Não conseguia entender o que gritavam, mas espantou-se novamente ao perceber a existência de um dialeto vulgar entre os mais pobres da cidade. Quando, afinal, foi possível descer as escadarias, seus guardas foram imediatamente cercados por uma multidão densa e excitada. Posteriormente, ocorreu a Graham que algumas dessas pessoas tentavam alcançá-lo para fazer solicitações. Foi com dificuldade que os guardas abriram passagem para ele.

Na plataforma oeste, encontrou seu monoplano e o aeronauta encarregado à sua espera. Visto de perto, o mecanismo não parecia assim tão pequeno. Estava no trilho de lançamento, no setor mais amplo da plataforma, e seu enorme esqueleto corporal de alumínio tinha o tamanho do casco de um iate de 20 toneladas. O suporte de velame lateral era escorado e sustentado por uma nervura metálica semelhante à asa de uma abelha, feita de um tipo de membrana artificial vítrea, e sua sombra cobria centenas de jardas quadradas. Os assentos destinados ao piloto e seu acompanhante pendiam, livres para mover-se, de um complexo sistema de sustentação dentro do que pareciam ser costelas de proteção da cabine, bem recuados em relação ao centro. O assento do passageiro era protegido por um quebra-vento e cercado por hastes metálicas reforçadas por almofadas infláveis. Se fosse o caso, a estrutura poderia ser completamente fechada, mas Graham estava ansioso por novas experiências e preferiu que permanecesse aberta. O aeronauta sentava-se atrás de um vidro que protegia seu rosto. O passageiro poderia segurar-se com firmeza em seu assento, o que era praticamente inevitável durante o pouso, ou ele poderia se deslocar até um nicho, na proa do aparato, graças a um sistema de trilhos. Nesse local, onde era colocada sua bagagem pessoal, bem como agasalhos e suprimentos, também havia assentos que poderiam servir de contrapeso a setores centrais da máquina. O propulsor ficava acomodado na popa.

A plataforma de voo onde Graham estava permanecia vazia, com exceção de Asano e de um pequeno grupo de criados. Orientado pelo aeronauta, tomou seu assento. Asano aproximou-se da estrutura do casco, acenando. Depois ele aparentemente se deslocou pela plataforma, para a direita, e desapareceu.

O motor zumbia alto, o propulsor girava, e por um segundo a plataforma e os edifícios ao redor passaram, em veloz flutuação horizontal, pelos olhos de Graham. Depois o mundo pareceu sofrer inclinação abrupta. O instinto impeliu-o a agarrar-se nas hastes laterais de imediato. Sentiu o movimento ascedente enquanto o ar assobiava por cima do para-brisa. A rosca do propulsor girava com impulsos poderosos e ritmados – um, dois, três, pausa; um, dois, três –, controlada com delicada habilidade pelo piloto. A máquina então produziu uma vibração, um tremor que continuou durante todo o voo. Os telhados da cidade passavam para estibordo com incrível rapidez, parecendo cada vez menores. Graham então buscou o rosto do piloto através das costelas da máquina. A vista geral não indicava nada muito surpreendente; um teleférico extremamente rápido poderia fornecer sensação similar. Reconheceu a Casa do Conselho e Highgate Ridge. Foi então que olhou para baixo, entre seus pés.

O terror físico apoderou-se de Graham, uma sensação obstinada de insegurança. Agarrou-se com o máximo de força às hastes. Por mais ou menos um segundo, não conseguiu erguer os olhos. A algumas centenas de pés, talvez mais, via-se diretamente abaixo dele um dos enormes cata-ventos do sudoeste de Londres, e além, bem mais ao sul, uma plataforma de voo congestionada por pontinhos pretos. Todas essas coisas pareciam afastar-se de Graham em queda livre. Por um segundo, teve o impulso de procurar terra firme. Cerrou os dentes, ergueu os olhos com razoável esforço muscular, e o momento de pânico passou.

Permaneceu com os dentes travados, os olhos vagando pelo céu. Tum, tum, tum, pausa – essa era a batida monótona do propulsor – tum, tum, tum, pausa. Ainda agarrando-se com toda força às hastes metálicas laterais, Graham voltou a olhar para o aeronauta. Viu um sorriso em seu rosto bronzeado. Sorriu em resposta, talvez com um toque excessivo de artificialidade. "É um pouco esquisito da primeira vez", gritou o homem no controle da máquina voadora antes de retomar seu decoro. Graham, contudo, evitou por um bom tempo olhar para baixo novamente. Contemplava fixamente o horizonte sobre a cabeça do aeronauta, onde um arco no azul diáfano elevava-se pelo céu. Era impossível não pensar na possibilidade de um acidente – tum, tum, tum, pausa. E se alguma rosca trivial estivesse com defeito no motor de apoio! E se...! Fez um esforço para desfazer tais suposições ou ao menos para deslocá-las de sua consciência imediata. Enquanto isso, a ascensão era constante, mais e mais alto no ar límpido.

Uma vez que o choque mental de se mover sem suportes ou cabos pelo céu passou, a sensação geral deixou de ser desagradável para rapidamente se tornar bastante prazerosa. Graham fora alertado sobre a possibilidade de enjoos durante o voo. O movimento pulsante do monoplano que os conduzia pelo fraco vento sudoeste, contudo, parecia bem suave se comparado com o balançar excessivo de um navio que atravessa ondas maiores com vento moderado – e ele era um marinheiro razoável. A sensação de avidez produzida pelo ar rarefeito da altitude forjava uma percepção de leveza, de euforia. Graham olhou para cima e viu que o céu azul era recortado por cirros. Observou cautelosamente o solo através das costelas e do esqueleto metálico, viu o brilho do voo de pássaros brancos em altitude inferior. Abaixo dos pássaros – pois agora a apreensão diminuíra consideravelmente –, surgia a delgada imagem do cesto da gávea do vigia dos cata-ventos, cujo brilho dourado à luz do sol diminuía na distância. Agora, com olhos mais confiantes, conseguiu perscrutar a linha azul de morros, depois Londres – que estava no sotavento – e seu intrincado espaço coberto de construções. O limite da cidade surgiu claro e límpido, banindo-lhe as últimas apreensões, na forma de uma chocante surpresa. A fronteira de Londres era uma espécie de parede, um penhasco, uma falésia com 300 ou 400 pés de altura cuja frontalidade era quebrada apenas por terraços aqui e ali. Acolá, erguia-se uma fachada complexa e decorativa.

A passagem gradual da cidade para o campo através de uma longa e esponjosa série de localidades suburbanas, marca registrada das grandes cidades do século XIX, não existia mais. Nada disso permaneceu, com exceção de ruínas, diversas e densas, e fragmentos de cultivos heterogêneos que no passado adornavam os jardins do antigo cinturão da cidade, intercalados por manchas marrons niveladas de terra semeada e trechos verdejantes de vegetação resistente ao inverno. Esse tipo de vegetação, aliás, cobria os vestígios de casas. Na maior parte, contudo, esses recifes e rochedos de ruínas, esses destroços dos vilarejos suburbanos, permaneciam nas ruas e estradas como ilhas de estranheza em meio a expansões niveladas de verde e marrom, abandonados que foram por seus habitantes anos atrás – mas ainda expressivas, ao que parecia, pois não foram simplesmente transformadas em pó para dar espaço aos inovadores mecanismos de cultivo agrícola desse novo tempo.

A vegetação dessa terra abandonada ondulava e espumava no meio das incontáveis células que eram as paredes arruinadas de antigas casas, partindo do sopé da muralha da cidade em uma arrebentação de espinheiros, azevinhos, heras, dípsacos e capim alto. Havia espalhafatosos palácios do prazer no meio dos insignificantes restos da era vitoriana e das vias cabeadas que levavam desses locais para a cidade. Naquele dia de inverno, eles pareciam vazios. Vazios também estavam os jardins artificiais que floresciam no meio das ruínas. Os limites da cidade estavam definidos de maneira categórica, como no passado remoto, quando portões se fechavam ao cair da noite e o ladrão e o inimigo rondavam os muros. Uma imensa garganta semicircular despejava vigoroso tráfego na estrada de adamita para Bath. Essa foi a primeira visão do mundo fora da cidade que Graham vislumbrou como um lampejo, mas ela logo minguou. Quando olhou novamente para baixo, viu apenas os campos de vegetação que cobriam o vale do Tâmisa – inumeráveis detalhes alongados de um marrom avermelhado atravessados pelos fios brilhantes que eram os canais de esgoto.

A euforia de Graham rapidamente tornou-se uma espécie de embriaguez. Ele se viu hiperventilando, gargalhando, com vontade de gritar. Esse último desejo cresceu tanto que ele soltou um grito. Estavam em uma curva na direção sul, com leve inclinação para o sotavento e lenta alternância de movimento: primeiro, uma subida leve, depois acentuada, que dava lugar a uma descida plana, muito rápida e agradável. Nesses momentos em que planavam, o propulsor era totalmente desligado. Tais ascensos breves davam a Graham um glorioso sentido de esforço bem-sucedido; os descensos através do ar rarefeito estavam além de qualquer experiência. Ele desejava nunca pousar novamente.

Por algum tempo, ficou atento à paisagem que corria velozmente para o norte abaixo dele: minuciosa e detalhada, dava-lhe imenso prazer. Estava impressionado com as ruínas das casas que, um dia, pontilharam o campo e com a vasta expansão da área desmatada, da qual fazendas e vilarejos tinham desaparecido, deixando apenas vestígios aos pedaços. Ele sabia que as coisas se haviam encaminhado para isso, mas ver o que acontecera de fato era algo bem diferente. Graham tentou localizar lugares familiares na vasilha esvaziada em que o mundo em terra firme se transformara, mas no primeiro momento não pôde distinguir nada e logo o vale do Tâmisa ficou para trás. Estavam agora acima de um grupo de montes agudos, cor de giz, que ele reconheceu como sendo Guildford Hog's Back, com seu perfil familiar recortado pelo desfiladeiro na extremidade leste e as ruínas de uma cidade na outra ponta. A partir daí, conseguiu encontrar outros pontos: Leith Hill, a arenosa vastidão de Aldershot e assim por diante. Com exceção da ampla estrada de adamita para Portsmouth, com suas pequenas formas que se deslocavam velozmente, seguindo o curso da velha ferrovia, o desfiladeiro de Wey estava sufocado pelo matagal.

Tanto quanto a névoa cinzenta permitia, toda a extensão da escarpa de Downs exibia inúmeros moinhos de vento diante dos quais os modelos mais gigantescos de Londres não passavam de irmãos mais novos. O movimento desses aparatos, disparado pelo vento sudoeste, era imponente. Aqui e ali, havia trechos salpicados com os rebanhos da British Food Trust; cá e acolá, um pastor montado configurava um pontinho preto. Fluindo velozmente pela popa do monoplano, surgiu Wealden Heights, a linha de Hindhead, Pitch Hill e Leith Hill, além de uma segunda fileira de moinhos que pareciam se esforçar na drenagem dos ventos da região. A urze púrpura estava pintalgada de tojo amarelo. Do outro lado, uma parelha de bois negros fugia de um par de homens em montaria. Rapidamente tudo isso ficou para trás, diminuindo e perdendo a cor – vagas manchas móveis engolidas pela névoa.

Assim que esses últimos elementos desapareceram no horizonte, Graham ouviu um abibe cantando ao alcance da mão. Estava agora acima de South Downs e foi possível avistar as ameias de Portsmouth Landing Stage dominando o cume de Portsdown Hill. Pouco depois, conseguiu distinguir um grupo de embarcações que mais pareciam cidades flutuantes, as pequenas falésias brancas das Needles – ainda menores e iluminadas pelo sol –, as águas cinzentas e brilhantes do mar exíguo. Ultrapassaram o estreito de Solent em um instante, e poucos segundos depois a Isle of Wight também se fora. Diante dele, espalhava-se a ampla extensão do mar – ora púrpura com a sombra de uma nuvem, ora cinzento, um espelho polido; por todos os lados o tom sombrio azul esverdeado. À distância, a Isle of Wight ficava cada vez menor. Depois de poucos minutos, uma faixa de névoa cinzenta destacou-se das outras que eram nuvens no horizonte e aprumou-se para ganhar sua verdadeira forma: o litoral, ensolarado e delicioso, do norte da França. Logo ele começou a crescer, ganhou forma e cor, tornou-se nítido e detalhado – essa contrapartida da Downland inglesa corria rapidamente abaixo do monoplano.

Depois de pouco tempo – ou assim parecia –, Paris surgiu no horizonte, permanecendo nele por um bom tempo até desaparecer de vista, uma vez que o monoplano circulava na direção norte. Mas ainda foi possível ver a Torre Eiffel, que se mantinha de pé. Ao lado dela, um gigantesco domo colossal. Nesse momento, Graham percebeu, embora não compreendesse o significado do que via, um jorro oblíquo de fumaça. O aeronauta disse alguma coisa a respeito de "problemas em terra firme" que não despertou sua atenção. Estava mais interessado nos minaretes, nas torres, em construções delgadas que surgiam, aéreas, acima dos cata-ventos. De fato, em matéria de graça, Paris ainda se mantinha na frente de sua maior rival. Diante dos olhos de Graham, surgiu então uma forma azul-clara que subia rapidamente da cidade como uma folha morta impulsionada pela ventania. A forma fez uma curva abrupta e planou na direção deles, crescendo vertiginosamente. O aeronauta disse mais alguma coisa.

— O quê? – perguntou Graham, relutante em tirar os olhos do objeto que se aproximava. — Aeroplano de Londres, meu amo – berrou o aeronauta, apontando.

O monoplano elevou-se e fez uma curva na direção norte conforme o objeto voador se aproximava. A coisa não parava de crescer. O constante tum, tum, tum, pausa do voo do monoplano, que soava tão potente e rápido, agora parecia lerdo diante da tremenda rapidez do outro aparato. Embora o tamanho da coisa fosse monstruoso, não perdia nada em velocidade e estabilidade! Voou bem próximo do monoplano, ultrapassando-o silenciosamente, como se fosse um ser vivo. Graham teve a momentânea visão das muitas fileiras de passageiros sentados, suspensos em suas pequenas superfícies atrás de para-brisas; do piloto, vestido de branco, lutando contra a ventania ao longo de uma escada; dos motores poderosos em um ritmo único; do propulsor circular, e de um pedaço gigantesco da asa. Era uma visão exultante. Mas passou em um instante.

As pequenas asas do monoplano foram impelidas pela velocidade do outro aparato, que desceu e ficou menor. Eles quase não tinham se movido, ao que parecia, e a outra máquina se transformou novamente em uma forma plana azul que se perdia no céu. Tratava-se do aeroplano que fazia o trajeto entre Londres e Paris. Com boas condições meteorológicas e em tempos de paz, fazia quatro viagens de ida e volta por dia.

Agora atravessavam o Canal da Mancha em menor velocidade – ou assim parecia a Graham, cujas ideias davam a impressão de ter sido ampliadas. Beachy Head crescia, cinzenta, à esquerda do monoplano.

— Terra – exclamou o aeronauta, a voz abafada pelo vento que assobiava através do para-brisa.

— Ainda não – gritou Graham, gargalhando. — Não gostaria de pousar ainda. Tenho muito o que conhecer desta máquina.

— Eu quis dizer... – começou o aeronauta.

— Eu gostaria de conhecer melhor esta máquina – repetiu Graham.

— Vou até você – disse o aeronauta, deslocando-se para longe de seu assento, através dos trilhos, até onde Graham estava. Ele parou por um momento, sua cor mudou e suas mãos agarraram-se com mais força às hastes. Mais um passo e os dois estavam bem próximos. Graham sentiu um peso nos ombros: era a pressão atmosférica. A proteção que usava na cabeça transformou-se em uma mancha que rodopiava, distante. O vento vinha em rajadas por cima do para-brisa e fazia serpentear os cabelos contra as bochechas. O aeronauta fez alguns ajustes precisos para melhoria dos centros de gravidade e pressão.

— Gostaria que me explicasse todas essas coisas – pediu Graham. — O que acontece quando você move aquela alavanca para a frente?

O aeronauta hesitou. Depois respondeu:

— É tudo bem complexo, meu senhor.

— Não importa – gritou Graham. — Não importa.

Houve um momento de pausa.

— A aeronáutica é um segredo, um privilégio...

— Sei disso. Mas eu sou o Mestre e quero saber – Graham gargalhou ao perceber até onde ia o poder que caíra sobre ele como um presente dos Céus.

O monoplano guinou, o vento forte e fresco cortou o rosto de Graham, seu traje repuxou seu corpo quando a quilha apontou para oeste. Os dois olharam-se nos olhos.

— Meu amo, existem regras...

— Não no que respeita a mim – disse Graham. — Você parece que se esqueceu disso.

O aeronauta analisou seu rosto.

— Não – disse –, eu não esqueci, meu amo. Mas há regras em todo o planeta; nenhum homem, a não ser aeronautas juramentados, pode ter acesso. Aos demais só é permitido ser passageiro...

— Ouvi falar de tudo isso. Mas não quero discutir essas questões. Você sabe o motivo de eu ter dormido duzentos anos? Poder um dia voar!

— Meu amo – respondeu o aeronauta –, as regras... se eu quebrar as regras...

Graham afastou possíveis penalidades com gesticulações.

— Bem, se quiser observar atentamente o que estou fazendo...

— Não – disse Graham, segurando firme nas hastes por causa do balanço que a máquina fez ao elevar novamente seu nariz para uma breve subida. — Isso não é do meu feitio. Quero eu mesmo fazer tudo por conta própria. Por conta própria, ainda que eu acabe destruindo a coisa toda... Mas não! Vou conseguir. Veja, vou subir por esta coisa aqui... e dividir com você o assento do condutor. Vamos! Pretendo voar por conta própria ainda que eu me arrebente no fim das contas. Assim meu sono terá valido a pena. De todas as coisas do meu passado, o sonho mais consistente que tive foi o de voar. Agora, mantenha o equilíbrio.

— Uma dúzia de espiões está me observando, meu amo!

A paciência de Graham estava no fim. Talvez realmente tivesse decidido que queria as coisas daquele jeito. Jurava para si mesmo que queria. Atirou-se na direção da massa de alavancas, fazendo o monoplano oscilar.

— Sou ou não sou o Mestre da Terra? – disse. — Ou quem manda é essa sua sociedade? Agora. Tire as mãos dessas alavancas e segure meus pulsos. Sim, isso mesmo. Agora como faço para virar o nariz para baixo e planar?

— Meu amo – disse o aeronauta.

— O que foi?

— O senhor me protegerá?

— Por Deus! Claro! Ainda que eu tenha de incendiar Londres. Agora vamos!

Com tal promessa, Graham conseguiu sua primeira aula de navegação aérea.

— Esta jornada deve estar boa para você – disse em meio a uma poderosa gargalhada, uma vez que a altitude produzia os mesmos efeitos de um vinho bem encorpado –, e espero aprender rápido e direito. Devo puxar isto? Ah! Então! Como é?

— Para trás, meu amo! Para trás!

— Para trás, certo. Um, dois, três... bom Deus! Ah! E lá vai esse negócio subindo! É como se fosse vivo!

Agora a máquina efetuava uma dança que desenhava estranhas figuras no ar. Ora executava movimentos em espiral de quase 100 jardas de diâmetro, ora acelerava e arremetia várias vezes, abruptamente, velozmente, em queda livre como um falcão, apenas para recuperar-se da queda com uma pirueta que a levava de novo às alturas. Em uma dessas descidas, parecia que estavam voando direto para um parque de balões a sudeste, fazendo uma curva fechada para evitar o desastre graças a uma súbita retomada da estabilidade. A velocidade extraordinária e suave do movimento e o efeito geral do ar rarefeito na constituição de Graham o lançavam em um furor descuidado.

Mas, por fim, um estranho incidente o fez recuperar a sobriedade, pois reencontrava a vida pululante que estava abaixo de seus pés, com tantos enigmas obscuros e insolúveis. Em uma das arremetidas, surgiu algo que caía e voava como uma gota de chuva. Graham então viu algo como um farrapo branco que revoluteava em seu rastro.

— O que era aquilo? – perguntou. — Não vi o que era.

O aeronauta relanceou o olhar e em seguida agarrou a alavanca para que o voo recuperasse o prumo. Quando o monoplano voltou a ganhar altitude, deu um profundo suspiro e disse:

— Aquilo – e indicando a coisa que ainda caía – ... era um cisne.

— Eu nem sequer o vi – disse Graham.

O aeronauta não disse nada, mas Graham pôde perceber pequenas gotas na testa dele.

Permaneciam em curso horizontal quando Graham escalou de volta para o assento de passageiro, apesar do vento inclemente. Veio então uma rápida descida com a espiral propulsora girando para estabilizar a máquina. As plataformas aéreas cresciam, amplas e escuras, à frente deles. O sol mergulhava atrás das colinas de giz a oeste, descendo junto com eles e deixando no céu uma labareda de ouro.

Logo foi possível ver pontinhos representando pessoas. Ouviu um barulho que crescia conforme o monoplano descia, como o som de ondas do mar em uma praia pedregosa, e viu claramente que os telhados em torno da plataforma de voo estavam densamente ocupados pelo seu povo, rejubilando-se com seu feliz regresso. Uma massa negra apertava-se abaixo da plataforma, uma escuridão pontilhada por inumeráveis faces, palpitando com a precisa oscilação de lenços brancos e mãos que acenavam.

XVII.
TRÊS DIAS

Lincoln esperava por Graham num apartamento abaixo das plataformas aéreas. Ele parecia curioso em saber tudo o que havia acontecido e apreciou ouvir a respeito do extraordinário deleite e interesse de Graham pela aviação. Graham estava em um estado de espírito propenso ao entusiasmo.

— Eu tenho de aprender a voar – exclamou. — Tenho de dominar essa arte. Tenho pena de todas as pobres almas que morreram sem ter essa oportunidade. O doce e rápido deslocamento do ar! É a experiência mais maravilhosa do mundo.

— Você perceberá que os novos tempos estão repletos de experiências maravilhosas – comentou Lincoln. — Mas ainda não sei o que o senhor gostaria de fazer agora. Temos, por exemplo, o universo da música, que, creio, deve ser uma novidade para seus sentidos.

— No momento – continuou Graham –, voar é o que mais me atrai. Deixe-me conhecer mais sobre isso. Seu aeronauta me disse que algum tipo de sindicato aeronáutico impede que alguém de fora aprenda sobre o assunto.

— Existe, sim, de fato – disse Lincoln. — Mas para o senhor...! Se deseja um passatempo, podemos montar o ritual de juramento do aeronauta amanhã mesmo.

Graham expressou seus desejos de maneira bastante vívida e falou de suas sensações por um tempo.

— Agora aos negócios – perguntou abruptamente. — Como andam as coisas?

Lincoln afastou os negócios com um gesto.

— Ostrog falará a esse respeito amanhã – disse. — Tudo está se definindo. A revolução alcançou suas metas em todo o planeta. Algumas tensões e atritos são inevitáveis, claro. Mas o seu governo, meu amo, está assegurado. Deve confiar que esses assuntos estarão seguros nas mãos de Ostrog.

— Poderia então fazer o meu tal juramento do aeronauta imediatamente, antes que eu vá dormir? – perguntou Graham, caminhando. — Dessa forma, eu poderia me lançar aos estudos logo que acordasse amanhã...

— Seria possível, sim – Lincoln respondeu pensativo. — Bastante possível. Na verdade, será feito – deu uma gargalhada. — Estava preparado para sugerir algumas diversões, mas vejo que encontrou uma de seu agrado. Telefonarei daqui para os escritórios aeronáuticos, depois retornaremos para os seus aposentos nos escritórios dos cata-ventos. Lá pelo horário do jantar, os aeronautas deverão estar disponíveis. Mas será que após o jantar o senhor não estaria mais inclinado a... – fez uma pausa.

— Sim? – disse Graham.

— É que tínhamos lhe preparado um espetáculo com dançarinas, vieram do teatro de Capri.

— Detesto balés – Graham respondeu secamente. — Sempre detestei. Aquela coisa... Bem, não é o que eu gostaria de ver. Tínhamos dançarinas nos meus tempos. A bem da verdade, já tínhamos dançarinas no Egito antigo. Mas voar...

— Tem razão – disse Lincoln. — Apesar de que as nossas dançarinas...

— Elas podem muito bem esperar – disse Graham. — Elas podem esperar. Pois é, eu não sou um latino. Há perguntas que eu gostaria de fazer para um especialista, concernentes à maquinaria empregada nesses aparatos voadores. Estou entusiasmado e não quero distrações.

— O mundo está à sua disposição – comentou Lincoln. — O que desejar será seu.

Asano apareceu e, com a proteção de numeroso esquadrão, percorreram as ruas da cidade de volta aos aposentos de Graham. Enormes concentrações de pessoas surgiram para testemunhar esse retorno, maiores que aquelas que se formaram quando da partida. Os gritos e as saudações dessa massa humana muitas vezes afogavam as respostas de Lincoln para as infinitas perguntas de Graham que a viagem aérea havia suscitado. Inicialmente, Graham retribuiu as saudações e os gritos da multidão com gestos e cumprimentos, mas Lincoln alertou-o para o fato de que esse tipo de resposta poderia ser entendido como um comportamento incorreto. Graham, já um tanto cansado de todas essas civilidades ritmadas, ignorou seus súditos para retomar seu caminho.

Assim que chegaram aos aposentos, Asano partiu em busca dos registros cinematográficos das máquinas aéreas em ação, enquanto Lincoln despachava as ordens de Graham solicitando maquetes de aeroplanos, bem como algumas miniaturas, para ilustrar os diversos avanços no campo da mecânica obtidos nos últimos dois séculos. O pequeno grupo de dispositivos empregados para a comunicação telegráfica atraiu o Mestre de maneira tão poderosa que o delicioso jantar, servido por certo número de belas e habilidosas moças, teve de esperar algum tempo. O hábito de fumar praticamente desaparecera da face da Terra, mas, quando Graham expressou seu desejo por esse pequeno prazer, pesquisaram e descobriram excelentes charutos na Flórida. Foram enviados pela entrega pneumática enquanto o jantar ainda estava em andamento. Logo depois, vieram os aeronautas, e um banquete de inventos maravilhosos nas mãos de um engenheiro moderno. Para o momento, de qualquer modo, a extrema engenhosidade das máquinas de contagem e numeração, de construção, de fiação, soleiras de porta patenteadas, motores movidos a explosão, elevadores de grãos e de água, apetrechos para o abate de animais e para a colheita – tudo isso era mais fascinante aos olhos de Graham que qualquer *bayadère*[1].

— Nós éramos selvagens – era o refrão que repetia –, selvagens. Estávamos na idade da pedra, comparado a isso... E o que mais vocês têm?

Surgiram também psicólogos clínicos apresentando alguns avanços muito interessantes na arte do hipnotismo. Descobriu que os nomes de Milne Bramwell, Fechner, Liebault, William James, Myers e Gurney carregavam, naquele remoto futuro, um valor que assombraria seus contemporâneos. Muitas aplicações práticas de psicologia tornaram-se corriqueiras: elas superaram, na medicina, drogas, antissépticos e anestésicos, e eram aplicadas por praticamente todos que estivessem precisando de concentração mental. Um efetivo aprimoramento das aptidões humanas tinha sido obtido nesse sentido. Os feitos dos "gênios do cálculo", as maravilhas – como Graham habituara-se a vê-las – dos mesmerizadores agora estavam ao alcance de qualquer um que pudesse

---

1   Em francês no original. Trata-se de uma bailarina em caracterização hindu.

contratar um hipnotizador qualificado. Tempos atrás, os velhos métodos de exame escolar tinham sido destruídos por tais expedientes. Anos de estudo foram substituídos por algumas poucas semanas de transe, durante as quais os especialistas seguiam um treinamento no qual apenas eram repetidos todos os argumentos necessários para as respostas adequadas, com a adição de uma sugestão pós-hipnótica necessária para lembrar detalhadamente o que fora memorizado. No caso da matemática, esse auxílio na memorização teve efeito excepcional, além de ser empregado invariavelmente por jogadores de xadrez e de outros tipos de jogos nos quais certa destreza e habilidade são exigidas. De fato, todas as operações que precisavam ser conduzidas dentro de um ambiente de regras finitas, de tipo quase mecânico, ficavam agora sistematicamente desobrigadas das divagações imaginativas e emotivas para uma execução no limiar da perfeição. As crianças das classes trabalhadoras, assim que atingiam a idade mínima necessária para a hipnose, eram então transformadas em belas, perfeitas e confiáveis mentes controladoras de máquinas, logo liberadas dos amplos e complicados pensamentos da juventude. Os pupilos em aeronáutica com propensão à vertigem, dessa forma, podiam ser aliviados de seus terrores imaginários. Em cada rua havia hipnotizadores prontos para dotar uma mente de memórias permanentes. Se alguém desejasse se lembrar de um nome, de uma série de números, de uma canção ou de um discurso, isso poderia ser feito pelos especialistas em hipnose. Da mesma forma, lembranças poderiam ser obliteradas; hábitos, removidos; desejos, erradicados – uma espécie de cirurgia psíquica, que se tornara uso comum. Indignidades e experiências humilhantes eram para sempre esquecidas; viúvas conseguiam erradicar seus falecidos maridos; amantes raivosos alforriavam-se de sua escravidão. Enxertar desejos, contudo, ainda era tarefa impossível, da mesma forma como os mecanismos em torno da transferência de pensamento também não estavam sistematizados. Os psicólogos ilustravam suas exposições com experimentos espantosos de memorização praticados com diversas crianças pálidas usando vestimenta azul.

Graham, como boa parte das pessoas de sua época, não confiava em hipnotizadores – caso contrário, teria naquele mesmo instante aproveitado para aliviar muitas preocupações dolorosas. Assim, apesar das garantias de Lincoln, manteve a velha teoria de que ser hipnotizado era de alguma forma a rendição de sua personalidade, a abdicação de sua vontade própria. Nesse banquete de incríveis experiências que se iniciava, desejava ardentemente manter a consciência de si mesmo.

Veio o dia seguinte, depois outro, e um terceiro, todos absorvidos em interesses desse tipo. Durante as manhãs, Graham dedicava várias horas à gloriosa diversão que era voar. No terceiro dia, ele sobrevoou o interior da França, tendo a visão dos Alpes cobertos de neve. Esses exercícios vigorosos garantiam-lhe um sono reparador – recuperara-se quase completamente da anemia espiritual de seu primeiro despertar. Nas ocasiões em que Graham não estava voando ou dormindo, Lincoln encontrava-se sempre disponível para fornecer novos entretenimentos: tudo o que havia de mais moderno e curioso em matéria de invenção de ponta era apresentado a ele, até que por fim seu apetite por novidades chegou à saturação. Seria possível preencher uma dúzia de volumes desordenados com todas as bizarrices que lhe exibiram. Cerca de uma hora de cada tarde era dedicada à corte. Logo Graham desenvolveu um interesse mais íntimo e pessoal pelas pessoas que o cercavam. No princípio, seu foco era a peculiaridade e a estranheza – quaisquer afetações que encontrasse nas roupas, quaisquer discordâncias com suas preconcepções de nobreza que visse nas categorias e nas condutas ganhavam relevo na visão dele, e ele achou notável como logo essa percepção desconfiada e mesmo hostil desapareceu; logo também veio a apreciar com clareza a perspectiva de sua posição, o que convertia os velhos tempos de sua existência vitoriana em algo remoto e pitoresco. Gostava particularmente da alegre companhia da filha ruiva do controlador das Pocilgas da Europa. Na segunda noite, após o jantar, conheceu uma dançarina que descobriu ser uma artista impressionante. Depois mais prodígios realizados por hipnotizadores. Na terceira noite, Lincoln estava inclinado a sugerir ao Mestre que visitasse uma Cidade dos Prazeres, mas Graham declinou do convite da mesma forma que recusava os serviços de hipnotizadores em seus experimentos aeronáuticos. A ligação com sua cidade, Londres, permanecia arraigada e ele encontrou grande prazer em fazer identificações topográficas que, fora dali, lhe teriam passado batidas. "Aqui – ou 100 pés abaixo daqui", ele poderia dizer, "eu costumava comer minhas costeletas de almoço nos tempos em que estava na London University. Mais para baixo ficava a estação de Waterloo, onde a desorientadora caça por vagões era bem cansativa. Muitas vezes ficava por ali, parado, mala nas mãos, observando o céu que cobria a floresta em busca de sinais, pensando se um dia seria possível percorrer o firmamento 100 jardas acima do solo. E agora, nesse mesmo firmamento que antes era um dossel cinzento de fumaça, eu dou voltas em um monoplano."

Graham estava tão atarefado com essas distrações que o vasto mecanismo político, que se movia fora de seus pontos de referência, ocupava o mínimo de sua atenção. Todos os que o cercavam diziam-lhe muito pouco a esse respeito. Dia a dia Ostrog – o Líder, o Grande Vizir, o prefeito do palácio – dirigia-se até Graham para reportar em termos vagos o restabelecimento da ordem: sempre "um pequeno problema" a ser ajustado numa cidade, uma "mínima perturbação" noutra. A canção revolucionária não chegou mais aos ouvidos de Graham – ele não sabia da proibição que o hino sofrera nos limites da municipalidade – e todas as emoções que sentira no cesto da gávea dormiam em sua mente.

A despeito de seu interesse na filha do administrador das Pocilgas ou por causa da sugestão de alguns tópicos que com ela conversara, Graham viu-se logo lembrando de Helen Wotton, a garota que falara de modo tão estranho quando se encontraram na reunião na torre de vigia dos cata-ventos. Ela lhe deixara uma profunda impressão, embora o incessante sobressalto causado pelas circunstâncias mais recentes o tivesse impedido de meditar sobre o assunto durante um tempo. Mas agora a lembrança voltava por conta própria. Ele indagou os possíveis significados daquelas meias palavras quase esquecidas; a imagem dos olhos e da paixão sincera no rosto da jovem tornava-se mais e mais vívida conforme os interesses mecânicos de Graham se diluíam.

XVIII.
GRAHAM RECORDA

Ela por fim encontrou-o numa pequena galeria situada no caminho entre os escritórios dos cata-ventos e os aposentos oficiais de Graham. A galeria era comprida e estreita, preenchida por uma série de recuos com seus arcos de fenestrações que dominavam um pátio de palmeiras. Ele topou com ela, sem aviso, em um desses recuos. Ela estava sentada. Virou-se na direção de Graham assim que ouviu seus passos, assustando-se ao vê-lo: toda cor do rosto da jovem sumira. Ela levantou-se num instante, seguiu na direção dele como se desejasse interpelá-lo, mas hesitou. Ele ficou parado, aguardando. Foi quando percebeu que um tumulto interno a silenciava; percebeu, também, que para estar aguardando-o nesse local ela desejava ardentemente falar a sós com ele.

— Desejava muito vê-la – começou Graham. — Alguns dias atrás você queria dizer algo para mim, alguma coisa a respeito do povo. O que tanto precisava me dizer?

Ela olhou para ele com olhos perturbados.

— Você disse que as pessoas estavam descontentes, não foi?

Por algum tempo, o silêncio predominou.

— Isso deve ter soado estranho aos seus ouvidos – foi a abrupta resposta dela.

— Sim, soou. Mas...

— Foi um impulso.

— Como assim?

— Foi apenas um impulso.

Ela ainda o observava cheia de hesitação, falando após algum esforço e um profundo suspiro:

— Você esqueceu.

— O quê?

— O povo...

— Quer dizer...?

— Você esqueceu o povo.

Ele permanecia sem entender.

— Sim. Eu entendo que esteja surpreso. Você de fato não compreende quem você é. Também não sabe o que está acontecendo.

— E então?

— Você não compreende.

— Talvez não muito claramente. Mas me explique.

Ela voltou-se para ele com resolução inesperada.

— É tão difícil de explicar. Eu pretendia explicar, eu queria explicar. Mas agora... agora não consigo. Sou incapaz de encontrar as palavras certas. Já quanto a você... Tem algo de muito importante em você. É um deslumbre: o seu sono, o seu despertar. São milagres. Ao menos para mim, e para todas as pessoas comuns. Você viveu, sofreu, morreu... Você, que era um indivíduo comum, tornou a despertar, a reviver, e se transformou em Mestre de quase toda a Terra.

— Mestre da Terra – disse Graham. — É o que me dizem. Mas tente conceber quão pouco sei sobre tudo isso.

— Cidades... trustes... o Departamento do Trabalho...

— Soberanias, principados, autoridades[1]: o poder e a glória. Sim, eu ouvi o povo gritando esse tipo de coisa. Eu sei. Eu sou o Mestre. O Rei, se assim desejar. Com Ostrog, o Líder...

Graham interrompeu seu discurso.

Ela voltou-se para contemplar com curiosidade o rosto dele.

— Sim?

Ele sorriu.

— ... assumindo a responsabilidade.

---

1   Referência a uma passagem do Novo Testamento, na Epístola aos Colossenses: "Tronos, soberanias, principados, autoridades, tudo foi criado por ele e para ele" (Colossenses 1:16).

— É isso que estamos temendo – por algum tempo, ela permaneceu em silêncio. — Não – recomeçou pausadamente. — *Você* deve assumir a responsabilidade. Você deve assumir a responsabilidade. O povo espera isso de você.

O tom de voz dela tornou-se mais suave.

— Ouça! Pelo menos metade do tempo em que esteve mergulhado no sono, a cada geração que passava, multidões, todos os anos, um número incontável de pessoas, oravam para que seu despertar acontecesse... *Oravam!*

Graham fez menção de falar, mas deteve-se.

Ela hesitou, e um suave rubor coloriu seu rosto.

— Você está ciente de que para miríades de pessoas você era o grande rei, o Rei Arthur, o Frederico Barba Ruiva, que retornaria no momento mais necessário para colocar as coisas no lugar?

— Suponho que a imaginação do povo...

— Nunca ouviu nosso provérbio "Quando o Dorminhoco acordar"? Enquanto permaneceu aqui, desfalecido e inerte, milhares vinham em procissão. Milhares. A cada primeiro dia do mês, punham sobre você um manto branco, para visitação pública. Vi essa cena quando era uma garotinha, seu rosto estava pálido e calmo.

Ela virou o rosto para contemplar a parede pintada logo à frente. Baixou o tom de voz.

— Quando eu era garotinha, costumava olhar para seu rosto... Sempre parecia fixo, aguardando algo, como a paciência de Deus.

— Isso é o que pensávamos de você – continuou ela. — Era dessa forma que nós o víamos.

Os olhos dela, focados agora em Graham, eram luminosos, a voz clara e poderosa.

— Nesta cidade, em todo o planeta, miríades e miríades de homens e mulheres aguardam suas ações, plenos de estranhas expectativas.

— Como assim?

— Nem Ostrog nem ninguém pode assumir essa responsabilidade.

Graham olhou para ela surpreso, o rosto dela iluminado pela emoção. De início, parecia que a garota falava após certo esforço, mas agora se incendiava com o próprio discurso.

— Você acha – disse ela – que viveu uma vida reles em uma época remota do passado, que caiu num sono milagroso e despertou dele somente para... Você acha que o deslumbramento, a reverência e a fé de meio mundo se depositaram em sua pessoa somente para que você vivesse outra reles vida...? Para que você pudesse transferir sua responsabilidade a outro?

— Eu conheço a dimensão dessa dignidade real que foi depositada em mim – Graham respondeu, hesitante. — Sei que ela parece gigantesca. Mas será mesmo verdadeira? É inacreditável, como um sonho. Tudo isso é de verdade ou se trata apenas de uma grande ilusão?

— É de verdade – foi a resposta dela –, se você tiver coragem.

— Afinal de contas, minha realeza, como todas as outras, é feita de crença. Uma ilusão da mente dos homens.

— Se você tiver coragem! – persistiu ela.

— Mas...

— Incontáveis homens – disse ela –, enquanto tiverem essa ilusão na mente, obedecerão.

— Mas eu não sei de nada. É isso o que eu penso. Não sei de nada. Todos os outros, o Conselho, Ostrog, eles sim são sábios, ponderados, sabem de tudo, de cada detalhe. Além do mais, quais são essas misérias de que você fala? O que é que não estou sabendo? Você quer dizer...

Ele parou subitamente, perplexo.

— Sei que ainda não passo de uma garota – disse ela. — Mas para mim o mundo está repleto de miséria. As coisas mudaram demais desde o dia do seu despertar, mudaram de modo muito estranho. Rezei bastante para um dia poder vê-lo e lhe contar essas coisas. O mundo mudou. Como se tomado por um cancro que subtraiu a vida de... de tudo o que tinha algum valor.

A face enrubescida da garota voltou-se na direção de Graham, em um movimento brusco e imprevisto.

— Os seus dias foram dias de liberdade. Sim, pensei nisso. Fui levada a pensar nisso, pois minha vida... não tem sido feliz. Os homens deixaram de ser livres, eles não são melhores nem mais valorosos que os homens da sua época. E não para por aí. Esta cidade... esta cidade é uma prisão. Todas as cidades agora são prisões. O Dinheiro está com a chave dessas cadeias nas mãos. Miríades, incontáveis miríades, labutam do berço ao túmulo. Isso é certo? Deve ser assim... para sempre? Sim, está bem pior que na sua época. Tudo o que nos cerca, o que está abaixo de nós, é dor e sofrimento. Todas as delícias frívolas da nossa existência, que você está descobrindo agora, estão separadas por muito pouco de uma existência cuja miséria vai além das palavras. Sim, os pobres sabem, sabem que vivem em sofrimento. Essas multidões incontáveis que encararam a morte por sua causa duas noites atrás, você deve sua vida a essas pessoas!

— Sim – respondeu Graham lentamente. — Sim. Devo minha vida a elas.

— Você vem – prosseguiu a jovem – dos dias em que a atual tirania das cidades ainda dava seus primeiros passos incertos. É uma tirania, uma tirania. Na sua época, os senhores feudais já haviam desaparecido, mas o novo poderio da riqueza ainda não se firmara. Metade das pessoas do mundo todo ainda vivia em liberdade, em pequenas localidades no interior. No entanto, as cidades as devoraram. Ouvi as histórias dos velhos livros, havia nobreza! Homens comuns levavam uma vida de amor e fidelidade, eram capazes de fazer milhares de coisas. E você... você vem dessa época.

— Não era bem assim... Mas não importa. O que temos agora...?

— Lucro e as Cidades dos Prazeres! Ou a escravidão, a ingrata, a infame escravidão.

— Escravidão! – disse Graham.

— Sim, escravidão.

— Você quer dizer que há seres humanos negociados como mercadorias?

— Pior. Era isso que eu queria que você visse e conhecesse. Sei que nada sabe dessas práticas. Eles vão mantê-lo sempre no escuro sobre isso, vão apenas lhe apresentar uma Cidade dos Prazeres, por exemplo. Mas você já deve ter percebido muitos homens, mulheres e crianças com roupas de tecido azul, com rosto magro e amarelo, olhos vazios, não é verdade?

— Por todos os lados.

— Falam esse terrível dialeto, áspero e baixo.

— Sim, eu ouvi.

— Esses são os escravos, os *seus* escravos. Eles são os escravos do Departamento do Trabalho, que é de sua propriedade.

— O Departamento do Trabalho! De alguma forma, isso soa familiar... Ah! Agora eu me lembro. Eu vi os edifícios dessa organização quando perambulava, perdido pela cidade após o retorno das luzes. Grandes fachadas de prédios pintados de azul-claro. Mas você realmente está dizendo que...?

— Sim. Como eu posso explicar? Claro que o uniforme azul o impressionou. Cerca de um terço da população o veste, número que aumenta diariamente. O crescimento do Departamento do Trabalho é quase imperceptível.

— Mas que diabos é esse Departamento do Trabalho? – perguntou Graham.

— Nos velhos tempos, como vocês faziam com as pessoas famintas?

— Havia asilos de assistência, mantidos pelas paróquias locais.

— Asilos! Sim, ouvi algo a respeito. Em nossas aulas de história. Eu me recordo bem. O Departamento do Trabalho os tornou obsoletos. O início do departamento estava relacionado, ao menos parcialmente, com uma associação religiosa que, bem, talvez você se recorde... chamada Exército da Salvação, que depois se tornou uma empresa de negócios. No início, era quase como uma instituição de caridade. A ideia era salvar as pessoas do rigor que os asilos observavam. Houve uma grande agitação contrária aos asilos. Agora que me lembro desses detalhes, me ocorre que essa foi uma das primeiras empresas que seus conselheiros legais adquiriram. Eles compraram o Exército da Salvação e remodelaram para a forma atual. Queriam, de início, organizar a mão de obra formada por pessoas famintas e desabrigadas.

— Certo.

— Atualmente, não existem mais asilos, refúgios, instituições de caridade. Nada além do departamento. Há escritórios por toda parte. O azul é a cor oficial dela. Qualquer homem, mulher ou criança que esteja padecendo de fome ou que não tenha lar, amigos, proteção, refúgio, acaba no departamento, ou buscando uma forma de morrer. A eutanásia está muito além dos recursos da maioria, pois para os pobres nem a morte é tarefa fácil. A qualquer hora do dia ou da noite, há comida, abrigo e uniformes azuis para os recém-chegados – o uniforme é a primeira condição para se integrar ao departamento – mas, como pagamento por um dia de abrigo e comida, é necessário um dia de trabalho. Se não houver o pagamento devido, o departamento faz a devolução das roupas do infeliz e o expulsa para as ruas novamente.

— Compreendo.

— Talvez tudo isso não soe tão terrível aos seus ouvidos. No seu tempo, pessoas morriam de fome nas ruas. Isso era medonho. Mas elas ao menos morriam como... *gente*. Já as pessoas de azul... Há um provérbio que diz: "Tecido azul agora e sempre". O departamento negocia a força de trabalho, mantendo meticulosamente o suprimento de pessoas. Os famintos e desamparados buscam essa instituição para que possam dormir e comer por um dia e uma noite, trabalham durante um dia e depois vão embora. Se o trabalho foi muito bem-feito, ganham alguns centavos, o suficiente para um teatro popular, uma casa noturna barata, uma ida ao cinematógrafo, um jantar, uma aposta. Eles vagam pelas ruas após gastar essa última economia. A mendicância é coibida pela polícia das ruas. Além disso, ninguém dá nada. Eles voltam ao departamento no dia seguinte ou dois dias depois, levados pelas mesmas necessidades que os motivaram da primeira vez. No fim, as roupas dessas pessoas estão em frangalhos de uma tal forma que se tornam estigmas. Precisam trabalhar meses para recuperar um pouco da dignidade, isso quando desejam recuperá-la. Um grande número de crianças nasce sob a proteção do departamento. As mães precisam entregá-las um mês depois de dar à luz; a criança é educada e cuidada até os catorze anos, que é quando lhe cobram dois anos de trabalho para cobrir esses custos. Pode ter certeza de que tais crianças são educadas para tornar-se apenas indivíduos de uniforme azul. É assim que o departamento funciona.

— Não existem miseráveis e pedintes nesta cidade?

— Não. Ou estão usando o uniforme azul ou estão na prisão. Nós abolimos a miséria. Isso está gravado nos cheques fornecidos pelo departamento.

— E se os pobres não trabalharem?

— A maioria das pessoas trabalha movida pela própria necessidade. Mas o departamento tem seus poderes. Há estágios de punição no trabalho, ou seja, a interrupção no fornecimento de comida. Além disso, se um homem ou uma mulher se recusar a trabalhar, será marcado no sistema de identificação por impressão digital nos escritórios do departamento que estão espalhados por todo o mundo. Além disso, quem é que consegue deixar a cidade sendo pobre? Ir a Paris custa 2 leões. Por fim, caso a insubordinação seja grave, existem as prisões, escuras e miseráveis, fora da vista dos citadinos. Aliás, a prisão serve para numerosas coisas ultimamente.

— E um terço da população veste esse uniforme azul?

— Mais de um terço. São trabalhadores vivendo sem orgulho, sem alegria e sem esperança, tendo apenas as histórias das Cidades dos Prazeres tinindo em seus ouvidos, tripudiando de suas vidas miseráveis, plenas de privações e dificuldades. Pobres demais mesmo para cometer a eutanásia, o refúgio definitivo dos ricos. Milhões, um número incontável de pessoas imbecilizadas, incapazes, no mundo todo, ignorantes de tudo o que não seja suas limitações e desejos insatisfeitos. Elas nascem, se frustram e morrem. Esse é o estado a que chegamos.

Após algum tempo, Graham sentou-se deprimido.

— Mas houve uma revolução – disse ele. — Toda essa situação vai mudar. Ostrog...

— Essa é nossa esperança. Essa é a esperança que se espalhou por todo o mundo. Mas Ostrog não vai mudar nada. Ele é um político. Para ele, está tudo ótimo, nenhuma mudança é necessária. Ele não se importa. Ele aceita a situação como certa. Todos os ricos, os influentes, os que são felizes também fazem como ele, tomam a miséria como certa. Usam o povo em suas manobras políticas e vivem tranquilos com a degradação alheia. Mas você – você veio de uma época mais feliz, por isso é de você que o povo espera alguma coisa. De você.

Graham olhou para o rosto da jovem: os olhos dela brilhavam com lágrimas não derramadas. Sentia um turbilhão de emoções. Por um momento, ele se esqueceu da cidade, do povo, das vozes remotas – estava imerso na imediata beleza da moça.

— Mas o que eu devo fazer? – perguntou sem desgrudar os olhos dela.

— Governe – foi a resposta dela, curvando-se na direção de Graham e baixando o tom de voz. — Governe o mundo de uma forma que nunca foi governado. Pelo bem do povo e pela felicidade dos homens. Você pode. Você deve governá-lo.

— O povo está agitado. Por todo o mundo há agitação. O que se deseja é nada mais que uma palavra, uma palavra sua, que una todos. Mesmo a classe média está inquieta, infeliz.

— Aquelas pessoas estão escondendo de você o que realmente acontece. O povo já não aceita de bom grado o regime de servidão usual e não aceita ser desarmado. Ostrog despertou algo muito maior do que ele esperava, despertou a esperança.

O coração de Graham agora batia bem rápido. Tentava parecer equânime, ponderando suas considerações.

— O povo apenas quer seu líder – disse a moça.

— E depois?

— Pode fazer o que desejar, o mundo é seu.

Sentado, Graham deixou de olhar para ela. Logo se manifestou.

— Os velhos sonhos que acalentei, liberdade, felicidade. Seriam apenas sonhos? Como um *único homem* poderia...? – sua voz enfraqueceu e desapareceu.

— Não se trata de um único homem, mas de todos. Forneça a eles um líder que se comunique com os desejos que acalentam o coração deles.

Ele balançou a cabeça, e por algum tempo permaneceram em silêncio.

Repentinamente, levantou os olhos, que encontraram os dela.

— Não compartilho a sua fé – disse Graham. — Não compartilho sua juventude. Estou aqui com um poder que parece troçar de mim. Não, me deixe falar. Eu gostaria de fazer algo... O que é certo... Mas não tenho forças para isso. Embora eu desejasse que o certo predominasse sobre o errado. Isso não representará o milênio redentor, mas estou resolvido a governar. O que você disse foi, para mim, como um novo despertar... Você está certa. Ostrog precisa conhecer seu lugar. E eu preciso aprender a... Mas uma coisa eu prometo. Essa escravidão do departamento deve acabar.

— Então você vai governar?

— Sim. Mas dada uma condição....

— Sim?

— Que você me ajude.

— *Eu!* Apenas uma garota!

— Sim. Ainda não lhe ocorreu que estou absolutamente sozinho?

Ela espantou-se. Por instantes, seus olhos adquiriram um tom apiedado.

— Precisa perguntar se eu vou ajudá-lo? – ela disse.

— Estou totalmente desamparado.

— Pai e Mestre – respondeu a moça –, o mundo é seu.

Então surgiu um silêncio tenso, quando soou o relógio. Graham levantou-se.

— Até agora – ele disse –, Ostrog deve estar esperando – hesitou, encarando-a. — Depois de lhe fazer certas perguntas (há tanta coisa que ainda preciso saber), pode ser que eu consiga ver com meus olhos tudo o que você descreveu. E depois, quando eu voltar...?

— Eu saberei de suas idas e vindas. Estarei à sua espera bem aqui.

Olharam um para o outro, um olhar firme e interrogativo. Depois ele virou-se e dirigiu-se para os escritórios dos cata-ventos.

XIX.
O PONTO DE VISTA
DE OSTROG

Graham encontrou Ostrog esperando para fornecer a ele um relatório formal de seu dia de administração. Em ocasiões anteriores, havia passado por essa cerimônia o mais rápido que pôde, para logo retomar suas experiências aéreas, mas dessa vez começou formulando questões breves e sucintas. Estava ansioso para assumir o controle de seu imenso império imediatamente. Ostrog trouxe relatos bastante edulcorados dos negócios no exterior. Em Paris e em Berlim, Graham percebeu que havia problemas – ainda não era uma resistência organizada, mas atos de insubordinação. "Depois de todos esses anos", disse Ostrog diante da pressão de Graham por mais informações, "a Comuna ergueu a cabeça de novo. Essa é a verdadeira natureza da luta, para ser franco". Contudo, a ordem fora restabelecida nessas cidades. Sentindo-se mais deliberadamente sensível diante de suas emoções, Graham perguntou se tinha havido luta.

— Um pouco – respondeu Ostrog. — Em uma região apenas. Mas a divisão senegalesa da nossa polícia africana de agricultura (as Companhias Consolidadas da África possuem uma força de segurança muito bem treinada) estava pronta para agir, assim como os aeroplanos. Esperávamos dificuldades nas cidades continentais e na América. Aliás, as coisas estão bem calmas na América, eles estão satisfeitos com a queda do Conselho. Por enquanto.

— Por que você esperava dificuldades? – Graham questionou abruptamente.

— Há muito descontentamento, descontentamento social.

— Com o Departamento do Trabalho?

— Vejo que você está compreendendo melhor nosso mundo – exclamou Ostrog com um quê de surpresa. — Sim. Esse descontentamento foi a principal motivação que resultou na queda do Conselho... isso somado ao seu despertar.

— Sim?

Ostrog sorriu. Foi mais direto.

— Tivemos de atiçar o descontentamento, revivendo velhos ideais universais de igualdade e felicidade de todos os homens, da possibilidade de repartir todos os luxos do mundo, ideias que estiveram adormecidas por dois séculos. Compreende isso? Foi preciso reviver esses ideais, por mais impossíveis que fossem, para sobrepujar o Conselho. E agora...

— Prossiga.

— Nossa revolução alcançou pleno sucesso, o Conselho foi derrubado. O povo, que foi incitado, continua a se amotinar. Os confrontos ainda mal começaram a surgir... Fizemos promessas, é claro. É extraordinária a forma violenta como esse humanitarismo vago e fora de moda foi revivido, como se espalhou facilmente. Nós, que plantamos essa semente, fomos surpreendidos. Em Paris, como eu disse, foi necessário solicitar pontualmente ajuda externa.

— E aqui?

— Há problemas. Está difícil convencer as multidões a voltar ao trabalho. Há uma greve geral. Metade das fábricas está vazia, massas humanas fervilham pelas ruas. Falam de uma comuna. Pessoas trajando seda e cetim ouvem insultos nas ruas. Os de uniforme azul esperam todo tipo de coisa de você... Mas, evidentemente, não há razões para preocupação. Estamos configurando as Máquinas de Palavrório para operar com contrassugestões que induzam à aceitação da lei e da ordem. Apenas é necessário manter o controle estrito. Apenas isso.

Graham ficou pensativo. Percebeu um modo de se afirmar dentro do cenário descrito. Mas falou cautelosamente.

— Chegou-se mesmo ao ponto de ser necessário chamar policiais negros – disse.

— Eles são úteis – respondeu Ostrog. — São excelentes e leais, brutos, com a cabeça livre de ideias perigosas, bem diferentes da nossa ralé. Se o Conselho os tivesse empregado como polícia das ruas, as coisas hoje poderiam ser bem diferentes. De fato, há pouco a temer, além de distúrbios e saques. Pode cuidar de seus voos agora, viajar para Capri caso as coisas fiquem realmente sérias. Estamos no comando das coisas que importam: os aeronautas são privilegiados e ricos, têm os mais exclusivos sindicatos do mundo, assim como os engenheiros dos cata-ventos. Somos os donos do ar, e quem domina o ar também domina a terra. Ninguém que tenha alguma habilidade ou formação está contra nós. Nossos inimigos não possuem líderes, apenas líderes de seção, ligados à sociedade secreta que organizamos antes de seu oportuno despertar. Meros idealistas e sentimentalistas, que se despeitam amargamente. Nenhum deles é homem bastante para exercer algum protagonismo. O único problema real estaria em um levante desorganizado. Para ser franco, é bem possível que isso ocorra. Mas algo assim jamais interromperia nossa aeronáutica. Os dias em que o povo conseguia fazer revoluções ficaram no passado.

— Suponho que sim – comentou Graham. — Suponho que tenham mesmo ficado no passado – meditou brevemente. — Esse novo mundo é cheio de surpresas para mim. Nos meus dias, sonhávamos com uma existência tranquila e democrática, com a possibilidade de igualdade e felicidade para todos.

Ostrog encarou-o com firmeza.

— A supremacia da democracia agora ficou no passado – disse. — Para sempre. Essa supremacia, que começou com os arqueiros de Crécy[1], terminou quando a infantaria, quando massas de homens comuns deixaram de ganhar as batalhas mundo afora, quando canhões sofisticados, encouraçados enormes e vias férreas estratégicas tornaram-se decisivos meios de poder. Hoje já vivemos a supremacia da riqueza. A riqueza é, nos dias de hoje, um poder como nunca se viu no passado. Com ela é possível comandar a terra, o mar e o céu. Todo o poder pertence aos que manipulam riquezas. Tudo em seu nome, meu amo... Você deve aceitar os fatos, que são os que enumerei. O mundo pertence à Multidão? Poder para a Multidão? Mesmo na sua época, esse credo já havia sido julgado e condenado. Hoje ela tem um único crente, multifacetado mas estúpido: o homem na Multidão.

---

1   Alusão à batalha de Crécy (1346), ocorrida durante a Guerra dos Cem Anos (1337–-1453), na qual os arqueiros ingleses derrotaram a cavalaria francesa.

Graham não respondeu de imediato. Permaneceu mergulhado em preocupações sombrias.

— Não – prosseguiu Ostrog. — Os dias do homem comum acabaram faz muito tempo. No interior, fora da cidade, um indivíduo é igual ao outro, de certa forma. A antiga aristocracia detinha uma força e uma audácia muito precárias. Era muito, muito moderada. Houve insurreições, duelos e confrontos constantes. A primeira aristocracia real, a primeira aristocracia permanente, surgiu com os castelos e as armaduras, mas desapareceu diante do mosquete e do arco. Contudo, agora temos uma nova aristocracia. A verdadeira e única. Os dias da pólvora e da democracia foram apenas um redemoinho na ampla maré. O homem comum é hoje uma unidade desamparada. Na atualidade, temos uma máquina gigantesca e bem ajustada, a cidade, com uma organização cuja complexidade ultrapassa o entendimento do homem comum.

— Ainda assim – disse Graham –, existe resistência, algo que você precisa esmagar, algo que perturba e pressiona.

— Veremos – respondeu Ostrog com um sorriso forçado que tentava empurrar esses problemas para longe. — Não instiguei uma força que pudesse me destruir, confie em minhas palavras.

— É o que me pergunto – disse Graham.

Ostrog fitou-o.

— O mundo *deveria* seguir esse caminho? – questionou Graham, com suas emoções querendo manifestar-se. — Deveria realmente seguir esse caminho? Teriam todas as nossas esperanças sido vãs?

— O que quer dizer? – retrucou Ostrog. — Esperanças?

— Vim de um passado democrático e chegando aqui encontro uma tirania aristocrática!

— Bem, mas você é o tirano.

Graham sacudiu a cabeça.

— Bem – prosseguiu Ostrog –, tome a questão geral. As mudanças sempre ocorreram dessa maneira. Aristocracia, o predomínio do melhor, com o sofrimento e a extinção do menos apto, a melhoria geral da sociedade.

— Mas aristocracia! Esse pessoal que encontrei por aqui...

— Ah! Não *esse*! – respondeu Ostrog. — Na maior parte, esses indivíduos estão destinados ao matadouro. Vício e prazer! Eles não têm filhos. Esse tipo de gente vai se extinguir. Isso se o mundo se mantiver na direção correta, ou seja, se não houver possibilidade de retorno. A estrada fácil do excesso, que leva a uma conveniente eutanásia para esses hedonistas que abraçam a chama da aniquilação, é assim que se aprimora a raça!

— Extinção prazerosa – disse Graham. — Ainda assim... – pensou por um instante em algo. — Existe outro elemento: a Multidão, a grande massa de miseráveis. Eles também perecerão? Creio que não serão extintos. Na verdade, eles sofrem. E esse sofrimento é uma força que mesmo você...

Ostrog moveu-se impaciente. Quando falou, seu discurso era menos tranquilo e equilibrado que o usual.

— Não se preocupe com essas coisas – disse. — Tudo estará normalizado nos próximos dias. A multidão é uma besta de carga enorme e imbecil. E daí se eles não forem extintos? Se não forem extintos, poderão muito bem ser domados e dirigidos. Não tenho nenhuma compaixão por indivíduos servis. Você ouviu esse povo todo gritando e cantando duas noites atrás. Eles foram *treinados* para cantar. Se você pegasse qualquer sujeito repentinamente e perguntasse por que ele gritava e cantava, provavelmente não saberia responder. Pensam que estão gritando seu nome, em sua homenagem, que são leais e devotados a você. Antes, estavam prontos para massacrar o Conselho. Agora já estão murmurando contra aqueles que destruíram o Conselho.

— Não é isso – disse Graham. — Eles gritavam porque levam uma vida terrível, sem prazeres ou motivo de orgulho, e porque a esperança que restou neles está depositada em mim... em mim.

— E que esperança era essa? O que constitui a esperança deles? Que direito têm de manter essa esperança? Eles trabalham mal e desejam a recompensa daqueles que trabalham bem. A esperança da humanidade, o que exatamente isso quer dizer? Que um dia o além-homem virá e eliminará ou subjugará o inferior, o fraco, o bestial. Subjugará, se não conseguir eliminar. O mundo não é lugar para o insignificante, o estúpido, o débil. A obrigação da ralé, uma obrigação nobre e necessária, é morrer. Morte ao que é inútil! Esse é o único caminho através do qual o animal pode sonhar em tornar-se humano, para que o homem possa se tornar algo maior.

Ostrog deu um passo. Parecia meditar. Voltou-se então para Graham.

— Posso imaginar como este enorme mundo estatal que construímos parece a um inglês da era vitoriana. Você desaprova todas as antigas formas de governo representativo, cujos espectros ainda rondam o mundo, com seus conselhos eleitos, parlamentos e todos esses disparates à moda do século XVIII. Também sente desconforto diante das nossas Cidades dos Prazeres. Eu poderia ter pensado nisso, caso não andasse tão atarefado. Mas você vai entender melhor. O povo está louco de inveja, seriam solidários com você quanto a isso. Nas ruas, ouve-se agora o clamor pela destruição das Cidades dos Prazeres. Mas as Cidades dos Prazeres constituem o órgão excretor do Estado; são locais atraentes que, ano após ano, conduzem tudo o que há de fraco e vicioso, tudo o que há de lascívia e indolência, toda a patifaria do mundo, para uma destruição discreta. As pessoas vão até lá, divertem-se, morrem sem ter gerado filhos, todas as belas e idiotas mulheres lascivas morrem sem filhos, e assim a humanidade se aprimora. Se o povo tivesse uma mente sadia, não invejaria o caminho dos ricos para a aniquilação, e você emanciparia esses trabalhadores descerebrados que escravizamos, tentando tornar a vida deles tranquila e agradável novamente, justamente quando já estariam estabelecidos fazendo aquilo que lhes convém – Ostrog sorriu, um sorriso que irritou Graham de um modo estranho. — Mas você entenderá melhor. Conheço todas essas ideias: em minha juventude, li o Shelley de seu tempo e acalentei sonhos de liberdade. Contudo, não existe liberdade, apenas conhecimento e autocontrole. A liberdade reside dentro do homem, não fora. É mérito exclusivo de cada indivíduo. Suponha, embora seja impossível, que esse enxame de imbecis que uivam e gritam e se vestem de azul conquiste sua soberania. O que aconteceria em seguida? Eles apenas cairiam nas mãos de outros mestres. Enquanto houver cordeiros, a natureza tratará de criar predadores. Isso representaria um atraso de apenas algumas centenas de anos. A vinda de uma aristocracia verdadeira é fatal, incontornável. O fim de tudo será o domínio do além-homem, apesar de todos os loucos protestos da humanidade. Deixe que eles se revoltem, vençam e matem a mim e a meu semelhante. Outros ascenderão, outros mestres. O fim será o mesmo.

— Ainda assim – disse Graham obstinadamente.

Por um momento, permaneceu cabisbaixo.

— Gostaria de ver as coisas por mim mesmo – disse finalmente, assumindo um repentino tom confiante de comando. — Apenas vendo poderei compreender. E eu devo compreender. É isso que eu gostaria de pedir a você, Ostrog. Não desejo ser um rei em uma das suas Cidades dos Prazeres, pois isso não me trará nenhum prazer. Passei bastante tempo estudando e aprendendo sobre aeronáutica e muitas outras coisas. Agora preciso aprender algo sobre como as pessoas vivem, como a vida comum se desenvolveu. Apenas depois disso poderei compreender com clareza o que me disse agora. Preciso entender como o povo vive (os trabalhadores mais especificadamente), como executa sua função, como se casa, cria seus filhos, morre...

— Pode obter tudo isso em nossos romances realistas – disse Ostrog subitamente preocupado.

— Quero a realidade – respondeu Graham.

— Há muitas dificuldades – disse Ostrog, e ficou a pensar. — No fim das contas...

— Não posso esperar...

— Pensando bem... Mas quem sabe... Você diz que deseja ir para as ruas da cidade e ver as pessoas comuns, certo?

De repente, Ostrog parece ter chegado a algum tipo de conclusão.

— Vai precisar de um disfarce – disse. — A cidade sofre de intensa agitação e a descoberta de sua presença entre eles poderia provocar um terrível tumulto. Ainda assim, esse seu desejo de ir até lá, essa ideia que acalenta, apesar de tudo e de me parecer inútil, pode acontecer. Se seu interesse realmente for esse! De qualquer forma, claro, você é o Mestre. Pode ir imediatamente, se assim preferir. Asano arranjará um disfarce. Ele irá com você. Ao fim e ao cabo, não é má ideia.

— Não será necessário me consultar enquanto eu estiver fora? – perguntou Graham, repentinamente preocupado por um arrepio de suspeita.

— Ah, meu caro, não! Não! Creio que você poderá confiar a mim os negócios pelo tempo necessário – respondeu Ostrog, sorrindo. — Mesmo divergindo...

Graham olhou para ele bruscamente.

— Não há nenhum confronto previsto para ocorrer em breve? – perguntou de forma abrupta.

— Certamente não.

— Andei pensando sobre esses negros. Não creio que o povo tenha a intenção de me hostillizar porque, afinal de contas, sou o Mestre. Não quero negros aqui em Londres. Pode ser um preconceito arcaico, talvez, mas tenho ideias peculiares a respeito das relações entre os europeus e as antigas raças submetidas. Mesmo em Paris...

Ostrog observava-o com a fronte abatida que lhe era característica.

— Não estou trazendo negros para Londres – disse lentamente. — Mas se...

— Você não trará negros armados para Londres, não importa o que aconteça – disse Graham. — Sobre esse assunto, estou muito decidido.

Ostrog fez uma respeitosa vênia.

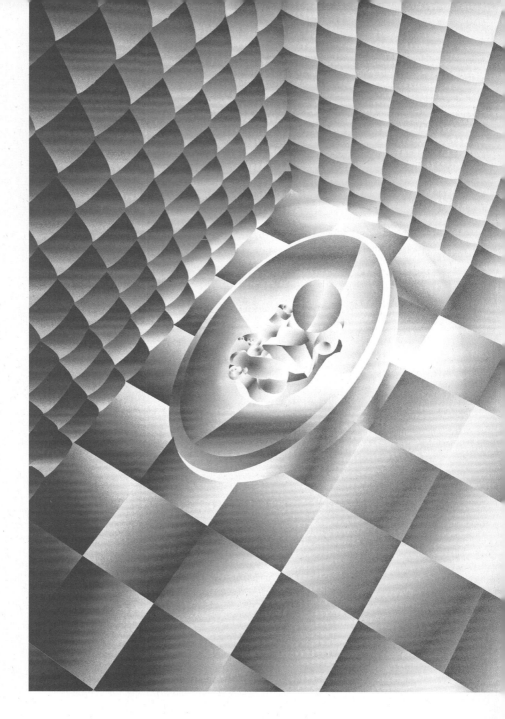

O DORMINHOCO

XX.
PELAS RUAS
DA CIDADE

E naquela noite, ignorado e oculto, Graham, vestindo o traje de um oficial subordinado dos cata-ventos que estava de folga e acompanhado por Asano, que usava a roupa usual do Departamento do Trabalho, começou a explorar a cidade na qual vagou quando coberta pelo véu da escuridão. Agora, contudo, estava fulgurante e vigorosa, um redemoinho de vida. Apesar da ação tempestuosa e destrutiva das forças revolucionárias, apesar do descontentamento incomum, os murmúrios a respeito da grande luta – cuja primeira revolta não passara de prelúdio –, as miríades de correntes de comércio fluiam, amplas e fortes. Agora Graham já conhecia algo das dimensões e da qualidade de vida da nova era, mas ele não estava preparado para as infinitas surpresas de uma inspeção detalhada, para a torrente de cor e de impressões vívidas que explodiam diante dele.

Tratava-se de seu primeiro contato real com o povo daqueles dias do futuro. Nesse momento, Graham percebeu que todo o seu convívio anterior, com exceção de alguns rápidos vislumbres dos teatros públicos e dos mercados, era de uma natureza segregada, envolvendo uma circulação dentro de um quadro político mais ou menos estrito, e que todas as suas experiências prévias diziam respeito à posição que ele passara a ocupar nessa nova sociedade. Mas agora estava diante da cidade em sua febril atividade noturna, vendo as pessoas que voltavam a seus interesses imediatos, a retomada de uma informalidade real, os hábitos comuns do homem desse novo tempo.

Graham e Asano apareceram primeiro em uma rua que estava repleta de pessoas vestidas de azul, vindas do sentido oposto. Esse enxame, como Graham pôde ver, fazia parte de uma espécie de procissão – era estranho assistir a um cortejo que passava *sentado* pela cidade. Carregavam cartazes pretos, feitos de material grosseiro, com letras vermelhas, contendo conclamações como "Não ao desarmamento", escritas em letras borradas com variações de ortografia, além de outras frases de igual teor: "Por que devemos nos desarmar?", "Não ao desarmamento". Os cartazes sucediam-se, passando em fluxo à frente deles, quando se ouviu o hino da revolução e uma banda ruidosa composta de estranhos instrumentos.

— Eles deveriam estar trabalhando – disse Asano. — Não recebem comida há dois dias, ou então roubaram alguma.

Logo Asano fez um desvio para evitar a multidão congestionada que se abria à passagem ocasional de corpos vindos do hospital para o necrotério – as sobras da ceifa da morte durante a primeira revolta.

Naquela noite, parecia que poucos dormiam, todos estavam fora de casa. Era uma gigantesca excitação, multidões infinitas que perpetuamente se deslocavam, cercando Graham, cuja mente estava confusa e obscurecida pelo tumulto incessante, pelos gritos fragmentados e enigmáticos da luta social que mal se iniciara. Por todos os lados, festões e cartazes negros – que constituíam estranha decoração – intensificavam a impressão de sua popularidade. Por todos os lados, também era possível captar fragmentos do dialeto rude e grosseiro empregado pela classe iletrada – ou seja, a comunicação cheia de lugares-comuns da classe que não tem acesso à instrução fonográfica. Por todos os lados, a questão do desarmamento vinha à tona, com uma ênfase imediata de que Graham não teve noção em sua reclusão na vizinhança dos cata-ventos. Concluiu que, tão logo retornasse, esse seria o primeiro assunto a discutir com Ostrog, além de outras questões sérias dele decorrentes, e que o discutiria de maneira mais resoluta. Durante toda aquela noite, mesmo nas primeiras horas da perambulação pela cidade, o espírito de insatisfação e revolta inundava sua percepção, não raro obliterando incontáveis visões estranhas que de outro modo teria observado.

Essa preocupação fragmentou as impressões de Graham. Embora estivesse em meio ao que, em geral, lhe parecia estranho e vívido, nenhum elemento, por pessoal ou insistente que fosse, conseguia exercer um domínio imediato sobre ele. Havia ocasiões em que o movimento revolucionário desaparecia de sua mente, puxado para o lado como uma cortina para que algum aspecto único e impressionante pudesse ser visto. Helen seduzira sua mente com essa tendência ao fervor intenso na observação do mundo, mas mesmo ela, em algumas situações, recuava da consciência de Graham. Em dado momento, por exemplo, percebeu que ele e Asano atravessavam o bairro religioso – com a movimentação pela cidade facilitada pelas vias móveis, igrejas e capelas esporádicas em um local ou outro tornaram-se desnecessárias – e sua atenção foi arrebatada pela fachada do templo de uma das seitas cristãs.

Deslocavam-se sentados em uma das vias superiores mais velozes, de modo que esse templo que surgiu diante deles ficou rapidamente para trás. Era coberto com inscrições, do topo até a base, em azul e branco berrantes, salvo onde uma transparência cinematográfica tosca e brilhante apresentava, de forma realista, uma cena do Novo Testamento e onde um enorme festão negro pendurado entre as inscrições demonstrava que a religião seguia a política popular. Graham já estava familiarizado com a escrita fonética empregada, e as inscrições – na maior parte blasfêmias espantosas, a seu ver – prenderam sua atenção. Entre as frases menos ofensivas estavam: "Salvação no primeiro andar virando à direita", "Aposte seu dinheiro no Criador", "A melhor conversão de Londres, operadores gabaritados! Converta-se já!", "O que Cristo diria ao Dorminhoco: junte-se aos santos atualizados!", "Torne-se um cristão – sem impedimento à sua ocupação atual", "Os bispos mais espertos esta noite ao preço habitual", "Bênçãos expressas para homens de negócio atarefados".

— Mas isso é terrível! – disse Graham diante daquele ensurdecedor grito de piedade mercantil que se amontoava à frente deles.

— O que é terrível? – perguntou seu pequeno oficial, buscando, sem encontrar, algo de pouco usual na parede de inscrições pintadas.

— *Isso*! Com certeza, a essência da religião é a veneração.

— Ah, *isso*! – Asano olhou para Graham. — Isso chocou o senhor? – perguntou no tom espantado de alguém que faz uma descoberta. — Suponho que sim, sem dúvida. Eu me esqueci disso. Nos dias de hoje, a competição por atenção é feroz, e além do mais as pessoas simplesmente não têm tempo livre para cuidar de sua alma, como antes era comum – Asano disse sorrindo. — No passado, havia esses tranquilos sabás e o campo. Em algum lugar, li a respeito das tardes de domingo em que...

— Mas o que diabos é *aquilo*? – indagou Graham, olhando para o objeto azul e branco que se afastava. — Com certeza, não é apenas...

— Existem milhares de maneiras diferentes. Mas, claro, se uma seita não fizer seu *proselitismo*, não vai receber um tostão que seja. A crença religiosa mudou com o tempo. Temos seitas para as classes mais altas, muito mais discretas: apenas incenso caríssimo e atenção individual, coisas desse tipo. Essas elites são extremamente populares e prósperas. Por esses prédios, pagam dúzias de leões ao Conselho, ou melhor, ao senhor.

Graham ainda sentia dificuldades com o sistema monetário, e a menção às dúzias de leões o fez tornar a considerar abruptamente o assunto. Em questão de instantes, perdeu o interesse nos templos que apregoavam aquela proliferação de aliciamentos. Uma formulação de frase sugeria (e uma resposta confirmava) que o ouro e a prata haviam sido desmonetizados, e que o ouro cunhado, cujo reinado começara entre os mercadores da Fenícia, havia sido, por fim, destronado. A alteração fora gradual, mas rápida, conduzida por uma ampliação do sistema de cheques que já existia desde o tempo em que Graham estava acordado e que começara a substituir o ouro nas transações comerciais maiores. A troca monetária comum da cidade, a moeda comum de todo o mundo, era feita mediante pequenos cheques marrons, verdes e rosa, emitidos pelo Conselho para quantias menores, impressos com o espaço destinado ao favorecido em branco. Asano levava vários consigo e, na primeira oportunidade, ele preencheu o espaço em branco em alguns deles. Eram feitos não de papel lacerável, mas de um material mole semitransparente entrelaçado com seda. Por todos os cheques alastravam-se réplicas da assinatura de Graham – era a primeira vez em 203 anos que encontrava as voltas e curvas daquele autógrafo familiar.

Algumas experiências intermediárias não conseguiram marcar suas impressões com intensidade suficiente para sobrepujar a questão do desarmamento, que voltava a dominar a sua mente; a imagem borrada de um templo teosofista que prometia milagres em enormes letras de um fulgor instável era talvez a menos ofuscada, mas logo em seguida surgiu em sua vista o refeitório na Northumberland Avenue. Isso sim despertou a atenção de Graham.

Pela energia e atitude de Asano, ele pôde ver o local a partir de uma pequena galeria oculta com mesas reservadas aos criados. O edifício todo era atravessado por sons distantes e abafados: murmúrios, silvos, gritos – inicialmente, não foi possível identificar de onde vinham, mas lembravam as vozes coriáceas que Graham ouvira após o retorno das luzes na noite de sua andança solitária.

Graham acostumara-se à vastidão e aos grandes conglomerados de gente, porém esse novo espetáculo ganhou a atenção dele por certo tempo. Foi observando o serviço de mesa – enquanto era ele próprio acometido por muitas perguntas e respostas a respeito de detalhes – que ele veio a compreender o real significado daquele banquete ofertado a milhares de pessoas.

Seguidas vezes surpreendia-lhe descobrir que a rápida identificação de algum elemento que se esperaria ocorrer de imediato nunca lhe acontecia até que algum detalhe trivial, subitamente assumindo a aparência de um enigma, assinalava a obviedade que ele ignorara. Percebia somente agora que essa continuidade da esfera urbana, essa exclusão do clima, esses vastos salões e vias, todos esses elementos implicavam o desaparecimento da casa de família como ele a entendia; que o típico "lar" vitoriano, aquela pequena cela de tijolos contendo copa e cozinha, salas de estar e de dormir, sumira assim como a cabana de palha – embora ainda surgissem no meio das ruínas, diversificando o campo. Agora, contudo, percebia aquilo que de fato ficara patente desde o início: que Londres, entendida como um local de moradia, não era mais um conjunto de casas, mas um prodigioso hotel, com inúmeras e diferentes classes de acomodações, milhares de salões de jantar, capelas, teatros, mercados e locais de reunião, uma síntese de empreendimentos pertencentes a um único dono: ele mesmo. As pessoas dispunham de quartos de dormir dotados do que pareciam ser antessalas e cômodos sempre higienizados (ao menos dentro de seus padrões de conforto e privacidade), e de resto viviam da mesma maneira como muitos haviam vivido nos gigantescos hóteis recém-construídos na era vitoriana: comendo, lendo, pensando, jogando, conversando, tudo em locais públicos, deslocando-se para o trabalho nos bairros industriais e fazendo negócios nos escritórios do setor comercial.

De imediato, Graham percebeu como era inevitável que essa nova situação tivesse se desenvolvido a partir da cidade vitoriana. A principal razão que fundamentava a cidade moderna era a economia da cooperação. Mesmo em sua época, o que mais impedia a fusão dos lares separados era, basicamente, a civilidade ainda imperfeita dos povos, seu forte orgulho bárbaro, suas paixões e seus preconceitos, os despeitos, as disputas e a violência das classes média e baixa, que exigiam a completa separação de lares contíguos. Mas a mudança, o amansamento do povo, mesmo então já observava um rápido progresso. Nos breves trinta anos de sua vida pregressa, Graham testemunhara o arraigado hábito de consumir refeições em casa ou nas compartimentadas e pouco afreguesadas cafeterias ceder espaço, por exemplo, à escancarada e sempre frequentada Aërated Bread Shop, assim como o surgimento de clubes de mulheres e o grande desenvolvimento de salas de leitura, salões e bibliotecas, o que demonstrava o crescimento da confiança social. Essas promessas haviam atingido, no tempo presente, seu completo desenvolvimento. A velha casa familiar, trancada e murada, tornara-se coisa do passado.

Graham tomou conhecimento de que as pessoas que via passando abaixo dele no refeitório pertenciam à classe média baixa, a classe social que estava um pouco acima dos trabalhadores de azul, tão acostumada – no período vitoriano – a alimentar-se com toda precaução de privacidade que seus membros, quando necessitavam fazer uma refeição em público, escondiam o próprio constrangimento com brincadeiras rudes ou um comportamento abertamente agressivo. Contudo, a gente jovial e levemente vestida que circulava pelas vias, embora dispersa, apressada e pouco comunicativa, tinha uma conduta elaborada e certamente bastante tranquila no que dizia respeito ao próximo.

Notou algo ligeiramente significativo: a mesa, até onde ele a conseguia enxergar, permanecia deliciosamente arrumada e em nada se equiparava à confusão, às migalhas e aos restos espalhados, às manchas de temperos e condimentos, aos copos de bebida virados, aos enfeites jogados pelos cantos que marcavam o progresso tumultuado de uma refeição vitoriana. O aparelho de mesa também era bem diferente. Não havia ornamentos, flores, nem toalha, e a mesa, conforme veio a saber, era feita de um material sólido que possuía a aparência e a textura do adamascado. Discerniu que essa substância era confeccionada com graciosos reclames.

Em uma espécie de recuo na frente de cada conviva, havia um aparato complexo de porcelana e metal. O comensal dispunha de um prato de porcelana branca e, por meio de torneiras para fluidos voláteis frios ou quentes, lavava ele mesmo a louça entre as refeições; conforme a ocasião exigisse, lavava também a colher, a faca e o garfo, de um elegante metal branco.

Sopa e vinho químico, as bebidas mais comuns do lugar, eram servidos em torneiras similares, e os demais acompanhamentos circulavam pela mesa automaticamente em pratos arranjados com bom gosto por um sistema de trilhos prateados. O sistema permitia interromper o deslocamento de determinado prato e se servir conforme a vontade do indivíduo. Eles surgiam por uma pequena abertura em uma extremidade da mesa e desapareciam na outra. Aquele decadente sentimento democrático, aquele abominável orgulho de almas servis em esperar relutante a sua vez era, conforme Graham percebeu, bastante forte nessas pessoas. Encontrava-se tão absorvido por esses detalhes que foi apenas quando estava para deixar o local que sua percepção registrou os enormes anúncios em forma de dioramas que marchavam majestosamente ao longo das paredes superiores e proclamavam os mais notáveis produtos.

Longe dali, os comensais entravam em um salão lotado, e ali Graham descobriu a causa do ruído que o deixara perplexo: paravam diante de uma espécie de catraca, onde faziam o pagamento.

A atenção de Graham foi imediatamente atraída por uma violenta algazarra, seguida do predomínio de uma voz coriácea.

— O Mestre está dormindo tranquilo – vociferava. — Está com excelente saúde. Vai dedicar o resto de sua vida à aeronáutica. Disse que as mulheres de hoje são as mais formosas que já viu. Glupe-glupe! Uau! Nossa bela civilização o espantou além da conta. Além da conta. Glupe-glupe! Ele depositou grande confiança no líder Ostrog, a sua absoluta confiança no líder Ostrog. Ostrog será seu primeiro-ministro e está autorizado a remover ou reabilitar oficiais públicos, logo ele será o patrão completo. O líder Ostrog deve ser o patrão completo! Os conselheiros foram enviados para a prisão que eles mesmos construíram acima da Casa do Conselho.

Graham estacou logo na primeira frase e, olhando para cima, encontrou o rosto de voz vociferante: um rosto tolo em forma de trombeta de onde partiam todos esses disparates. Tratava-se de uma Máquina de Inteligência Pública. A geringonça pareceu recuperar o fôlego, e ouvia-se nitidamente uma pulsação regular que partia de seu corpo cilíndrico. Logo trombeteou "Glupe-glupe! Glupe-glupe!", de novo e recomeçou.

— Paris foi pacificada. A resistência acabou. Glupe-glupe! A polícia negra capturou todas as posições importantes da cidade. Lutou com imensa bravura, cantando canções escritas pelo poeta Kipling para honrar seus antepassados. Vez por outra, perderam o controle e acabaram torturando e mutilando insurgentes feridos e capturados, homens e mulheres. Moral da história: não se rebelem. Haha! Glupe-glupe! Glupe-glupe! São sujeitos vigorosos e corajosos. Que essa seja uma lição para os selvagens arruaceiros desta cidade. Ha! Selvagens! Imundície da Terra! Glupe-glupe! Glupe-glupe!

A voz cessou. Houve murmúrios confusos de desaprovação na massa de pessoas ao redor.

— Malditos crioulos – um homem iniciou uma arenga não muito distante de Graham e Asano. — Isso é obra do Mestre, irmãos? É obra do Mestre?

— Polícia negra! – exclamou Graham. — O quê? Você não está dizendo que...

Asano tocou o braço de Graham, lançando logo na sequência um significativo olhar de advertência. Em seguida, outro mecanismo parecido soltou um grito ensurdecedor e iniciou um discurso com voz estridente.

— Hahaha, haha, iá! Ouçam só o ganido do jornal ao vivo! Jornal ao vivo. Haha! Situação ultrajante em Paris. Hahaha! Os parisienses estão exasperados com a polícia negra, beirando o assassinato. Represálias terríveis. Os tempos selvagens voltaram. Sangue! Sangue! Haha!

A Máquina de Palavrório mais próxima berrou ferozmente: "Glupe-glupe! Glupe-glupe!", cortando o final desta última exclamação, e começou então a espargir comentários novos a respeito dos horrores da desordem, num tom mais ameno. "A lei e a ordem precisam ser mantidas", disse a Máquina de Palavrório mais próxima.

— Mas... – começou Graham.

— Não faça perguntas aqui – cortou Asano. — Ou poderemos nos envolver em uma discussão.

— Então vamos em frente – disse Graham –, pois preciso saber mais sobre isso.

Conforme ele e seu acompanhante abriam caminho através da multidão exaltada em meio a essas vozes mecânicas, em direção à saída, foi possível perceber com mais clareza as dimensões e as características do salão. No conjunto, entre pequenos e grandes, deveria haver em torno de mil dessas máquinas, que apitavam, trombeteavam, berravam e tagarelavam naquele imenso espaço, cada uma das quais cercada por uma pequena multidão de ouvintes entusiasmados, a maioria deles homens trajando azul. Havia máquinas de todos os tamanhos, de pequenos aparatos fofoqueiros que se deliciavam com sarcasmo mecânico nos cantos mais afastados até alguns monstros de 50 pés de altura, como aquele cujas mensagens Graham ouvira primeiro.

Todo o local estava excepcionalmente lotado devido ao interesse no desenrolar da situação de Paris. Era evidente que a luta fora muito mais violenta que o evocado por Ostrog. Todos os mecanismos do local discursavam a respeito dessas convulsões parisienses. Frases repetidas em meio ao burburinho indistinguível destacavam-se, como "policiais linchados", "mulheres queimadas vivas", "negros cabeludos". "O Mestre permite esse tipo de coisa?", perguntou um homem próximo de Graham. "É *assim* que começa o governo do Mestre?"

Seria *assim* o começo do governo do Mestre? Por um bom tempo, mesmo depois de deixar o salão, o trombetear, o apitar e o zurrar das máquinas ainda perseguiam Graham: "Glupe-glupe! Glupe-glupe!", "Hahaha, haha, iá!". Seria *assim* o começo do governo do Mestre?

No instante em que ganharam as ruas novamente, Graham começou a questionar Asano a respeito da natureza do conflito parisiense.

— Esse desarmamento! Qual é o problema com ele? O que tudo isso significa?

Asano parecia ansioso, essencialmente, em assegurar ao Mestre que estava "tudo nos conformes".

— Mas e todas essas situações ultrajantes?

— Você não consegue fazer uma omelete – disse Asano – sem quebrar alguns ovos. Trata-se apenas de gente muito violenta e desordeira. E em apenas uma parte da cidade. Todas as outras estão em ordem. A massa trabalhadora de Paris é a mais frenética do mundo depois de nós.

— O quê! Depois dos londrinos?

— Não, dos japoneses. Para mantê-los sob controle, era preciso força.

— Queimando mulheres vivas?

— Trata-se de uma comuna! – respondeu Asano. — Desejam roubar sua propriedade. Querem destruir a propriedade privada e deixar o mundo sob o domínio da horda. Você é o Mestre, o mundo é seu. Mas não haverá comuna por aqui. Nem a necessidade da polícia negra.

— Além disso, houve muita consideração com os revoltosos. Eles têm seus próprios negros, negros que falam francês. Regimentos do Senegal, de Níger e de Tombuctu.

— Regimentos? – questionou Graham. — Pensei que houvesse apenas um...

— Não – respondeu Asano, observando seu interlocutor. — Há mais de um.

Graham sentiu-se desagradavelmente desamparado.

— Não pensei que... – começou, mas interrompeu o fluxo de palavras abruptamente. Buscava alguma forma de abordar questões a respeito dessas Máquinas de Palavrório. Em sua maioria, a multidão presente vestia trajes velhos, gastos, mesmo farrapos, e Graham veio a saber que, no caso das classes mais prósperas, as Máquinas de Palavrório ficavam dentro de seus confortáveis apartamentos, sendo acionadas com uma alavanca. O inquilino poderia se conectar, por meio de cabos, com sua agência de notícias preferida. Ao descobrir isso, Graham exigiu explicações a respeito da ausência desse aparato na própria suíte. Asano estava constrangido.

— Não sei o motivo – disse. — Ostrog deve tê-lo removido.

Graham estava estupefato.

— E como é que eu ficaria sabendo? – exclamou.

— Talvez Ostrog tenha imaginado que essas informações aborreceriam o senhor – respondeu Asano.

— A máquina publicitária deve voltar aos meus aposentos assim que regressarmos – disse Graham após uma breve pausa.

Era-lhe difícil compreender que esses noticiários de rua e o refeitório não constituíam o centro da vida urbana, mas apenas um entre incontáveis outros que se espalhavam por toda a cidade. Muitas e muitas vezes durante a expedição noturna, os ouvidos de Graham captaram, em meio ao tumulto das ruas, o característico trombetear do jornal do líder Ostrog, "Glupe-glupe! Glupe-glupe!", ou o estridente

"Hahaha, haha, haha! Ouçam só o ganido do jornal ao vivo!" do seu principal rival.

De tempos em tempos, também surgiam regularmente creches como aquela na qual ele agora adentrava. Chegaram ao local por meio de um elevador e de uma ponte de vidro que parecia flutuar acima do refeitório, atravessando os caminhos em um ângulo levemente inclinado. A autorização de entrada na primeira seção do local exigiu o uso de sua influente assinatura, seguindo a orientação de Asano. Foram imediatamente atendidos por um homem trajando um manto violeta e um distintivo de ouro com a insígnia dos atuais praticantes da medicina. Graham percebeu, pelo comportamento do homem, que ele conhecia sua identidade e, sem nenhuma reserva, deu início a uma bateria de perguntas sobre os estranhos arranjos daquele lugar.

De cada lado da passagem, que não produzia ruído e era almofadada para amortecer o impacto das passadas, surgiam pequenas portas cujos tamanho e disposição lembravam as celas de uma prisão vitoriana. Mas a parte superior de cada porta era do mesmo material transparente de tonalidade verde que cercava Graham quando de seu despertar. Dentro desses recintos, bem pouco visíveis e acondicionados em diversos receptáculos, semelhantes a ninhos acolchoados, estavam bebês recém-nascidos. Um elaborado aparato servia de vigia do recinto, pronto para soar uma campainha no escritório central à menor mudança de temperatura ou umidade. Esse sistema de creches substituíra quase inteiramente as arriscadas formas de cuidados do mundo antigo. O funcionário chamou então atenção de Graham para as amas de leite: viu um panorama de figuras mecânicas cujos braços, ombros e seios possuíam modelagem, articulação e textura surpreendentemente realistas. Elas eram sustentadas por tripés de metal e os rostos foram substituídos por um disco plano que apresentava anúncios que pudessem ser do interesse das mães.

De todas as coisas esquisitas que Graham conheceu durante aquela noite, nenhuma entrou em choque mais direto com seus velhos hábitos do que esse lugar. O espetáculo das pequenas criaturas rosadas, com seus bracinhos e perninhas balançando incertos em seus primeiros movimentos, ali abandonadas sem afeto ou carinho, era-lhe totalmente repugnante. O médico, exercendo o papel de guia, tinha uma opinião bem diferente. As evidências estatísticas mostravam indiscutivelmente que nos tempos vitorianos a mais perigosa fase da vida era a que se vivia nos braços da mãe, onde justamente a mortalidade humana fora mais terrível. Por outro lado, a empresa administradora das creches, a Corporação Internacional de Creches, orgulhava-se de não ter perdido nem sequer meio por cento dos milhões de bebês que estavam ou estiveram sob seus cuidados. Mas os preconceitos de Graham eram sólidos demais para serem vencidos por esses números.

Através de uma das muitas passagens que havia no local, surgiu um jovem casal com a usual vestimenta azul. Espiavam através da transparência e gargalhavam histericamente diante da visão da carequinha de seu primogênito. O rosto de Graham devia estar estampando o que sentia pela condição deles, pois a alegria do casal foi logo substituída por constrangimento. Mas esse pequeno incidente acentuou a percepção repentina do abismo que havia entre seus hábitos e formas de pensar e os métodos aplicados nessa nova era. Percorreu os berçários e jardins de infância perplexo e perturbado. Descobriu que não havia ninguém nos infinitos salões de jogos e brinquedos! As crianças do futuro ao menos ainda passavam as noites dormindo. Nesses salões, Asano fez questão de comentar a natureza dos brinquedos, desenvolvidos com base em conceitos daquele inspirado sentimentalista chamado Froebel[1]. Existiam algumas enfermeiras, mas o trabalho era feito em grande parte por máquinas que cantavam, dançavam, embalavam.

Muitos pontos permaneciam obscuros para Graham.

— Mas há tantos órfãos... – disse perplexo, caindo na falácia inicial e ouvindo, novamente, explicações sobre o fato de as crianças não serem órfãs.

Assim que deixaram a creche, começou a falar do horror indescritível causado pela visão daqueles bebês acondicionados em incubadoras.

— O laço de maternidade deixou de existir? – perguntou. — Será que nunca passou de hipocrisia? Com certeza, devia ser um instinto. Esse estabelecimento parece completamente antinatural, quase abominável.

— Mais adiante chegaremos ao salão de dança – disse Asano em um tipo de resposta conciliatória. — Provavelmente deve estar lotado. Apesar

---

1   Friedrich Froebel (1782–1852), reformador educacional alemão e criador do conceito de "jardim da infância" para a educação de crianças.

de toda a agitação política, estará lotado. As mulheres não se importam muito com política; há poucas exceções, aqui e ali. Talvez encontremos as mães das crianças das creches. A maioria das jovens mulheres londrinas é mãe. Em certas classes sociais, o fato de ter um único filho é louvado, uma prova de alegria. Poucas pessoas da classe média têm mais de um. Mas com o pessoal que está sob o controle do Departamento do Trabalho é diferente. Neles ainda sobrevive a maternidade! Ainda sentem um orgulho enorme dos filhos. Frequentam com regularidade creches iguais a esta aqui, para visitá-los.

— Você quer dizer que a população do mundo...?

— Está diminuindo? Sim. Exceto entre as pessoas que estão sob o controle do Departamento do Trabalho. A despeito de nossa disciplina científica, eles são imprudentes...

Sem aviso, o ar parecia estar dançando ao som de uma música, pois, conforme desciam obliquamente pelo caminho para ultrapassar um conjunto de belos pilares que pareciam feitos de ametista, surgiu um enorme fluxo de pessoas felizes acompanhado do tumulto de risos e gritos animados. Ele viu cabelos encaracolados, frontes ornadas e uma alegre e intrincada onda de tecidos amarelos cruzarem a cena.

— Você verá – disse Asano com um suave sorriso. — O mundo está mudado. Dentro de um instante, você verá as mães da nova era. Venha por aqui. Nós poderemos vê-las muito em breve.

Subiram até certa altura em um elevador veloz, depois trocaram de transporte e entraram em outro, mais lento. Conforme prosseguiam, o volume da música aumentava, até chegar mais perto numa completude esplêndida, e movendo-se em meio aos gloriosos e intrincados detalhes da música foi possível distinguir a batida de inúmeros pés dançantes. Fizeram o pagamento requerido na catraca de entrada e depois emergiram na galeria que dava ampla vista para o salão de dança, com todo o encantamento provocado pela música e pela iluminação.

— Aqui – disse Asano – estão os pais e mães dos pequenos que você acabou de ver.

O salão não era tão ricamente decorado quando o de Atlas, mas, apesar disso, era, com toda a sua magnitude, o mais esplêndido que Graham já vira. As belíssimas figuras de braços e pernas brancos que sustentavam as galerias lembraram-lhe mais uma a restabelecida magnificência da estatuária; pareciam contorcer-se em atividades de interação, seus rostos gargalhavam. A fonte da música que preenchia o salão estava oculta e todo o vasto e brilhante salão era ocupado por casais que dançavam.

— Olhe para eles – disse o pequeno oficial –, veja com que ímpeto demonstram o valor da maternidade.

A galeria em que estavam prolongava-se pela parte superior de uma enorme tela que parecia dividir um dos lados do salão de dança com uma espécie de salão externo, cuja vista, que atravessava amplos arcos, entremostrava o incessante fluxo pelas vias da cidade. Nesse salão externo, havia uma enorme multidão vestida de forma menos vistosa, quase tão numerosa quanto a que estava no interno, a grande maioria dela trajando o uniforme azul do Departamento do Trabalho, agora extremamente familiar a Graham. Pobres demais para pagar a taxa que permitiria passar pelas catracas e entrar no espaço do festival, eram, contudo, incapazes de resistir à sedução musical que emanava dali. Alguns deles conseguiram abrir espaço e dançavam, rodopiando seus andrajos pelo ar. Outros gritavam ao executar seus passos, em meio a gestos e alusões incompreensíveis para Graham. Em dado momento, alguém começou a assobiar o refrão da canção revolucionária, mas essa tentativa foi logo reprimida. Os cantos mais distantes do recinto eram impenetráveis e escuros aos olhos de Graham, que se voltou mais uma vez para o salão principal. Acima das cariátides estavam bustos de mármore de homens estimados nesta era como grandes emancipadores morais e pioneiros; a maior parte dos nomes desses homenageados era estranha a Graham, embora ele tenha reconhecido Grant Allen, Le Gallienne, Nietzsche, Shelley e Goodwin. Grandes festões negros e palavras eloquentes reforçavam uma inscrição gigantesca, que desfigurava parcialmente a metade superior do salão de dança e dizia que "O Festival do Despertar" estava a pleno vapor.

— Miríades estão aproveitando o feriado ou tirando uma folga, além daqueles que se recusam a voltar para o trabalho – disse Asano. — Essas pessoas estão sempre prontas para um feriado.

Graham caminhou até o parapeito e inclinou-se sobre ele, observando os dançarinos. À exceção de dois ou três casais que dialogavam em voz baixa a certa distância, ele e seu guia tinham a galeria toda disponível. Um cálido alento de vitalidade perfumada alcançou-o. Os homens e as mulheres que dançavam trajavam roupas leves: com a tépida temperatura universal da cidade, tinham os braços nus e o pescoço livre. O cabelo dos homens era uma massa de cachos afeminados, a barba sempre bem aparada, vários tinham as bochechas coradas e pintadas. Muitas das mulheres eram notavelmente belas, todas vestidas com elaborada faceirice. Conforme evoluíam em suas danças, foi possível ver rostos extáticos com olhos entreabertos dominados pelo prazer.

— Quem são essas pessoas? – questionou Graham abruptamente.

— Trabalhadores, os que prosperaram. Creio que você os denominaria classe média. Os pequenos comerciantes que tinham um negócio próprio desapareceram há tempos. Mas há agora atendentes de lojas, gerentes, engenheiros de todos os tipos. Esta noite temos um feriado, claro, e todos os salões de dança e locais de culto estarão lotados.

— Mas e as mulheres?

— O mesmo caso. Existem inúmeras possibilidades de trabalho para as mulheres hoje em dia. Se bem que os primórdios do trabalho independente das mulheres começaram ainda na sua época. A maior parte delas hoje não possui amarras. A maioria é mais ou menos casada, há vários métodos de matrimônio hoje em dia, e isso possibilita que elas tenham mais dinheiro e que possam se divertir.

— Compreendo – disse Graham, contemplando os rostos avermelhados, a rapidez e a precisão dos movimentos, embora ainda pensasse naquele pesadelo de bracinhos e perninhas rosados indefesos do qual acabara de sair.

— E estas são... as mães?

— A maioria delas, sim.

— Quanto mais eu vejo do seu mundo, mais seus problemas me parecem complicados. Isso tudo, por exemplo, é uma surpresa. As notícias de Paris também foram surpreendentes.

Após curta pausa, prosseguiu:

— Elas são mães. Em breve, creio, vou incorporar o modo moderno de ver as coisas. Isso porque ainda tenho velhos hábitos pesando em mim, hábitos baseados, talvez, em necessidades que se tornaram absurdas e obsoletas. Sem dúvida, em minha época, uma mulher não apenas dava à luz, mas cuidava de seus filhos, devotava-se a eles, educava-os: toda a educação essencial, em termos morais e intelectuais, uma criança devia à sua mãe. Ou então cresciam sem educação. Muitas crianças, infelizmente, acabavam sem essa base. Atualmente, não há necessidade de nada disso, como se as crianças fossem borboletas. Isto eu entendi!

Mas antes havia um ideal. Aquela figura da mulher séria, paciente, a soberana silenciosa do lar, mãe e esteio do homem... Amar essa mulher era uma espécie de idolatria... – interrompeu seu discurso e repetiu: — Uma espécie de idolatria.

— Os ideais mudam – respondeu o homenzinho – conforme a necessidade.

Graham despertou de breve devaneio com Asano repetindo a resposta. Sua mente retornou aos fatos que tinha diante de si.

— É claro que percebo como tudo isso é razoável. Moderação, sensatez, pensamento amadurecido, ações altruístas, tudo isso era necessidade de um estado de coisas bárbaro, de uma vida de perigos. A inflexibilidade é o tributo do homem para a natureza não conquistada. Mas o homem conquistou a natureza agora, em toda a dimensão prática disponível – as questões políticas são dirigidas por líderes que utilizam polícia negra –, e a vida é maravilhosa.

Olhou para os dançarinos novamente. — Maravilhosa – disse.

— Há momentos exaustivos – afirmou pensativo o pequeno oficial.

— Todos parecem jovens. Lá embaixo, creio que eu seria considerado um velho. E em minha própria época eu passaria por alguém de meia-idade.

— Eles são jovens. Há poucos idosos dessa classe social nas cidades operárias.

— Como assim?

— A vida dos idosos não é mais agradável como costumava ser, a menos que o idoso seja rico o suficiente para contratar amantes e auxiliares. E agora temos uma instituição chamada eutanásia.

— Ah, a eutanásia! – disse Graham. — A boa morte?

— Sim, a boa morte. É o último dos prazeres. A Companhia da Eutanásia cumpre muito bem esse serviço. O cliente paga uma dada soma (é um negócio caro) com larga antecedência, depois se dirige até uma Cidade dos Prazeres. Ao voltar, vê-se sem um tostão no bolso e extremamente fatigado.

— Ainda existem muitas coisas que desejo compreender – disse Graham depois de uma pausa. — Mesmo assim, percebo a lógica disso tudo. O arranjo que havia em minha época, de virtudes ferozes e restrições amargas, era consequência do perigo e da insegurança. O estoico, o puritano, mesmo na era vitoriana, eram tipos em extinção. Nos velhos tempos, os homens estavam armados contra a dor; hoje estão ávidos por prazeres. É nesse ponto que está a diferença. A civilização afastou para muito longe a dor e o perigo... ainda que apenas para os bem de vida. E agora só os bem de vida recebem atenção. Estive dormindo por duzentos anos.

Por um minuto, permaneceram debruçados sobre a balaustrada, seguindo a intrincada evolução da dança. De fato, era uma cena muito bela.

— Diante de Deus – disse Graham de súbito –, declaro que prefiro ser um soldado de guarda, ferido e congelando na neve, a qualquer desses tolos pintados!

— Na neve, de fato – replicou Asano –, o pensamento provavelmente seria outro.

— Sou incivilizado – disse Graham, ignorando a resposta. — Esse é o problema. Sou primitivo, paleolítico. A fonte de violência, medo e raiva *deles* está fechada e selada, os hábitos de toda uma vida fazem deles esses seres animados, alegres, encantadores. Eu ainda carrego os desgostos e pânicos do século XIX. Essas pessoas, como você disse, são trabalhadores altamente especializados e tudo o mais. E, enquanto dançam, outros homens estão lutando, e morrendo, em Paris para conservar o mundo... para que estes possam dançar.

Asano sorriu vagamente.

— A propósito, homens também estão morrendo em Londres – disse. Houve um momento de silêncio.

— Onde eles dormem? – perguntou Graham.

— Aqui e acolá; trata-se de uma intrincada rede de habitações.

— E onde trabalham? Isto... seria a vida doméstica?

— O senhor vai ver pouco trabalho esta noite. Metade dos trabalhadores abandonou seus postos ou está com armas em punho. Metade dessas pessoas está aproveitando o feriado. Mas iremos até os locais de trabalho, se desejar.

Graham contemplou os dançarinos por mais algum tempo, depois se voltou repentinamente.

— Desejo ver os trabalhadores. Vi o suficiente aqui – disse.

Asano abriu caminho por galerias que atravessavam o salão de dança. Até que ultrapassaram uma passagem transversal que trazia uma corrente de ar mais fria e fresca.

O oficial olhou através da passagem assim que a atravessaram, parou, voltou a ela. Depois retornou sorrindo até Graham.

— Aqui, meu amo – disse –, tem algo que, creio, deva ser familiar ao senhor, pelo menos. Mesmo assim... Não estragarei a surpresa. Venha!

Conduziu-o por uma passagem fechada que, de repente, se tornou gélida. A reverberação dos pés de ambos dizia que se tratava de uma ponte. Alcançaram uma galeria circular, com vidros que a protegiam do clima exterior, depois uma câmara circular que parecia familiar, embora Graham não conseguisse lembrar distintamente quando entrara nesse lugar. Ali havia uma escadaria, que subiram, chegando a um local alto, glacial e sombrio, no qual havia outra escadaria quase vertical. A ascensão por essa nova escadaria não reduziu a perplexidade de Graham.

Mas ao chegar ao topo ele entendeu tudo e reconheceu as hastes metálicas nas quais se agarrara. Estava em uma espécie de gaiola debaixo da abóbada da catedral de St. Paul. O domo pouco se destacava acima do contorno geral da cidade, na aurora imóvel, pendendo brilhante graças às poucas luzes distantes, em um ambiente semelhante a uma vala na escuridão.

Através das hastes, Graham contemplou o céu claro e sem ventos do norte, percebendo que as constelações permaneciam inalteradas. Capella brilhava a oeste, Vega ascendia e os sete pontos brilhantes da Ursa Maior surgiam no alto em seu círculo majestoso, próximo ao polo.

Contemplava essas estrelas através de uma nesga límpida de céu. A leste e a sul, as grandes formas circulares dos queixosos moinhos de vento obliteravam o firmamento de modo que o brilho em torno da Casa do Conselho estava oculto. A sudoeste havia Órion, um fantasma pálido que se projetava através de um complicado arabesco metálico de formas entrelaçadas que predominava sobre o impressionante fulgor luminoso. O som de sirenes e gritos vindo das plataformas aéreas alertava o mundo para o fato de que um aeroplano estava pronto para zarpar. Graham permaneceu contemplando a brilhante plataforma antes de voltar os olhos para as constelações do norte.

Guardou silêncio por um bom tempo.

— Isso – disse por fim, sorrindo encoberto pelas sombras – parece o mais estranho de tudo. Estar aqui, no domo da catedral de St. Paul, e olhar de novo para essas estrelas familiares e silenciosas!

Dali a pouco, Graham foi conduzido por Asano ao longo de caminhos tortuosos até a região das apostas e dos negócios, onde o grosso das fortunas na cidade era conquistado ou perdido. Impressionou-lhe a série quase interminável de paredes altíssimas, cercadas por camadas e mais camadas de galerias em meio às quais se abriam milhares de escritórios, tudo isso atravessado por uma complicada multidão de pontes, passeios, trilhos aéreos motorizados, trapézios e cabos para escalada. Aqui, mais que em qualquer outro local, a nota de intensa vitalidade, de atividade incontrolável, frenética, soava mais alto. Anúncios agressivos abundavam em todos os lados; parecia que seu cérebro nadava em meio ao tumulto de luzes e cores. E Máquinas de Palavrório de timbre particularmente desagradável eram numerosas e preenchiam o ar com vigorosos guinchos e uma gíria idiota. "Abra bem os olhos e se solte!", "Vambora tirar a sorte grande?", "Prestem atenção, fominhas!".

A Graham o local parecia abarrotado de pessoas ora profundamente agitadas, ora absortas em tramoias. Contudo, foi informado de que o local estava relativamente vazio, uma vez que a grande convulsão política ocorrida nos últimos dias reduzira as transações a um movimento mínimo sem precedentes. Em um salão, estavam dispostas mesas de roleta, cada uma delas munida de sua multidão particular silenciosa e atenta; em outro, uma gritaria babélica entre mulheres de rosto branco e homens brutos e vozes roucas que compravam e vendiam ações de uma empresa fictícia, lançando a cada cinco minutos o pagamento de dividendos na casa dos 10% para depois cancelar certa proporção dessas ações mediante um tipo de loteria.

Essas atividades comerciais eram desempenhadas com uma energia que facilmente beirava a violência, e logo Graham aproximou-se de uma densa multidão em cujo centro estava um casal de negociadores proeminentes em violenta controvérsia, dentes e garras trinchando algum delicado ponto em torno da etiqueta nos negócios. Havia sobrado então alguma coisa nessa existência pela qual as pessoas ainda lutavam. Depois se chocou com um anúncio veemente, escrito em caracteres fonéticos de tom escarlate e flamejante, duas vezes maiores que uma pessoa de estatura normal, que dizia: "ACEGURAMUS O CENHORIL. ACEGURAMUS O CENHORIL."

— Quem é o senhorio? – perguntou Graham.

— Você.

— Mas que diabos eles asseguram para mim? – perguntou. — O quê, exatamente?

— Você não é segurado?

Graham ficou pensativo.

— Segurado?

— Sim, segurado. Lembro que esta era a antiga palavra usada. Eles estão assegurando sua vida. Dúzias de pessoas compraram apólices, miríades de leões foram colocadas em investimentos em seu nome. Depois mais pessoas comprarão anuidades. Isso se tornou uma moda entre os mais destacados da sociedade. Veja!

Uma multidão deslocava-se furiosamente em meio a bramidos, e Graham distinguiu uma vasta tela negra, repentinamente iluminada por grandes caracteres púrpuras flamejantes. "ANUIDADIS PRO CENHORIL — x5 pr. G." A multidão começou a vaiar e a gritar diante disso. Homens que respiravam com dificuldade, de olhos esbugalhados, corriam a todo vapor, os dedos como ganchos crispados no ar. Houve uma furiosa contenda próximo a uma pequena entrada.

Asano fez um cálculo rápido e impreciso.

— Dezessete por cento é a taxa atual de sua anuidade. Não pagariam tanto por cada centavo se pudessem vê-lo agora, meu amo. Mas eles não sabem que é você. Essas anuidades eram consideradas investimento seguro, mas acabaram se tornando uma espécie de aposta arriscada agora. Essa deve ser uma oferta desesperada. Duvido seriamente que essas pessoas recuperarão o dinheiro investido.

A multidão dos futuros investidores em anuidades cresceu de tal forma em torno deles que já não era possível mover-se nem para a frente nem para trás. Graham percebeu uma grande quantidade de mulheres entre os especuladores, uma nova prova da independência corrente do gênero. Elas pareciam notavelmente capazes de cuidar de si mesmas em meio à multidão, usando os cotovelos com peculiar habilidade, como ele próprio aprendera a muito custo. Uma mulher de cabelos encaracolados pressionou para abrir caminho, olhando diretamente para Graham algumas vezes, como se o tivesse reconhecido, e em seguida encaminhou-se deliberadamente na direção dele, tocando a mão dele com o braço de uma maneira bem pouco acidental, deixando claro que esse encontro nada tivera de fortuito ao lançar-lhe um olhar benevolente, tão antigo quanto a Caldeia. Então um sujeito esguio de barba cinzenta, transpirando furiosamente devido à nobre excitação de buscar benefício próprio e cego para qualquer mundanidade que não fosse a isca luminosa brilhando na tela negra, embrenhou-se separando os dois em uma corrida cataclísmica em direção ao sedutor "x5 pr. G.".

— Vamos sair daqui – Graham disse para Asano. — Não é isso que eu gostaria de ver. Mostre-me os trabalhadores. Quero ver os sujeitos de azul. Já esses parasitas lunáticos...

Viu-se preso em uma massa de pessoas que lutavam.

O DORMINHOCO

XXI.
O SUBTERRÂNEO

Do distrito dos negócios, passaram por vias móveis até uma área remota da cidade, onde se concentrava a maior parte da produção industrial. Nessa jornada, as vias cruzaram o Tâmisa duas vezes, depois atravessaram um amplo viaduto que conduzia a uma das maiores estradas para a cidade, vinda do norte. Tais visões foram breves, mas muito vívidas. O rio era uma enorme e quase vazia cintilação de água negra, sobrepujada por inúmeros edifícios, que de todo modo desaparecia em uma escuridão estrelada de luzes que recuavam. Uma linha de barcaças negras passou em direção ao mar, dirigida por homens em uniformes azuis. A estrada era grande e longa, dotada de um túnel alto e utilizada por máquinas de rodas grandes que se deslocavam veloz e silenciosamente. Também nesse setor o azul característico do Departamento do Trabalho era abundante. A suavidade das vias duplas, o gigantismo e a leveza das grandes rodas pneumáticas em comparação ao corpo dos veículos chamaram fortemente a atenção de Graham. Percebeu impressionado uma carruagem delgada, mas bastante alta, dotada de barras metálicas longitudinais carregadas de várias carcaças de ovelhas, que sangravam conforme eram arrastadas. Mas, sem aviso, o limite de uma arcada cortou-lhe a visão e obliterou a imagem.

Logo deixaram o caminho móvel, desceram por um elevador e atravessaram uma passagem que se inclinava para baixo. Depois tomaram outro elevador e desceram. Durante o percurso, a aparência das coisas mudou. Mesmo a ornamentação arquitetônica pretensiosa desaparecera, a iluminação ficara reduzida (em quantidade e em amplitude), a arquitetura tornara-se opressiva em proporção aos espaços livres conforme alcança-vam os distritos das fábricas. Em meio à poeira das ferramentas dos ceramistas, das moendas de feldspato, das fornalhas para a lida com metais, dos lagos incandescentes de adamita bruta, o uniforme azul era onipresente em homens, mulheres e crianças.

Muitas das enormes e empoeiradas galerias eram silenciosas alamedas cheias de maquinário, de infinitas fornalhas desativadas que testemunhavam a turbulência revolucionária, mas onde quer que houvesse atividade ela era desempenhada por operários lentos trajando uniformes de tecido azul. Os únicos indivíduos que não estavam de azul eram os capatazes e os membros da Polícia do Trabalho, cujo uniforme era laranja. Depois de ver os rostos corados do salão de dança e a fúria voluntariosa do distrito dos negócios, era notável para Graham o contraste com os rostos encarquilhados, a musculatura débil, os olhos cansados da maioria dos trabalhadores que via por ali. Eram visivelmente inferiores, em termos físicos, aos poucos elegantíssimos gerentes e supervisoras que dirigiam as atividades fabris. Os operários corpulentos dos velhos tempos vitorianos seguiram o caminho da extinção percorrido pelo cavalo que puxava a charrua e por outros trabalhadores que sobreviviam de sua força física; no lugar de sua dispendiosa musculatura havia agora um habilidoso dispositivo mecânico. O operário contemporâneo, fosse homem ou mulher, era essencialmente a peça que guiava e alimentava uma máquina; um servo ou auxiliar; ou ainda um artista subalterno.

As mulheres que Graham via, em comparação àquelas que estavam em sua memória, eram magras e desprovidas de feições femininas. Duzentos anos de emancipação das restrições morais da religião puritana, dois séculos de vida na cidade foram suficientes para eliminar os traços de beleza e vigor femininos das miríades em uniforme azul. Possuir algum brilho, em termos físicos e intelectuais, algum tipo de atração ou uma qualidade excedente, fora e ainda era uma forma de emancipação diante dos rigores do trabalho braçal, uma linha de fuga para a Cidade dos Prazeres – plena de esplendores e delícias – e, no fim das contas, para a eutanásia e a paz. Era difícil de esperar uma posição resoluta contra qualquer tipo de condicionamento vinda de almas tão desnutridas. Nas jovens cidades da vida anterior de Graham, as massas laboriosas que acabavam de surgir eram multifacetadas, ainda agarradas às tradições de honra pessoal e aos altos padrões de moralidade. Reduziam-se agora a uma classe governada por instintos, com particularidades físicas e morais – até com um dialeto próprio.

Eles penetraram mais fundo nos subterrâneos, em direção aos locais de trabalho. Passaram por baixo de uma das ruas das vias móveis, com suas plataformas deslocando-se velozmente a uma enorme distância e vislumbres de luz entre as fendas dos trilhos. As fábricas que estavam inoperantes tinham iluminação mínima. Para Graham, esses locais, corredores de máquinas gigantescas amortalhadas pela escuridão, pareciam mergulhados em uma obscuridade temível – mesmo onde ainda havia trabalhadores em atividade, a iluminação era bem menos brilhante que nas vias públicas da superfície.

Ultrapassando os lagos incandescentes de adamita, chegaram ao edifício utilizado pelos joalheiros. Após algumas dificuldades e apenas com a assinatura de Graham, obtiveram permissão para adentrar essas galerias, que eram altíssimas, escuras e gélidas. Encontraram primeiro alguns indivíduos que trabalhavam ornamentos de filigrana em ouro, cada um sentado em sua bancada específica e tendo diante de si uma pequena luz sombreada. O longo panorama de luzes apequenadas, de dedos ágeis que luziam fugazmente e se moviam em meio às bobinas amarelas brilhantes, os rostos concentrados e fantasmagóricos em cada sombra – tudo colaborava para um efeito geral de estranheza completa.

O trabalho era executado maravilhosamente bem, mas sem a consistência de um modelo ou esboço inicial, sendo constituído basicamente de grotescos intrincados ou de variações em um motivo geométrico. Tais trabalhadores trajavam um uniforme branco peculiar, sem bolsos ou mangas. Vestiam-se assim para o trabalho, mas, ao fim do expediente, eram despidos e examinados antes de deixar as dependências do departamento. A despeito de todas essas precauções, um policial do trabalho disse a eles, em tom de tristeza, que vez ou outra o departamento era roubado.

Havia, logo depois, uma galeria na qual mulheres estavam ocupadas cortando e ajustando chapas de rubi, depois outra na qual mulheres e homens trabalhavam juntos em placas de uma espécie de malha de cobre que servia de base para azulejos *cloisonnés*. Muitos desses trabalhadores estavam com lábios e narinas lívidos devido à intoxicação causada por um peculiar esmalte púrpura que estava muito em voga. Asano pediu desculpas a Graham por uma visão tão desagradável, mas justificou ter escolhido essa rota devido à sua conveniência.

— Era isso mesmo o que eu desejava ver – disse Graham –, era isso – tentando evitar o espanto diante de uma desfiguração particularmente chocante.

— Ela poderia ter feito algo melhor para si mesma do que isto aqui – respondeu Asano.

Graham fez alguns comentários indignados.

— Mas, meu amo, é impossível chegar aos resultados esperados sem esse esmalte – disse Asano. — Em seus dias, no passado, as pessoas conseguiam suportar todas essas crueldades, pois estavam à beira da barbárie duzentos anos atrás.

Seguiram caminho através de uma galeria inferior em relação à fábrica de *cloisonné* e deram numa pequena ponte que cobria uma abóbada. Olhando por cima do parapeito, Graham percebeu que estava diante de um cais coberto por uma tremenda estrutura em arcos, a mais espantosa que tinha visto até então. Três barcaças, quase ocultas por uma densa névoa de poeira, estavam sendo descarregadas: a carga, feldspato em pó, era levada por uma multidão de homens que tossiam guiando pequenos caminhões. A poeira preenchia todo o local com uma névoa asfixiante, que amarelava a iluminação elétrica. As sombras imprecisas desses trabalhadores gesticulando projetavam-se aos pés dos dois, em deslocamentos acelerados de um lado para o outro na parede caiada de branco. Sempre algum deles parava para tossir.

Uma sombria e ameaçadora massa de alvenaria dominava a água negra, trazendo à mente de Graham a infinidade de caminhos, galerias e elevadores que existiam, andar após andar, entre ele e o céu vertiginosamente acima de sua cabeça. Os homens trabalhavam em silêncio, sob a supervisão de dois policiais do trabalho. Os pés deles trovejavam nas pranchas de madeira acima das quais caminhavam, para lá e para cá. Tal cena desenvolvia-se inalterada quando, de repente, alguma voz escondida na escuridão começou a cantar.

— Pare com isso! – gritou um dos policiais, mas a ordem foi desobedecida. Primeiro um, depois todos os homens com manchas brancas no rosto que estavam trabalhando adotaram a batida do refrão, cantando-o desafiadoramente, e logo a canção revolucionária ecoava clara e límpida. Os pés sobre as pranchas de madeira trovejavam agora no ritmo da canção, tump, tump, tump. O policial que havia gritado olhou para o companheiro, que deu de ombros. Ninguém fez nenhum esforço para parar a cantoria.

Assim, Graham e Asano visitaram essas fábricas e outros locais de labuta, contemplando muitas coisas terríveis e dolorosas. Tal caminhada trouxe à mente de Graham um labirinto de memórias, imagens flutuantes – salões esfumaçados e subterrâneos repletos de gente vistos através de nuvens de poeira, máquinas intrincadas, o veloz movimento das tramas de tecidos em teares, o ritmo pesado da maquinaria de estampagem, o rugido e o crepitar de correias e armações, corredores subterrâneos pessimamente iluminados que levavam a locais sorumbáticos, panoramas ilimitados de pequenas luzes. Sentia ora o odor de curtimento, ora o fedor das cervejarias, ora outros cheiros inclassificáveis. Por todos os lados havia pilares e arcadas de tal magnitude que Graham nunca tinha visto antes, grossos titãs de alvenaria untuosa e brilhante continuamente esmagados pelo vasto peso da elaborada cidade-mundo que havia acima deles, assim como os milhões de almas anêmicas que por ali transitavam eram esmagados por sua complexidade. Por todos os lados havia corpos emaciados, feições pálidas, deformidade, degradação.

Graham ouviu a canção revolucionária uma, depois outra e ainda uma terceira vez durante toda essa longa e desagradável inspeção nos locais de trabalho. Pelo menos uma vez, foi possível testemunhar uma confusa luta bem no meio de uma passagem, motivada pelo fato de alguns servos conseguirem obter seu pagamento em comida antes de a jornada de trabalho terminar. Graham ascendia novamente na direção da superfície quando viu algumas crianças uniformizadas de azul correndo em passagens transversais, percebendo a razão dessa fuga em pânico na figura de policiais do trabalho que marchavam, armados de bastões, em busca de qualquer perturbação da ordem. De fato, nesse caso era visível uma remota perturbação. Mas, em geral, o remanescente da mão de obra que trabalhava fazia-o desesperadamente. Todos os espíritos que haviam restado nessa humanidade decaída estavam lá em cima, nas ruas, clamando pelo Mestre e pegando em armas, corajosa e ruidosamente.

Emergiram dessas andanças, paralisados e ofuscados pela luz brilhante, na passagem intermediária das vias móveis. Podiam-se ouvir os pios e assobios remotos emitidos pelas máquinas em um dos Escritórios de Inteligência Pública. Repentinamente, surgiram homens correndo nas vias, em meio a gritos e desespero. Logo apareceram uma mulher com a face pálida de terror mudo e outra que arfava e praguejava enquanto corria.

— E essa agora? – Graham perguntou intrigado, uma vez que não conseguia entender a fala grosseira dos passantes. Então ouviu do que se tratava, em inglês, e percebeu que aquilo que todos estavam gritando, aquilo que os homens berravam uns aos outros, aquilo que a mulher gritara, aquilo que se espalhava como um murmúrio ante a primeira brisa de uma tempestade, gélida e repentina, por toda a cidade, era isto: "Ostrog ordenou que a polícia negra viesse para Londres. A polícia negra está vindo da África do Sul... A polícia negra. A polícia negra".

O rosto de Asano ficou lívido de espanto; ele hesitou, olhou para Graham e lhe disse o que ele já sabia.

— Mas como eles poderiam saber? – questionou Asano.

Graham ouviu alguém gritar: "Parem todo o trabalho. Parem todo o trabalho", e um corcunda moreno, ridiculamente vistoso em suas vestes verde-ouro, veio aos saltos na direção dele, berrando diversas vezes em alto e bom inglês: "Isso é obra de Ostrog. Ostrog, o patife! O Mestre foi traído!". Sua voz era rouca e uma fina estria de baba pingava de sua boca abominável quando gritava. Gritou contra os horrores perpetrados pela polícia negra em Paris antes de voltar ao refrão: "Ostrog, o patife!".

Por um momento, Graham ficou paralisado – sentia novamente que estava no meio de um sonho. Voltou a olhar para a grande muralha de edifícios que o cercava por todos os lados, cujos topos desapareciam na névoa azul acima das luzes, e para os diversos caminhos que rangiam abaixo, para as pessoas que gritavam, corriam, gesticulavam ao passar por ele.

— O Mestre foi traído! – todos gritavam. — O Mestre foi traído!

De súbito, a situação toda afigurou-se verídica e premente na cabeça de Graham. Seu coração passou a bater com força, cada vez mais rápido.

— Chegou a hora – ele disse. — Eu deveria ter percebido. Chegou a hora.

Avaliou a situação rapidamente.

— O que devo fazer?

— Voltar para a Casa do Conselho, respondeu Asano.

— Mas eu não deveria conclamar todos? O povo está aqui.

— Perderá seu tempo. Duvidarão de sua identidade. Mas acorrerão em massa para a Casa do Conselho. Lá será possível encontrar os líderes da rebelião. Sua força está lá, com eles.

— Suponha que se trate apenas de um rumor...

— Pareceu bastante real – disse Asano.

— Precisamos apurar os fatos – rebateu Graham.

Asano deu de ombros.

— O melhor que temos a fazer é nos dirigir à Casa do Conselho – gritou. — É para lá que todos irão. Mesmo agora, creio que as ruínas devem estar quase inatingíveis.

Graham observou Asano receosamente e seguiu-o.

Subiram os degraus das plataformas até chegar à mais veloz, e lá Asano abordou um trabalhador. As respostas às suas perguntas vieram no grosseiro dialeto do vulgo.

— O que ele disse? – perguntou Graham.

— Não sabia muita coisa, mas me contou que, graças a alguém dos escritórios dos cata-ventos, as pessoas tomaram conhecimento de que a polícia negra estava a caminho. Disse que foi uma garota que ficou sabendo da informação de antemão.

— Uma garota? Não...?

— Ele disse que foi uma garota, não se sabe a identidade dela. Foi ela quem saiu da Casa do Conselho gritando a plenos pulmões, contando da chegada aos homens que trabalhavam em meio às ruínas.

Mas havia um novo grito, algo que transformou o tumulto sem sentido em uma série de movimentos determinados. O grito vinha, como o vento, varrendo as ruas: "Para suas posições, para suas posições. Todos devem arranjar armas. Todos para suas posições!".

XXII.
A LUTA NA CASA
DO CONSELHO

Enquanto Asano e Graham se encaminhavam a toda velocidade para as ruínas em torno da Casa do Conselho, foram cercados pela excitação do povo sublevado. "Para suas posições! Para suas posições!" Por todos os lados, homens e mulheres vestidos de azul partiam apressados de seus obscuros afazeres subterrâneos pelas escadarias do caminho central. Em dado momento, Graham pôde vislumbrar um arsenal do comitê revolucionário cercado por uma multidão aos gritos. Depois viu um par de homens trajando o odiado uniforme amarelado da Polícia do Trabalho perseguido por uma multidão, saltando precipitadamente ao longo do caminho mais rápido disponível e seguindo na direção oposta.

Os gritos de "Para suas posições!" tornaram-se, por fim, uma cantilena contínua quando se aproximaram da região administrativa. Mas muitos dos brados eram ininteligíveis. "Ostrog nos traiu", um homem esgoelou-se muitas vezes com a voz rouca, um refrão que permanecera nos ouvidos de Graham e o assombrara. Esse sujeito estava bem perto de Graham e Asano no caminho móvel veloz, gritando para as pessoas que enxameavam as plataformas abaixo dele conforme ele as ultrapassava. Os gritos a respeito de Ostrog alternavam-se com ordens incompreensíveis. Depois, o homem saltou em algum ponto e desapareceu.

A mente de Graham foi preenchida pelo barulho. Seus planos eram vagos e desarticulados: via-se ocupando uma posição de comando por meio da qual pudesse se comunicar com as massas, depois encontrando-se com Ostrog cara a cara. Estava tomado pela fúria, por um nervoso retesamento da musculatura – cerrava os punhos, comprimia com força os lábios e a boca.

O caminho para a Casa do Conselho em meio às ruínas estava impraticável. Asano, contudo, assumiu a difícil tarefa e conseguiu conduzir Graham até o edifício central do correio. O correio, em teoria, estava em um dia normal de trabalho, mas os porteiros de azul moviam-se com extrema lentidão ou paravam para olhar as arcadas das galerias, de onde homens saíam gritando: "Todos para suas posições! Todos para suas posições!". Nesse edifício, seguindo o conselho de Asano, Graham revelou sua identidade.

A travessia para a Casa do Conselho foi então feita por meio de uma espécie de teleférico. No breve intervalo desde a rendição dos conselheiros, uma enorme mudança alterara a aparências das ruínas. As cascatas caudalosas que vinham dos reservatórios de água do mar tinham sido capturadas e domadas com um imenso sistema de tubulação provisório, que se projetava ao longo de um delicado conjunto de vigas. O céu estava trançado com redes de cabos e fiação restabelecidas que serviam à Casa do Conselho, e a presença em massa de uma nova camada de guindastes e outras máquinas de construção espalhava-se pelo local, notadamente à esquerda da antiga pilha de destroços.

As vias móveis que se cruzavam na área foram reconstruídas, embora o trânsito antes ocorresse a céu aberto. Essas eram as vias que Graham tinha visto a partir da pequena sacada quando de seu despertar, nove dias atrás. O salão onde permanecera durante o transe ficava um pouco mais distante, onde pilhas de ruínas e destroços disformes estavam agora amontoadas.

Era dia claro e o sol brilhava intensamente. Saída de suas elevadas cavernas de luz elétrica azul, surgia, usando as vias móveis expressas, uma multidão de pessoas que se espalhava e se adensava em meio à confusão das ruínas. O ar estava tomado por gritos e conclamações da multidão que pressionava, buscando o edifício central. De modo geral, essa massa era uma espécie de enxame amorfo, mas Graham percebeu em alguns locais a tentativa de estabelecer uma disciplina mais rude. E todas as vozes clamavam por uma ordem no caos: "Para suas posições! Todos para suas posições!".

O teleférico os conduziu até um salão que Graham reconheceu como a antecâmara do salão de Atlas, próxima da galeria na qual andara dias atrás com Howard antes de ser apresentado ao extinto Conselho, uma hora após o despertar. Agora o local estava vazio, exceto por dois funcionários responsáveis pelos cabos. Esses sujeitos pareceram surpresos ao reconhecer que o homem que ajudaram a transportar era o Dorminhoco em pessoa.

— Onde está Ostrog? – exigiu saber. — Preciso ver Ostrog imediatamente. Ele me desobedeceu. Voltei para retirar o poder das mãos dele – sem esperar por Asano, Graham caminhou apressadamente, subiu as escadas até o topo e, puxando as cortinas, encontrou o titã em seu trabalho perpétuo de sustentar o mundo.

O salão estava vazio. A aparência do local havia mudado bastante desde sua primeira visita, pois ele sofrera alguns sérios danos devido às lutas do primeiro levante. Do lado direito da grande figura, a metade superior da parede desaparecera em uma extensão de quase 200 pés. Uma placa do mesmo filme semelhante a vidro que isolara Graham antes de seu despertar fora utilizada para preencher o imenso buraco. Isso silenciava, embora não completamente, o rugido da multidão do lado de fora. "Posições! Posições! Posições!", era o que eles pareciam gritar. Através desse material envidraçado, era possível ver as hastes centrais e os suportes de metal dos andaimes que ascendiam e desciam conforme as necessidades do grande número de trabalhadores. Uma máquina de construção inativa, com seus esguios braços metálicos pintados de vermelho, esticava-se, desolada, por esse quadro esverdeado. Nessas estruturas ainda havia trabalhadores que observavam atentamente o povo aglomerado abaixo deles. Por algum tempo, Graham permaneceu contemplando todos esses detalhes. Foi quando Asano o alcançou.

— Ostrog – disse Asano – deve estar em algum dos escritórios menores, bem perto daqui – o homenzinho estava pálido; seus olhos buscavam o rosto de Graham.

Não chegaram a andar dez passos cortina afora: o painel da esquerda abriu-se e Ostrog, acompanhado de Lincoln e de dois negros em uniforme preto e amarelo, surgiu cruzando o canto mais remoto do salão, na direção de um segundo painel que se abriu.

— Ostrog! – gritou Graham. Ao som de sua voz, o pequeno grupo se voltou, espantado.

Ostrog disse algo a Lincoln antes de avançar sozinho.

Graham foi o primeiro a falar. Sua voz era forte, ditatorial.

— O que foi que ouvi mesmo? – questionou. — Ah, sim: que você está trazendo negros para cá, para acabar com o povo.

— Justo a tempo – disse Ostrog. — O problema é que o povo está ficando cada vez mais fora de controle. Eu subestimei...

— Você quer dizer que esses negros infernais estão a caminho?

— Sim, estão a caminho. Contudo, chegou a ver como está a massa de gente do lado de fora?

— Não me diga! Mas, depois de tudo o que foi dito, creio que você deu um passo maior que as pernas, Ostrog.

Ostrog nada disse, mas aproximou-se um pouco mais.

— Esses negros não devem entrar em Londres – afirmou Graham. — Sou o Mestre e eles não devem entrar.

Ostrog lançou um olhar para Lincoln, que dessa vez se aproximou com seus dois auxiliares.

— Por que não? – perguntou Ostrog.

— Brancos devem ser governados por brancos. Além disso...

— Os negros são apenas um instrumento.

— Mas isso está fora de questão. Eu sou o Mestre. Quero ser o Mestre. E digo que esses negros devem ficar de fora.

— O povo...

— Eu acredito no povo.

— Isso porque você é um anacronismo. Você é um homem do passado, um acidente. Você é o Dono, talvez, de todo o mundo. Nominalmente, legalmente. Mas está distante do título de Mestre. Não conhece o suficiente para ser Mestre.

Ostrog lançou mais um olhar para Lincoln.

— Agora sei como você pensa, e também posso adivinhar o que você pretende fazer. Creio que não seja tarde demais para adverti-lo. Você sonha com a igualdade humana... com uma ordem de natureza socialista. Todos esses sonhos repisados do século XIX ainda estão frescos e vivos em sua mente, e você pretende governar numa época a qual é incapaz de compreender.

— Apenas ouça! – disse Graham. — Consegue ouvir isso? É um som, como o som do mar. Não são vozes, mas uma única voz. *Você* consegue compreender o significado disso?

— Nós ensinamos isso a eles – disse Ostrog.

— Talvez. Mas vocês conseguem ensiná-los a esquecer? Contudo, chega dessa discussão! Esses negros não devem vir.

Houve uma pausa. Ostrog olhou-o nos olhos.

— Eles entrarão – disse.

— Eu o proíbo – respondeu Graham.

— Eles já estão em Londres.

— Não permitirei.

— Não? – disse Ostrog. — Por mais que eu lamente seguir os métodos do Conselho, é para o seu próprio bem. Você não deve apoiar essas... desordens. E agora que você está aqui... Bem, quanta gentileza sua!

Lincoln colocou a mão no ombro de Graham, que só então percebeu como errara ao ir para a Casa do Conselho. Tentou fugir na direção das cortinas que separavam o salão da antecâmara, mas a mão de Asano impediu esse gesto. Logo Lincoln agarrou a capa de Graham.

Com um movimento imprevisto, ele acertou um soco no rosto de Lincoln. Imediatamente, um dos negros segurou-o pelo pescoço e pelo braço. Graham conseguiu desvencilhar-se, as mangas de suas vestes rasgaram ruidosamente e ele cambaleou para trás. Mas o esforço foi baldado, pois um golpe de outro criado o derrubou. Chocou-se contra o solo pesadamente. Permaneceu um breve momento contemplando o distante teto do salão.

Ele gritou, rolou, lutou furiosamente. Conseguiu agarrar a perna de um dos criados e jogá-lo longe, enquanto lutava para ficar em pé.

Lincoln apareceu de novo diante dele. Levou novo soco logo abaixo do queixo e ficou imóvel. Graham conseguiu dar duas passadas, tropeçou. Foi quando sentiu o braço de Ostrog ao redor de seu pescoço, puxando-o para trás. Caiu, com os braços presos contra o chão. Após violentos esforços, deixou de lutar – apenas encarava a arfante garganta de Ostrog.

— Você... está... preso – ofegava Ostrog, exultante. — Você foi... um completo imbecil... de ter voltado.

Graham virou a cabeça para olhar ao redor e percebeu, através da irregular janela verde na parede do salão, os trabalhadores nos guindastes de construção gesticulando excitadamente para as pessoas que estavam abaixo deles. Eles tinham visto tudo!

Ostrog seguiu o olhar de Graham e espantou-se. Gritou algo para Lincoln, que permaneceu imóvel no chão. Uma bala estilhaçou as molduras acima do Atlas. As duas placas transparentes colocadas no imenso buraco na parede começaram a se dilacerar, os extremos da abertura distorcida escureceram-se. Então o material curvou-se rapidamente na direção da moldura. Em um segundo, a Câmara do Conselho estava aberta, ao ar livre. Um vento gelado soprava por essa abertura, trazendo uma torrente conflituosa de vozes vinda dos diversos espaços arruinados ao redor, um clamor agônico: "Salvem o Mestre!", "O que estão fazendo ao Mestre?", "O Mestre foi traído!".

Nesse momento, Graham percebeu que Ostrog se distraíra, que a pressão em seu pescoço era menor. Soltou os braços e lutou para se levantar, ficando de joelhos. Conseguiu empurrar Ostrog para trás, ficou em pé e segurou-lhe a garganta com as mãos. Ostrog, contudo, agarrou-se à seda que envolvia o pescoço de Graham.

Mas agora havia uma infinidade de pessoas correndo na direção deles vinda do tablado, pessoas cujas intenções Graham não compreendera. Vislumbrou alguém correndo rumo às cortinas que ficavam na antecâmara, e em seugida Ostrog fora puxado de suas mãos: os recém-chegados estavam em cima dele. Para sua infinita surpresa, eles o imobilizaram. Agora obedeciam aos gritos de Ostrog.

Foi só depois de ser arrastado por uma dúzia de jardas que Graham percebeu que esses indivíduos não eram amigáveis à sua causa. Levavam-no na direção da abertura no painel envidraçado. Quando percebeu isso, tentou recuar, atirar-se no chão, gritar por socorro a plenos pulmões. Dessa vez, surgiram gritos em resposta.

A pressão em torno de seu pescoço cedeu, e eis que no canto inferior da abertura na parede primeiro uma depois várias figuras obscuras surgiram uivando e agitando os braços. Vinham saltando pela abertura até a galeria iluminada que conduzia aos cômodos silenciosos. Essas figuras passaram tão próximas que Graham conseguiu ver as armas que traziam nas mãos. Ostrog então deu orientações aos que o carregavam e, novamente, Graham viu-se lutando, com todas as suas forças, contra as tentativas do grupo de empurrá-lo na direção da abertura que se escancarava diante dele.

— Aqui eles não entrarão – dizia Ostrog ainda ofegante. — Não ousarão atirar. Está tudo bem. Nós o salvamos deles por enquanto.

Parecia a Graham que aquela luta inglória já durava longos minutos. Suas roupas estavam rasgadas em uma dúzia de lugares diferentes; estava coberto de pó; uma de suas mãos fora impiedosamente pisada. Mas era possível ouvir os gritos de seus partidários, além de disparos. Graham sentia que sua força estava no fim, que seus esforços eram absurdos e inúteis.

Nenhuma ajuda chegava, de modo que aquela abertura enorme e negra ficava cada vez mais próxima.

A pressão sobre ele cedeu, o que lhe permitiu retomar a luta. Viu a cabeça cinza de Ostrog recuando e percebeu que ele não era mais empurrado com tanta força. Graham virou-se e correu na direção de um homem trajando uniforme negro. Uma das armas verdes disparou bem perto dele, a fuligem pungente atingiu-o no rosto, e uma lâmina de aço brilhou. A enorme câmara expandiu-se sobre ele.

Um homem vestido de azul-claro apunhalou um dos auxiliares de preto e amarelo a menos de 3 jardas do rosto do Mestre, que foi novamente agarrado.

Agora era empurrado em duas direções diferentes. Parecia que as pessoas gritavam algo para ele. Graham gostaria de entender, mas era impossível. Alguém havia agarrado suas coxas e ele estava sendo erguido, a despeito de sua vigorosa resistência. Mas subitamente compreendeu o que se passava. Parou de lutar. Estava sendo erguido nos ombros do povo e carregado para longe da abertura devoradora. Dez mil garganta o ovacionavam.

Ele viu homens em azul e em negro correndo atrás dos *ostroguitas* que batiam em retirada e abrindo fogo. A visão de Graham, erguido sobre os ombros de seus adeptos, abarcava toda a extensão do local, ultrapassando a imagem do Atlas. Carregavam-no na direção de uma plataforma que se erguia no centro do salão. O ponto mais extremo já estava cheio de pessoas que corriam em direção a ele. Assim que o viam, davam vivas.

Percebeu que um corpo de guardas o cercava. Homens ativos davam ordens imprecisas. Viu muito próximo a ele o sujeito de bigode preto e de roupas amarelas que estava entre aqueles que o haviam recebido no teatro público, agora gritando instruções. O salão já estava densamente lotado, fervilhando de gente. A pequena galeria de metal vergava com sua carga de pessoas a uivar, as cortinas que fechavam o salão foram rasgadas, revelando a multidão na antecâmara. Graham mal conseguia fazer-se ouvir diante do tumulto.

— Para onde Ostrog foi? – perguntou.

O homem para o qual fez a pergunta apontou para um local acima da cabeça de todos, na direção dos painéis inferiores, do lado oposto à abertura na parede. Esses painéis mantinham-se abertos, e homens armados, vestidos de azul com listras pretas, corriam através deles, desaparecendo em

227   XXII.   A LUTA NA CASA DO CONSELHO

câmaras e passagens mais distantes. Graham pensou ter ouvido disparos elevando-se em meio ao tumulto. Foi carregado, após espantosas curvas, pelo grande salão até um abertura localizada abaixo do buraco na parede.

Notou que havia uma rude disciplina para manter a multidão longe dele, para que lhe abrisse caminho. Ultrapassando o salão, surgiu uma parede nova e ainda inacabada que se elevava até o céu azul. Graham foi colocado no solo diante dela. Alguém segurou seu braço para guiá-lo. Percebeu que o homem de amarelo estava bem ao seu lado. Conduziam-no através de uma estreita escadaria de tijolos, e ao fim da subida viam-se as grandes massas pintadas de vermelho, os guindastes, as alavancas e os motores inativos da enorme máquina de construção.

Estava no topo da escadaria. Foi rapidamente levado por uma trilha estreita e, de repente, com o acompanhamento de um imenso alarido, o anfiteatro de ruínas abriu-se novamente diante dele. "O Mestre está conosco! O Mestre! O Mestre!" Esses gritos varreram o mar de rostos como uma onda que se quebrava distante contra as falésias dos destroços, apenas para voltar na arrebentação de gritos. "O Mestre está conosco!"

Graham percebeu então que não estava mais cercado de gente: elevava-se em uma pequena plataforma temporária de metal branco, parte de um andaime aparentemente frágil que circundava a gigantesca estrutura da Casa do Conselho. Por toda a ampla extensão das ruínas havia gente, massas densas e ululantes de pessoas. Aqui e ali, também era possível ver bandeiras negras das sociedades revolucionárias tremulando, em torno das quais se formavam raros núcleos de organização em meio ao caos. Nos últimos degraus da parede e ao longo do andaime pelo qual seus libertadores tinham alcançado a abertura no salão de Atlas, elevava-se uma multidão mais sólida e compacta, com pequenas e enérgicas figuras de negro subindo em pilares e projeções para dar vigorosas ordens de dispersão e movimentação a essa massa humana congestionada. Atrás de Graham, no ponto mais alto da estrutura do andaime, um grupo de sujeitos lutava com as dobras selvagens de um imenso estandarte negro. Através do buraco na parede do salão, era possível ver a multidão concentrada e atenta que se aglomerava no salão de Atlas abaixo dele. As distantes plataformas aéreas, localizadas ao sul, surgiam brilhantes e vívidas, como se aproximadas por efeito de uma pouco usual translucidez do ar. Um monoplano solitário partiu da plataforma central como se quisesse ir ao encontro dos aeroplanos que chegavam.

— O que aconteceu com Ostrog? – perguntou Graham, e, mesmo enquanto articulava a pergunta, percebeu que os olhos que o miravam agora se voltavam para o topo da Casa do Conselho. Olhou também na direção desse foco de atenção universal. Inicialmente, não viu nada além da recortada extremidade de uma parede, rígida e clara contra o céu. Então, nas sombras, percebeu o interior de uma sala e reconheceu com espanto que se tratava de sua antiga prisão, decorada em branco e verde. Nessa sala aberta, na margem de um precipício de ruínas, enxergou uma figura pequenina vestida em tons alvos seguida por outras duas, trajando preto e amarelo. Graham então ouviu o homem que estava ao seu lado exclamar: "Ostrog!", e virou-se para lhe fazer uma pergunta. Contudo, isso não chegou a acontecer, interrompido que fora pela exclamação de espanto de outro sujeito que estava por ali e apontava com o dedo magro para um ponto que apareceu repentinamente. E eis que o monoplano que partira da plataforma de voo quando Graham a observara pela última vez seguia na direção deles. O voo veloz e estável daquele aparato ainda constituía uma novidade muito grande e prendeu sua atenção.

Conforme se aproximava, a máquina aérea tornava-se cada vez maior, até alcançar o canto mais remoto dos restos devastados diante da ampla multidão que se espalhava abaixo dele. Fez um voo rasante, ascendeu e passou bem no alto, subindo para desobstruir a massa que estava na Casa do Conselho; era uma forma translúcida, com o aeronauta solitário surgindo em meio às costelas da criatura mecânica. Então desapareceu na linha do horizonte fornecida pelas ruínas.

A atenção de Graham voltou a centrar-se em Ostrog. Ele fazia sinais com as mãos enquanto seus criados se ocupavam de derrubar a parede mais próxima. Dentro de um instante, o monoplano veio à tona novamente, uma mancha pequena e distante que se aproximava depois de fazer uma ampla curva de desaceleração.

Subitamente, o homem de amarelo gritou:

— O que eles estão fazendo? O que aquelas pessoas estão fazendo? Por que Ostrog foi deixado ali? Por que não foi capturado? Eles vão resgatá-lo... O monoplano vai resgatá-lo. Ah!

Essa exclamação ecoou como um grito por toda a extensão das ruínas. O matraquear das armas verdes soou por todo aquele golfo, alcançando Graham, que, olhando para baixo, viu certo número de sujeitos em uniforme preto e amarelo correndo pelas galerias a céu aberto

229   XXII. A LUTA NA CASA DO CONSELHO

imediatamente abaixo do promontório em que Ostrog se encontrava. Dispararam enquanto corriam na direção de perseguidores ainda invisíveis, e logo surgiram seus antagonistas: um bom número de figuras vestidas de azul-claro. Essa batalha em miniatura produziu o efeito mais bizarro: parecia tratar-se de uma contenda entre soldados de brinquedo correndo em um cenário de papelão. Essa estranha aparência de casa sem parede dava uma forte impressão de irrealidade à luta que ocorria em meio ao mobiliário e aos corredores. O combate acontecia a 200 jardas de Graham e a umas 50 da multidão de cabeças nas ruínas. Os homens de preto e amarelo correram para uma arcada aberta, parando para disparar contra alvos que vinham pela retaguarda. Um dos perseguidores de azul, mais próximo do precipício, atirou os braços para cima, cambaleou em ziguezague, pareceu agarrar-se à borda por alguns segundos – conforme estimativa de Graham – e então se precipitou em queda do penhasco. Graham viu-o atingir um canto saliente, continuar voando, de cabeça para baixo, até desaparecer atrás do braço vermelho da máquina de construção.

Uma sombra colocou-se entre o sol e Graham. Olhou para cima e o céu estava límpido, mas sabia que o pequeno monoplano acabara de passar. Ostrog havia desaparecido. O homem de amarelo ganhou impulso diante de Graham, sempre zeloso e suado, indicando o que fazer e gritando ordens.

— Eles estão pousando! – gritou o homem de amarelo. — Eles estão pousando. Ordene-lhes que abram fogo. Ordene que abram fogo!

Graham não entendia. Ouviu outras vozes repetindo essas ordens enigmáticas.

De repente, viu que o monoplano planava com a proa inclinada no limite das ruínas, antes de parar com um solavanco. Rapidamente Graham entendeu que a coisa havia aterrissado para que Ostrog pudesse escapar nela. Uma névoa azul parecia escalar o abismo; algumas pessoas agora tentavam atirar na saliente quilha do monoplano.

Um homem ao lado de Graham saudou ruidosamente esses esforços. Agora os rebeldes de azul ganhavam a arcada aberta, antes dominada pelos homens de amarelo e preto, fluindo continuamente pela passagem.

Nesse momento, o monoplano saiu da margem que ocupava na Casa do Conselho, mergulhando como uma andorinha. A queda foi abrupta, em um ângulo de 45 graus – tão abrupta que Graham e talvez boa parte das pessoas por ali pensaram que não voltaria a ascender.

O monoplano caía tão próximo de Graham que ele pôde ver Ostrog agarrando-se às barras do assento, o cabelo cinza desarrumado pelo vento. Também enxergou o rosto branco do aeronauta que impulsionava com violência as alavancas necessárias para a subida da aeronave. Ouviu o grito vago e apreensivo dos inumeráveis homens abaixo dele.

Graham agarrou o parapeito que tinha diante de si, ofegante. Passou-se um segundo que pareceu uma eternidade. Por um triz, a parte inferior do monoplano passou sem atingir as pessoas, que berravam, gritavam e se atropelavam lá embaixo.

Foi então que o aparato começou a subir.

Por um breve momento, pareceu impossível que superasse o penhasco oposto, depois, que ultrapassasse o moinho de vento que rodava mais ao longe.

Mas eis que ficou estável e ascendeu velozmente, embora ainda de modo oblíquo, mais alto, cada vez mais alto, em direção ao céu varrido pelo vento.

O suspense daquele momento deu lugar a um acesso de fúria daquela gente quando percebeu que a fuga de Ostrog havia sido bem-sucedida. Tardiamente, tornaram a abrir fogo para o alto, até que o matraquear se tornasse um rugido único, até que toda a área ficasse escura e azul, até que o ar fosse dominado pelo cheiro pungente da fumaça de todas as armas em ação.

Tarde demais! O aparato aéreo afastava-se, tornando-se cada vez menor. Fazia agora uma curva, flutuando graciosamente na direção da plataforma de voo da qual partira havia pouco. Ostrog escapara.

Por algum tempo, um murmúrio confuso tomou conta das ruínas. Mas logo a atenção de todos estava voltada para Graham, empoleirado no alto do andaime. Ele viu o rosto das pessoas se voltar para ele, ouviu os gritos durante seu resgate. Da garganta de todos ao redor, veio o som da canção revolucionária, que se espalhava como brisa por aquele oscilante mar de gente.

O pequeno grupo que o cercava dava congratulações por escapar das garras de Ostrog. O homem de amarelo estava perto dele, com o rosto emocionado e os olhos brilhantes. E a canção ficava mais alta, cada vez mais alta. Tump, tump, tump, tump.

Lentamente, Graham percebeu o que significava a sua posição no mundo, compreendeu como mudara rapidamente. Ostrog, que estivera ao

231   XXII.   A LUTA NA CASA DO CONSELHO

seu lado sempre que confrontara aquela queixosa multidão antes, agora estava longe – era seu antagonista. Não havia mais ninguém que governasse em seu nome. Até mesmo as pessoas ao seu redor, os líderes e organizadores da multidão, observavam-no para ver como agiria, para garantir que agisse, aguardando suas ordens. De fato, tornara-se rei. Seu tempo de marionete terminara.

Era a mais profunda intenção de Graham fazer o que se esperava dele. Seus nervos e músculos tremiam. Sua mente talvez estivesse um pouco confusa, mas já não tinha medo ou raiva. Sua mão, que fora pisoteada, estava inchada, dolorida, febril. Estava um pouco nervoso diante de sua nova responsabilidade. Sabia que não se tratava de medo, mas sentia-se pressionado a não parecer amedrontado. Em sua vida anterior, estivera algumas vezes mais excitado diante de jogos que exigiam habilidade. Desejava agir de imediato, pois sabia que não era razoável pensar demais em detalhes que fossem extremamente complexos a respeito da luta que travava, sob o risco de ser soterrado pela sensação de complexidade.

Mais acima, naquelas formas retangulares e azuladas – as plataformas aéreas –, estava Ostrog; e era contra Ostrog, tão objetivo, definitivo e resoluto, que lutava o vago e indeciso Graham pelo futuro de todo o mundo.

XXIII.
GRAHAM FAZ
SEU DISCURSO

Por algum tempo, o Mestre da Terra não fora mestre nem sequer da própria mente. Mesmo sua vontade parecia não emanar de si mesmo, seus atos o surpreendiam e eram apenas parte de uma confusão mais ampla de experiências estranhas que se colocavam em seu caminho. Mas três coisas surgiam como essenciais: os negros estavam chegando, Helen Wotton alertara o povo a respeito dessa chegada, e ele, Graham, era o Mestre da Terra. Cada um desses fatos parecia disputar o total domínio de seus pensamentos. Destacavam-se de um pano de fundo repleto de salões que pululavam de gente, passagens elevadas, salas congestionadas de líderes locais em conselho, salas cinematográficas e telefônicas, janelas com vista para um mar fervilhante de pessoas em marcha. Os homens de amarelo e outros diante dele, que se denominavam líderes locais, ora o empurravam adiante, ora o seguiam obedientemente; era difícil precisar. Talvez estivessem fazendo um pouco de cada coisa. Talvez alguma potência ignorada e invisível impulsionasse todos eles. Graham sabia que estava em vias de dar uma declaração ao Povo da Terra, estava ciente das frases grandiosas que flutuavam em sua mente, materializando o que gostaria de dizer. Muitas pequenas coisas aconteceram e logo ele se viu ao lado do homem de amarelo adentrando na pequena sala onde a proclamação deveria ser feita.

A sala estava grotescamente disposta no estilo mais corrente da época. No centro, havia uma iluminação oval fornecida por uma luz elétrica suave vinda do alto. O resto estava dominado pela penumbra, e as delgadas portas duplas, pelas quais Graham entrara vindo do congestionado salão de Atlas, deixavam o local bastante silencioso. Com o baque surdo de tais portas, houve uma repentina cessação do tumulto no qual ele estivera mergulhado durante as últimas horas. A palpitante luz filtrada do exterior, as trocas de palavras e os movimentos silenciosos e rápidos de diversos criados, vagamente visíveis na sombra, produziram um estranho efeito sobre Graham. Os enormes auriculares de um mecanismo fonográfico estavam prontos para receber suas palavras, os olhos negros de grandes máquinas fotográficas esperavam que iniciasse sua fala. Havia hastes e bobinas de metal que cintilavam indistintamente, além de algo que rodopiava produzindo um zumbido monótono. Caminhou para o centro da luz, sua sombra passou de negra e bem-recortada para uma pequena mancha logo abaixo de seus pés.

A forma vaga das palavras que ele pretendia dizer já se definia em sua mente. Mas esse silêncio, esse isolamento, esse distanciamento em relação ao contágio da massa humana, essa audiência constituída por máquinas boquiabertas e ofuscantes, nada disso ele previra. Todos os pontos de apoio de Graham pareciam ter sido retirados em conjunto. Era como se ele tivesse mergulhado em uma repentina descoberta de si mesmo. De um momento para o outro, viu-se mudado. Agora temia soar inadequado, temia ser teatral, temia pela qualidade de sua voz, de sua inteligência. Atônito, virou-se para o homem de amarelo com um gesto apaziguador.

— Dê-me um instante – disse –, preciso esperar. Não esperava que fosse dessa maneira. Devo pensar novamente naquilo que vou dizer.

Durante esse período de hesitação, um mensageiro adentrou o recinto com novidades: os aeroplanos mais adiantados estavam sobrevoando Madri.

— Quais são as novidades das plataformas aéreas? – perguntou Graham.

— O povo e os líderes locais do sudoeste estão prontos.

— Prontos!

Ele se virou com impaciência na direção dos círculos vazios das lentes outra vez.

— Suponho que devo fazer uma espécie de discurso. Por Deus, quisera eu saber exatamente o que dizer! Aeroplanos em Madri! Eles devem ter partido antes da frota principal.

— Ah, que diferença faz se eu falar bem ou mal? – prosseguiu Graham, sentindo que a luz que o iluminava se tornava mais forte. Tinha conseguido formular algumas sentenças vagas de caráter democrático, quando dúvidas repentinas o assolaram. A crença que tinha na qualidade heroica do chamado que faria esvaziou-se de convicção, substituída pela figura de uma vaidosa futilidade num tortuoso deserto de eventos incompreensíveis. De modo abrupto, tornou-se claro para ele que essa revolta contra Ostrog era prematura, fadada ao fracasso, não passando de um impulso de apaixonada insuficiência diante da inexorabilidade das coisas. Pensava no voo suave dos aeroplanos como uma investida do Destino contra ele. Como pudera ter visto as coisas a partir de outra perspectiva que não essa? Diante daquela emergência final, Graham deliberara furiosamente em seu foro íntimo, determinado a levar a cabo o que se propusera fazer. Mas agora não encontrava a palavra certa para começar. Enquanto permanecia parado, desconfortável, hesitante, com um indiscreto pedido de desculpas pela própria inabilidade tremendo em seus lábios, ouviu-se o ruído de gritos da multidão, de pés que corriam de um lado para o outro. "Espere!", alguém gritou ao abrir a porta. Graham virou-se e as luzes enfraqueceram-se.

Através da porta aberta, surgiu uma delicada figura feminina. O coração de Graham saltou. Era Helen Wotton. O homem de amarelo saiu do abrigo das sombras próximas para o círculo de luz.

— Essa é a garota que nos contou a respeito dos planos de Ostrog – ele disse.

Ela aproximou-se silenciosa e permaneceu parada, como se não quisesse interromper a eloquência de Graham... Mas as dúvidas e os questionamentos que o assolavam desapareceram na presença dela. Lembrou-se das palavras que pretendia dizer. Encarou as câmeras de novo e a luz central tornou-se novamente mais forte. Voltou-se para Helen.

— Você me ajudou – disse desajeitadamente –, me ajudou muito... Tudo isso é tão difícil.

Fez uma pausa. Agora deveria se dirigir às multidões invisíveis através daqueles grotescos olhos negros. Iniciou o discurso falando lentamente.

— Homens e mulheres da nova era – começou –, vocês se levantaram para lutar por toda a espécie humana...! Embora não haja vitória fácil à frente.

Parou para ajustar o fluxo de palavras. Ansiava apaixonadamente proferir um discurso que fosse de fato comovente.

— Esta noite é um começo – continuou. — A batalha que se aproxima, que se precipita sobre nós esta noite, é apenas um começo. Talvez a luta dure por toda a nossa existência. Não reconsiderem, ainda que eu seja derrotado, ainda que eu seja completamente destituído. Creio que eu possa ser destituído.

O que tinha em mente era vago demais para adquirir a forma de um discurso ordenado. Fez uma breve pausa e irrompeu em advertências vagas, e então foi acometido por um ímpeto de articulação. Muito do que tinha para dizer não era nada além do lugar-comum humanitário de uma era extinta, mas a convicção que marcava sua voz dotava sua fala de vitalidade. Colocara em questão o passado para as pessoas de uma nova era, para a garota ao seu lado.

— Eu vim do passado – disse –, com a memória de um tempo no qual havia esperança. O meu tempo foi um tempo de sonhos, de começos, um tempo de nobres esperanças. Por todo o mundo, extinguimos a escravidão. Por todo o mundo, espalhamos o desejo e a expectativa de que as guerras acabassem, de que homens e mulheres pudessem viver de forma digna, com liberdade e paz... Assim esperávamos nos dias que agora ficaram para trás. E o que foi feito dessas esperanças? O que foi feito do homem depois de duzentos anos?

— Cidades gigantescas, vastos poderes, uma grandeza coletiva que ultrapassa os nossos mais fantásticos sonhos. Não foi por isso que lutávamos, mas foi o que obtivemos. E o que foi feito das pequenas vidas necessárias para essa grandeza coletiva? O que foi feito do homem comum? Como sempre foi feito: sofrimento e trabalho, existências mutiladas e incompletas, vidas seduzidas pelo poder, seduzidas pela riqueza, acabadas no desperdício e no desvario. As velhas crenças desapareceram ou mudaram, e a nova fé... Haverá alguma nova fé?

— Caridade e misericórdia – gaguejou –, beleza e amor pelas coisas belas, esforço e devoção! Deem o melhor de si, pois eu farei o mesmo, assim como Cristo fez na cruz. Não importa se não conseguem compreender tudo. Não importa se parece que a queda está logo adiante. No fundo de seu coração, vocês *creem*, vocês *acreditam*. Não há promessas ou segurança, nada garantido além da fé. Não há nada além da fé, fé que é coragem...

Viu-se acreditando em coisas nas quais ele havia muito tempo desejava acreditar. Falava em um fluxo complicado, com sentenças quebradas e incompletas, mas com todo o coração e a vontade, com essa nova fé que o dominava. Falou de grandeza e abnegação, da crença na imortalidade do ser humano, da liberdade em viver e ir para onde quiser. Sua voz ora ascendia, ora se tornava quase inaudível. Os dispositivos de gravação zuniam conforme o discurso prosseguia, criados permaneciam na penumbra assistindo a tudo...

A sensação desse espectador silencioso ali, tão próximo, sustentava a sinceridade de sua fala. Por alguns poucos e gloriosos instantes, sentiu-se transportado: não duvidava mais de suas qualidades heroicas ou da virtude heroica de seu discurso. Isso parecia claro como o dia. Sua eloquência não era mais deficitária. Por fim, sentiu ser necessário fornecer um desfecho ao que dizia.

— Aqui e agora – gritou –, deixo o meu testamento. Tudo o que existe no mundo, e que é meu, eu lego aos povos do mundo. Tudo o que existe de minha propriedade no mundo eu lego aos povos do mundo. A todos vocês. Estou doando minhas propriedades a vocês, e estou doando a mim mesmo a vocês. E, se Deus quiser, esta noite viverei ou morrerei por vocês.

O discurso terminou aí. Pressentia que a luz da exaltação final se refletia no rosto da garota que estava ali, tão próxima. Os olhos dos dois encontraram-se. Os dela nadavam em lágrimas de entusiasmo.

— Eu sabia – ela sussurrou. — Ó, Pai do Mundo, *meu amo*! Tinha certeza de que diria essas coisas...

— Disse o que pude – respondeu sem convicção, e por um momento segurou as mãos que ela lhe estendera.

XXIV.
ENQUANTO
OS AEROPLANOS
SE APROXIMAVAM[1]

O homem de amarelo estava ao lado deles. Nenhum dos dois percebera sua chegada. O sujeito dizia que os líderes locais do sudoeste estavam marchando.

— Não esperava que isso acontecesse tão depressa – gritou. — Fizeram maravilhas por lá. O senhor deve dizer algumas palavras de incentivo para ajudá-los na marcha para a batalha.

Graham encarou-o com a mente em órbita. Com um leve sobressalto, voltou às preocupações usuais com as plataformas aéreas.

— Sim – disse Graham. — Que bom, que ótimo – considerou uma breve mensagem. — Diga a eles: "Parabéns, sudoeste".

Voltou os olhos para Helen Wotton novamente. O rosto dele expressava uma luta entre ideias contraditórias.

— Nós precisamos capturar as plataformas aéreas – explicou. — Se não o fizermos, os negros desembarcarão. A todo custo, devemos evitar isso.

Graham sentia, enquanto as palavras saíam de sua boca, que não era bem aquilo que tinha em mente antes da interrupção. Percebeu um toque de surpresa nos olhos dela. Helen começaria a falar se uma estridente campainha não tivesse abafado sua voz.

Ocorreu a Graham que ela esperava que ele liderasse o povo em marcha, que isso era o certo a fazer. Lançou essa proposta de modo

---

1 Estes capítulos foram escritos quinze anos antes de qualquer voo e onze antes do voo do primeiro aeroplano. [Nota do autor]

repentino. Falou com o homem de amarelo, mas na verdade dirigiu-se a ela. Percebeu a reação em seu rosto.

— Não estou sendo útil aqui – disse Graham.

— É impossível – protestou o homem de amarelo. — Trata-se de uma batalha em intrincadas redes subterrâneas. Seu lugar é aqui.

Ele forneceu uma explicação elaborada. Indicou a sala onde Graham deveria permanecer aguardando, insistindo em que nenhuma outra opção seria viável.

— Nós precisamos saber exatamente onde o senhor está – ele disse –, pois a qualquer momento uma crise pode exigir sua presença e uma tomada de decisão.

Uma imagem surgiu na mente de Graham: uma vasta e dramática batalha, como as massas nas ruínas sugeriam. Mas não havia um campo de batalha espetacular, como ele imaginara. Em vez disso, isolamento – e suspense. Foi apenas no fim da tarde que ele conseguiu organizar as informações a respeito da batalha que se desenrolava, inaudível e invisível, a 4 milhas de onde estava, nos subterrâneos abaixo da plataforma de voo de Roehampton. Tratava-se de contenda sem precedentes, uma batalha fracionada em outra centena de milhares, um emaranhado de caminhos e túneis, uma luta distante do céu e do ar livre, iluminada apenas pelo brilho elétrico, travada por uma vasta confusão de massas humanas sem treinamento militar, conduzida essencialmente por gritos de entusiasmo. Multidões que ainda ressentiam o entorpecimento do trabalho alienado e a debilidade causada pela tradição de dois séculos mergulhadas na segurança da servidão combatiam aglomerados de existências desmoralizadas que se desenvolveram em meio ao privilégio venal e ao deleite sensual. Não dispunham de artilharia ou de diferenciação entre as tropas; a única arma que havia em qualquer um dos dois lados eram as pequenas carabinas de metal verde, cuja manufatura e distribuição em enormes quantidades foram os trunfos secretos de Ostrog em seu movimento culminante contra o Conselho. Poucos tinham tido qualquer experiência com essa arma, muitos nunca haviam antes manuseado algo parecido e não raro acontecia de essa soldadesca portar uma arma descarregada; nunca na história da guerra houve tão selvagem troca de tiros. Era uma batalha de amadores, uma guerra experimental hedionda, desordeiros armados que enfrentavam outros desordeiros armados, impulsionados pelas palavras e pela fúria de uma canção, pela marcha solidária de suas fileiras, que se derramavam em incontáveis miríades pelos caminhos menores, os elevadores desativados, as galerias escorregadias de sangue, as salas e passagens preenchidas de fumaça sufocante bem abaixo das plataformas aéreas, logo aprendendo os antigos mistérios da guerra quando se viam na impossibilidade de recuar. Na superfície, com exceção de alguns atiradores com boa pontaria nos telhados e da fumaça e do vapor que se multiplicavam conforme a noite surgia, o dia estava claro e sereno. Ostrog parecia não dispor de bombas, e desde o início do conflito as máquinas voadoras estiveram neutras. Não havia nem uma nuvem sequer para obliterar o brilho vazio do céu. Era quase como se o firmamento aguardasse os aeroplanos que estavam a caminho para preencher tal vazio.

De vez em quando, aliás, apareciam notícias dos aeroplanos que se aproximavam. De uma cidade espanhola para outra, depois a partir da França. Mas ainda não havia novidades a respeito das novas armas que Ostrog construíra ou de sua localização na cidade, a despeito dos pedidos de urgência da parte de Graham, tampouco alguma informação sobre êxitos nas apinhadas tramas de batalha que se desenrolavam nas plataformas aéreas. Todos os setores das sociedades laborais, um após o outro, anunciavam prontidão, marchavam e logo desapareciam no labirinto da guerra. O que estaria acontecendo, afinal de contas? Mesmo os ocupadíssimos líderes locais não sabiam. Apesar do contínuo abrir e fechar das portas, dos céleres mensageiros, do soar de sinos e do perpétuo clique-claque dos mecanismos de gravação, Graham sentia-se isolado, estranhamente inativo, inoperante.

Esse isolamento, às vezes, parecia-lhe a coisa mais estranha, mais inesperada que já havia lhe acontecido desde o seu despertar. Possuía algo da inatividade que sentimos ao sonhar. Primeiro um tumulto, depois a estupenda compreensão de que o mundo mergulhara em uma luta entre ele próprio e Ostrog, e agora o confinamento em uma pequena e silenciosa sala, com todos esses porta-vozes, campainhas e espelhos quebrados!

A porta era fechada, deixando Graham e Helen sozinhos. Pareciam agora tão separados de toda a incrível tempestade que assolava o mundo ao redor deles, vivamente cientes um do outro, apenas preocupados um com o outro. Logo a porta se abria novamente, mensageiros entravam e saíam, ou a aguda campainha apunhalava a recém-conquistada privacidade, que parecia uma janela em uma casa iluminada pelo sol subitamente arrastada por um furacão. A confusão sombria e o tumulto, a tensão e a veemência da batalha que se desenrolava pressionavam e sobrecarregavam ambos. Não eram mais indivíduos, mas sim espectadores, meras impressões de uma tremenda convulsão. Tornaram-se irreais para si mesmos, personalidades miniaturizadas, indescritivelmente pequenos, e as duas realidades antagônicas, as únicas realidades que havia eram primeiro a cidade, que zunia e rosnava ferozmente em frenesi, e depois os aeroplanos, que planavam inexoravelmente naquela direção vindos de um canto remoto do mundo.

De repente, uma agitação tomou conta do lado externo da sala. Correria, pessoas que iam e vinham. Gritos. A garota ficou em pé, muda, incrédula.

Vozes metálicas gritavam: "Vitória!". Sim, esse era o grito. "Vitória!"

Como um raio através das cortinas, o homem de amarelo surgiu trêmulo e desalinhado pela exaltação.

— Vitória – gritou. — Vitória! O povo saiu vitorioso. As defesas de Ostrog foram aniquiladas.

A garota animou-se.

— Vitória?

— O que você quer dizer? – perguntou Graham. — Diga-me! O *quê?*

— Nós os empurramos para fora das galerias inferiores de Norwood. Streatham está em chamas e queima furiosamente. E Roehampton é nossa. *Nossa!* Tomamos também o monoplano que estava lá.

Uma campainha aguda soou. Um sujeito agitado de cabelos grisalhos apareceu vindo da sala dos líderes locais.

— Está tudo acabado – gritou.

— O que importa agora que temos Roehampton? Os aeroplanos foram avistados em Boulogne!

— No Canal da Mancha! – disse o homem de amarelo. Calculou rapidamente: — Temos meia hora.

— Eles ainda possuem três plataformas aéreas – disse o grisalho.

— E as armas? – Graham perguntou aos gritos.

— Nós não conseguiremos montá-las em meia hora.

— Você quer dizer que elas foram encontradas?

— Tarde demais – disse o velho.

— Se pudéssemos pará-los por mais uma hora! – lamentou o homem de amarelo.

— Nada pode detê-los agora – replicou o grisalho. — Eles têm perto de cem aeroplanos só na primeira frota.

— Mais uma hora? – questionou Graham.

— Estávamos tão perto! – comentou o líder local. — Agora que encontramos essas armas. Estávamos bem perto mesmo... se pudéssemos colocá-las do lado de fora, nos telhados da cidade.

— Quanto tempo isso levaria? – Graham perguntou subitamente.

— Uma hora, com certeza.

— Tarde demais – choramingou o líder local –, tarde demais.

— Será *mesmo* tarde demais? – questionou Graham. — Uma hora, a contar desde já...

Repentinamente percebeu uma possibilidade. Tentou falar com calma, mas seu rosto estava pálido.

— Há uma chance. Você disse que temos um monoplano...?

— Na plataforma de Roehampton, meu amo.

— Destruído?

— Não. Está deslocado em relação ao trilho de lançamento. Mas pode ser facilmente recolocado. Contudo, não há aeronauta...

Graham olhou para os dois homens e depois para Helen. Falou após uma longa pausa.

— *Nós* não temos aeronautas?

— Nenhum.

Voltou-se para Helen. Sua decisão estava tomada.

— Tenho de fazer isso.

— Fazer o quê?

— Ir até a plataforma de voo, até essa máquina voadora.

— Como assim?

— Eu sou um aeronauta. Afinal de contas... Todos aqueles dias de estudo pelos quais você me criticou não foram de todo inúteis.

Voltou-se para o homem de amarelo.

— Diga para colocarem o monoplano no trilho de lançamento.

O homem de amarelo hesitou.

— O que você pretende fazer? – gritou Helen.

— Esse monoplano... é a nossa chance...

— Não quer dizer que vai...?

— Lutar, sim. Lutar no ar. Já havia refletido antes... Um grande aeroplano é bem pouco manobrável. Mas um homem resoluto...

— Mas... desde que começamos a voar, nós nunca... – contestou o homem de amarelo.

— Talvez porque não tenha sido necessário. Mas agora chegou o momento. Diga a eles imediatamente, mande minha mensagem, para colocarem o monoplano no trilho. Agora vejo que ainda há alguma coisa a fazer. Agora vejo por que estou aqui!

O grisalho interrogou silenciosamente o homem de amarelo, meneou a cabeça e saiu em disparada.

Helen deu um passo em direção a Graham, o rosto lívido.

— Mas, meu amo... Como poderá lutar? O senhor será morto.

— Talvez. Mas deixar de tentar, ou permitir que outro o faça...

— O senhor será morto – ela repetiu.

— Dei a minha palavra. Você não entende? Talvez seja possível... salvar Londres!

Graham parou de falar. Não podia dizer mais nada. Afastou as alternativas com um gesto. Agora olhavam atentamente um para o outro.

Não houve nenhum ato de ternura entre eles, nenhum abraço, nenhuma palavra de despedida. A simples menção a algum tipo de manifestação pessoal de amor estava fora de cogitação dadas as tremendas exigências de sua posição. O rosto de Helen expressava maravilhamento e aceitação. Com um pequeno movimento de mãos, ela o encaminhou a seu destino.

Graham voltou-se para o homem de amarelo.

— Estou pronto – disse.

XXV.
A CHEGADA DOS AEROPLANOS

Dois homens trajando azul-claro permaneciam na linha irregular que se prolongava pela beirada da recentemente capturada plataforma de voo de Roehampton, de ponta a ponta, agarrados às suas carabinas e observando ameaçadoramente as sombras de uma outra plataforma, chamada Wimbledon Park. De vez em quando, trocavam algumas palavras. Falavam o inglês mutilado típico de sua classe social e da época. O fogo feito pelos *ostroguitas* diminuíra e cessara, poucos inimigos tinham sido vistos havia algum tempo. Mas os ecos da luta, que prosseguia muito abaixo, nas galerias subterrâneas daquela plataforma, surgiam frequentemente na forma de tiros em *staccato* vindos do lado do povo. Um desses homens contava ao outro que tinha visto um sujeito ali embaixo esquivando-se atrás de uma viga, mirara ao acaso e acertara o infeliz quando ele tentou uma fuga muito arriscada.

— Ele ainda está lá embaixo – disse o atirador. — Vê aquela pequena mancha? Sim. Entre as barras.

Algumas jardas atrás deles jazia um indivíduo morto, o rosto voltado para o céu, com o tecido azul de sua jaqueta desfeito em um círculo onde a bala certeira lhe atravessara o peito. Próximo ao corpo estava sentado um ferido com a perna enfaixada e cuja expressão vazia contemplava os avanços do incêndio. Atrás deles, atravessado, estava o monoplano capturado.

— Não consigo vê-lo *agora* – disse o segundo guarda em tom de provocação.

O atirador ficou furioso e elevou a voz, que se enchia de imprecações, em sua ávida tentativa de fazer-se claro. Mas repentinamente, interrompendo a discussão, surgiu o som de vozerio e gritos da plataforma intermediária.

— O que se passa agora? – disse o atirador, levantando-se um pouco para acompanhar as cabeças que surgiam na trilha central da plataforma de voo. Muitas figuras de azul apareceram, fervilhando no local.

— Não precisamos de todos esses idiotas – disse o amigo. — Só servem para ocupar espaço e nos fazer desperdiçar tiros. O que eles querem?

— Shhh! Estão gritando alguma coisa.

Os dois homens escutaram. Os recém-chegados formaram uma multidão compacta ao redor da máquina aérea. Três líderes locais, fáceis de identificar pelo manto negro e pelas divisas, escalaram o corpo do aparato e apareceram em cima dele. O restante do pessoal ocupou diversos pontos espalhados por ali, equilibrando-se nas beiradas, até que todo o contorno da coisa estava tomado de gente, em algumas áreas por uma massa triplamente densa. Um dos atiradores ajoelhou-se.

— Eles estão colocando a máquina no trilho. É isso o que querem fazer.

Ele e o amigo ficaram de pé.

— Mas e daí? – disse o amigo. — Não temos aeronautas.

— É isso que eles estão fazendo, de qualquer forma – observou seu rifle, observou a massa de gente trabalhando, então de repente se voltou para o homem ferido. — Cuide disso aqui, colega – disse, estendendo a carabina e a cartucheira. Em questão de segundos, corria na direção do monoplano. Por uns quinze minutos arrastou, empurrou, gritou e seguiu gritos alheios, até que o negócio estivesse terminado. Permaneceu junto da multidão, que saudava o próprio feito. A essa altura ele já sabia o mesmo que todos na cidade: o Mestre, embora inexperiente, pretendia voar sozinho naquela máquina. Chegava, naquele momento, para sentar-se no controle do aeroplano, não permitiria que outrem se arriscasse a pilotá-lo.

“Aquele que assume o maior de todos os riscos, aquele que carrega o mais pesado de todos os fardos – aquele homem é o Rei.” Assim se acreditava que o Mestre falara. No momento em que o atirador dava vivas, enquanto as gotas de suor se perseguiam na desordem do seu cabelo, ele ouviu muito bem o trovejar do grande tumulto, as batidas precisas da canção revolucionária. Viu, por uma brecha no meio da massa, que um fluxo de cabeças ainda atravessava o topo da escadaria. “O Mestre está chegando”, gritaram muitas vozes, “o Mestre está chegando”. A multidão adensou-se mais e mais. O atirador começou a empurrar quem estava adiante, tentando avançar até os trilhos centrais. "O Mestre está chegando!", "O Dorminhoco, o Mestre!", "Deus e o Mestre!", rugiam as vozes.

E de repente, bem perto do atirador, apareceram os uniformes negros da guarda revolucionária, e pela primeira e última vez em toda a sua vida ele conseguiu ver Graham, e muito de perto. Era um homem alto e moreno, em vestes negras esvoaçantes, com um rosto pálido, resoluto, os olhos fixos à sua frente; um homem que não tinha olhos, ouvidos ou pensamento para o que estava ao redor...

Durante todos os seus dias, aquele homem se lembraria continuamente do rosto exangue de Graham. Logo o rosto se foi, e o atirador lutava em meio à multidão. Um sujeito que parecia dominado pelo terror foi empurrado na direção dele, pressionando rumo às escadarias aos gritos de "Abram espaço para a decolagem, seus tolos!". A campainha que solicitava espaço para a decolagem tornou-se um altíssimo e pouco melodioso sino, soando continuamente.

Com esse ruído ressoando em seus ouvidos, Graham aproximou-se do monoplano, marchou até a sombra da asa inclinada. Percebeu que certo número de pessoas ao redor estava se oferecendo para acompanhá-lo, mas recusou todas as ofertas. Estava preocupado em descobrir como ligar o motor. O sino bateu mais e mais depressa, e as passadas das muitas pessoas em retirada tornaram-se mais ruidosas e rápidas. O homem de amarelo ajudou Graham a se colocar no meio das costelas da máquina. Subiu até o lugar do aeronauta, ocupando o assento cuidadosa e atentamente. O que acontecera? O homem de amarelo apontava para duas pequenas máquinas voadoras que se deslocavam no céu, ao sul. Não havia dúvidas de que estavam procurando os aeroplanos que chegavam. E, naquele momento, a única coisa a fazer era zarpar. Muitos gritos foram lançados para ele: perguntas, advertências. Todos ali o aborreciam. Ele concentrava-se na máquina, tentando recordar cada item de sua experiência anterior. Afastou as pessoas em volta com um aceno, viu que o homem de amarelo descia das costelas da máquina e que a multidão recuava até a linha de vigas, obedecendo-lhe.

Por um breve momento, ficou imóvel, contemplando as alavancas, o volante utilizado para regular o motor e todos os delicados dispositivos que tão pouco conhecia. Então seus olhos viram a pequena bolha de nível no amplo painel de controle e isso trouxe algo à sua memória. Gastou doze segundos para virar a máquina até que a bolha de nível ficasse flutuando no centro do tubo. Percebeu que as pessoas já não gritavam, uma vez que estavam cientes de sua deliberação. Uma bala ricocheteou na haste acima de sua cabeça. Quem teria disparado? Estaria a pista desobstruída? Levantou-se para ver, mas logo se sentou novamente.

Em um segundo, o propulsor estava girando e Graham seguia o trilho de lançamento. Segurou o volante com força e puxou o mecanismo para trás para erguer a alavanca ligada à quilha. Agora sim o povo gritava. Tudo palpitava com a vibração do motor e os gritos diminuíram até desaparecer. O vento soprava nos cantos da tela de proteção, o mundo distanciava-se muito rapidamente.

Tum, tum, tum – tum, tum, tum, e lá ia Graham subindo. Julgou-se livre de toda excitação, sentiu-se frio e determinado. Levantou ainda mais a quilha, abriu uma válvula na asa esquerda e planou em um círculo ascendente. Olhou para baixo com a cabeça firme, depois para cima. Um dos monoplanos *ostroguitas* estava se dirigindo para cruzar seu curso, obrigando-o a guiar a máquina obliquamente para passar sob o adversário em ângulo fechado. Os pequenos aeronautas espreitavam Graham lá de cima. O que eles pretendiam fazer? Sua mente estimulou-se. Um dos adversários segurava uma arma que já estava apontada e pronta para disparar. O que esperavam que ele fizesse? Compreendeu instantaneamente as táticas empregadas e tomou uma resolução. A letargia momentânea que o dominara havia passado. Abriu mais duas válvulas à esquerda, girou o volante, embicou com a máquina aérea hostil, fechou as válvulas e disparou na direção do adversário, protegendo-se dos disparos atrás da quilha e do para-brisa. Os adversários viraram um pouco, como se quisessem ultrapassá-lo. Empinou então sua quilha.

Tum, tum, tum – pausa – tum, tum. Graham cerrou os dentes, o rosto contorcido em uma careta involuntária. Então o impacto! Ele acertou o inimigo! Em cheio, na extremidade superior de uma das asas.

Lentamente, a asa do antagonista, que pareceu abrir-se com o ímpeto do golpe, virou para cima. Graham viu a envergadura da asa e depois deslizou em altitude mais baixa, fora do alcance da aeronave danificada.

Sentiu que a quilha estava descendo rapidamente e suas mãos apertaram as alavancas com mais força, girando e batendo, para que o motor voltasse a responder. Veio o solavanco, o nariz da máquina voltou-se para cima abruptamente. Por algum tempo, ficou como que deitado de costas. A máquina sacolejava e cambaleava, parecia dançar em torno de seu eixo. Graham fez um esforço prodigioso, colocou todo o seu peso sobre as alavancas. Lentamente, o motor voltou ao andamento normal. Estava em um percurso ascendente, mas não mais tão acentuado. Arfou antes de se atracar novamente com as alavancas. O vento assobiava ao redor. Depois de um esforço suplementar, já estava quase alcançando o nível de estabilidade. Pôde respirar de novo. Virou-se pela primeira vez para ver o que acontecera com seus antagonistas. Voltou para as alavancas por um instante e olhou de novo. Acreditou por um momento que eles tinham sido aniquilados. Foi então que viu, entre as duas plataformas aéreas a leste, uma brecha atravessada por alguma coisa, uma aresta apertada que desceu rapidamente antes de desaparecer como uma moeda de 6 pence ao se perder em uma fenda.

Não entendeu, de início, o que via. Quando a compreensão chegou, uma alegria selvagem apossou-se de Graham. Gritou a plenos pulmões, um grito inarticulado, enquanto elevava cada vez mais sua altitude. Tum, tum, tum – pausa – tum, tum, tum. "Onde é que está o outro?", pensou. "Ele também..." Enquanto rastreava os céus ao redor, teve um súbita onda de medo ao imaginar que a segunda máquina pudesse vir de cima. Foi quando viu o adversário, que pousava na plataforma de Norwood. Talvez tivesse a intenção de atirar contra Graham. Arriscar uma colisão em cheio e cair de borco a 2 mil pés de altura era inconcebível aos olhos da coragem dos aeronautas contemporâneos...

Por um breve período, circulou para depois arremeter em uma descida íngreme em direção às plataformas a oeste. Tum tum tum, tum tum tum. O crepúsculo avançava rapidamente, a fumaça vinda da plataforma de Streatham era tão densa e escura que se transformava em um pilar de fogo. Todas as curvas trabalhadas das vias móveis e os telhados translúcidos, os domos e os abismos entre os edifícios agora brilhavam suavemente, iluminados pelo equilibrado esplendor da luz elétrica, que fora até então superada pelo brilho mais intenso do sol. As três eficientes plataformas que os *ostroguitas* mantinham – uma vez que Wimbledon Park era inútil por estar na linha de tiro de Roehampton, e Streatham era uma fornalha – brilhavam com luzes-guia para receber os aeroplanos que chegavam. Quando voou sobre a plataforma de Roehampton, pôde ver a massa de gente densa e negra que estava por ali. Chegou a ouvir as palmas de uma frenética saudação e também uma bala zunindo perto, vinda da plataforma de Wimbledon Park, que atingiu as ruínas em Surrey, logo abaixo dele.

Sentiu uma lufada de vento vinda do sudoeste e levantou a asa a oeste, como aprendera a fazer, ascendendo velozmente na direção dos céus superiores. Brrr, brrr, brrr.

Ele subia, mais e mais para o alto, com esse ritmo pulsado, até que a paisagem abaixo dele se tornou azul e indistinta, e Londres se esparramou como um pequeno mapa traçado na luz ou a maquete em miniatura de uma cidade, perto do limite do horizonte. A sudoeste, o céu era uma safira que pendia acima da sombria orla do mundo. Sempre que ascendia, a multidão de estrelas aumentava.

Mas eis que ao sul, em altitude mais baixa e com luminosidade crescente em aproximação, surgiram duas manchas de luz nebulosa. Depois mais duas, e logo o brilho de formas móveis velozes. Logo já era possível contá-las. Eram 24. A primeira frota de aeroplanos chegara! Mais além, surgiu um brilho ainda maior e mais intenso.

Deu a volta em semicírculo, contemplando o avanço da frota. Ela voava em formação semelhante a uma cunha, um voo triangular de gigantescas peças fosforescentes que se deslocavam próximas e baixas. Graham fez alguns cálculos rápidos de velocidade e girou o pequeno volante que impulsionava o motor. Tocou uma das alavancas, e o palpitante esforço do motor cessou. Começou a cair, cair rapidamente. Mirava a ponta da cunha. Despencava como uma pedra, cortando ruidosamente o ar. Entre esse instante de sobrevoo e o momento em que atingiu o avião mais avançado, parecia não ter transcorrido nem um segundo.

Nenhum homem de toda aquela multidão de negros poderia adivinhar seu destino, nenhum entre eles sonhava que um bólide os atingiria do alto, vindo dos céus. Aqueles que não estavam nocauteados, sofrendo as agonias do enjoo aéreo, espichavam o pescoço para tentar ver algo da cidade ainda velada que surgia em meio à neblina, a rica e esplêndida cidade para a qual o "Patrão Ostrog" havia conduzido seus músculos obedientes. Seus dentes claros brilhavam, seus rostos lustrosos luziam. Conheciam as histórias de Paris. Compreendiam que estavam prestes a se regalar como senhores da pobre escória branca.

Subitamente, Graham os atingiu.

O alvo inicial era o corpo do aeroplano, mas no último instante uma ideia melhor brilhou do nada em sua mente. Fez uma leve inclinação e acertou um ponto próximo ao limite da asa a estibordo, com todo o seu peso somado à gravidade e à velocidade. Foi jogado para trás com o impacto.

Sua proa deslizou suavemente em direção à extremidade. Sentiu a enorme estrutura avançar arrastando seu monoplano e, por um instante que pareceu uma eternidade, não conseguiu precisar o que exatamente estava acontecendo. Ouviu mil gargantas gritando e percebeu que sua máquina balançava suspensa na ponta do gigantesco flutuador, arrastando-o consigo mais e mais para baixo. Olhou por sobre seu ombro e viu que a espinha dorsal do aeroplano, bem como o objeto antagonista, se envergava. Através das costelas de seu aparato, pôde ver assentos que deslizavam, olhos esgazeados, mãos que seguravam em desespero as hastes centrais, que se inclinavam. As fenestrações do flutuador mais remoto tornaram-se claras conforme o aeronauta tentava estabilizá-lo. Do outro lado, foi possível ver um segundo aeroplano elevando-se abruptamente para escapar do turbilhão provocado pelo seu companheiro, que se curvava. A ampla área de asas oscilantes parecia fornecer algum empuxo para o alto. Agora, aparentemente, Graham caía de verdade e a monstruosa estrutura do aeroplano, que, não havia dúvidas, emborcara, surgiu como uma muralha inclinada sobre ele.

Não entendeu com clareza que tinha atingido o flutuador lateral do aeroplano e escorregou, mas percebeu que voava livre agora, deslizando para baixo e rapidamente se aproximando da terra. Que raios ele tinha feito? Seu coração pulsava como um motor barulhento na garganta, e por um perigoso instante não conseguiu mover as alavancas por causa da paralisia de suas mãos. Puxou-as com força para fazer o motor voltar a funcionar, lutou por dois segundos contra aquelas travadas, sentiu que estava endireitando, dirigindo na horizontal, e pôs o motor para funcionar de novo.

Olhou para cima e viu dois aeroplanos planando em elevada altitude e o corpo principal da frota abrindo-se velozmente para cima e para baixo. O aeroplano que acertara desabou, atingindo o solo como a gigantesca lâmina de uma faca quase em cima de um dos moinhos de vento.

Abaixou a popa e contemplou novamente a situação. Guiava sua máquina aérea sem se importar com sua direção enquanto observava. Viu o colapso das pás de hélices, a enorme estrutura atingir o solo, os eixos das estruturas das asas esmagados com o peso da queda, toda aquela massa virada de cabeça para baixo e destroçada diante das rotações do moinho. Em seguida, em meio aos destroços, surgiu uma fina língua de fogo branco que consumiu o firmamento. Graham percebeu que havia uma enorme massa voando pelo ar em sua direção e virou seu monoplano rapidamente para

251   XXV. A CHEGADA DOS AEROPLANOS

cima, evitando na última hora a carga – se é que era uma carga – de um segundo aeroplano. Passou bem próximo e seu empuxo ameaçou arrastá-lo para a destruição, quase fazendo-o adernar com uma rajada de vento.

Havia mais três vindo rapidamente na direção de Graham, que percebera a urgente necessidade de abatê-los de cima. Os aeroplanos o cercavam em círculos desesperados para evitá-lo, ou assim parecia. Passaram por ele acima, abaixo, a leste e a oeste. Mais longe, na direção oeste, ouviu-se o som de uma colisão, e logo duas chamas caíam. Em um ponto mais distante ao sul, um segundo esquadrão aproximava-se. Com firmeza, Graham ascendeu. Naquele momento, todos os aeroplanos estavam abaixo dele, mas não tinha certeza de que aquela fosse uma altitude adequada para seus planos, de modo que não tentou nova arremetida imediatamente. Logo escolheu uma segunda vítima e toda a bagagem de soldados que o malfadado aeroplano levava pôde ver sua chegada. A enorme máquina sacolejou para o alto e oscilou com sua carga humana, que, enlouquecida pelo medo, buscava suas armas na popa. Uma porção de balas zuniu no ar e o atingiu, deixando sua peculiar forma de estrela no grosso para-brisa de vidro que o protegia. O aeroplano desacelerou e perdeu altitude, manobra usada para frustrar a arremetida de seu adversário. Mas perdeu altitude demais. No momento exato, Graham percebeu a aproximação das hélices do moinho de vento no monte Bromley e contornou sua máquina em trajetória ascendente, conforme o aeroplano que ele perseguira se destroçava entre eles. Todas as vozes em seu interior urdiram uma trama de lamentos. Por um segundo, a enorme estrutura da máquina aérea aparentou estar parada de borco no ar entre as pás da hélice do moinho de vento, e então se fez em pedaços. Estilhaços maiores espalharam-se pelo ar e o motor explodiu como um petardo de artilharia. Uma onda de fogo incandescente espalhou-se pelo céu escuro.

— *Dois*! – ele gritou, enquanto uma bomba vinda do alto explodia próxima. Mas logo Graham estava ganhando altitude novamente. Uma exaltação gloriosa apossava-se dele, agora que mergulhava em atividade febril. Suas dúvidas e questionamentos a respeito da humanidade e de sua inadequação se foram para sempre. Era um homem no meio de uma batalha, em júbilo com seu poder. Os aeroplanos agora pareciam irradiar-se a partir dele para todos os lados, com a intenção expressa de evitá-lo; os gritos dos amontoados humanos que levavam faziam-se ouvir em breves rajadas, conforme passavam por ele. Escolheu um terceiro alvo, arremeteu velozmente, mas só conseguiu desviá-lo de lado. Este conseguira escapar da arremetida, mas não do alto penhasco que era a muralha de Londres, contra a qual se chocou. Afastando-se do local de impacto, Graham viu o solo escurecido pela noite tão próximo que pôde discernir um coelho assustado subindo uma encosta. Fez uma curva acentuada para cima e logo estava voando ao sul de Londres, com o céu límpido ao redor. À sua direita, o tumulto selvagem dos foguetes de sinalização lançados pelos *ostroguitas* perturbava a tranquilidade dos céus. Ao sul, havia destroços de uma meia dúzia de aeronaves em chamas. A leste, oeste e norte, eles voavam à frente dele. Afastavam-se a leste e a norte e também ao sul, uma vez que não podiam permanecer parados no ar. Na confusão em que a frota se encontrava, qualquer tentativa de avanço significaria uma série desastrosa de colisões.

Ele passou cerca de 200 pés acima da plataforma de voo de Roehampton. Estava tomada de pessoas e barulhenta com a gritaria frenética que produziam. Mas qual o motivo de Wimbledon Park também estar tomada de gente gritando? A fumaça e as chamas de Streatham agora encobriam as três plataformas posteriores. Depois de fazer uma curva, pôde vê-las e também os quarteirões ao norte. O que primeiro identificou foram as massas retangulares de Shooter's Hill, que surgiam por detrás da fumaça, iluminadas adequadamente, com um aeroplano que conseguiu pousar e desembarcar seus negros. Depois Blackheath e ainda, no canto, a plataforma de Norwood. Em Blackheath, nenhum aeroplano fora capaz de pousar. Norwood estava coberta por um enxame de pequenas figuras que corriam para lá e para cá em uma confusão ardente. Por quê? Compreendeu tudo num átimo. A obstinada resistência nas plataformas aéreas terminara, e o povo estava fluindo das passagens subterrâneas para essas últimas fortalezas do usurpador Ostrog. Dos limites da cidade ao norte surgiu, pleno de uma glória fundamental para Graham, um som, um sinal, uma nota de triunfo, o choque metálico de uma arma. Abriu os lábios, a face perturbada pela emoção.

Suspirou demoradamente.

— Eles venceram! – gritou para o céu vazio. — O povo venceu! – o som de uma segunda arma veio como que em resposta. Viu então o monoplano que estava em Blackheath ser recolocado em seu trilho de lançamento, o que aconteceu tranquilamente. A aeronave disparou pelo ar, na direção sul, afastando-se da máquina de Graham.

Em um instante, percebeu o significado daquilo. Era provavelmente o meio de fuga de Ostrog. Aos gritos, partiu na direção dela. Alcançou o limite da aceleração em seu movimento ascendente, empreendendo agora uma descida que alcançava uma velocidade enorme. A outra máquina elevou-se abruptamente diante da aproximação de Graham. Com a velocidade que alcançara, arremeteu diretamente contra o outro monoplano.

De repente, o adversário tornou-se apenas uma borda plana, e eis que Graham passou pelo monoplano antagonista e conduziu sua máquina de borco, ainda com a força excedente daquela arremetida inútil.

Estava furioso. Reduziu as rotações do motor ao longo do eixo e continuou em voo circular para cima. Viu que a máquina de Ostrog adotara uma trajetória espiral diante dele. Graham disparou em linha reta na direção do adversário utilizando a vantagem da velocidade que atingira antes e do peso de apenas uma pessoa em seu monoplano. Arremeteu novamente – e errou uma segunda vez! Ao ultrapassar o outro monoplano, pôde ver o rosto do aeronauta, confiante e frio, e o de Ostrog, dominado por uma vacilante determinação. Ostrog estava olhando firmemente para longe – ao sul. Graham percebeu, com um lampejo de ira, quão atrapalhada devia estar parecendo sua pilotagem. Abaixo, viu os morros de Croydon. Ganhou altitude e mais uma vez superou o adversário.

O que viu por sobre o ombro atraiu sua atenção. A plataforma que ficava a leste, a de Shooter's Hill, elevou-se, e rapidamente apareceu, após um clarão, a forma elevada, cinzenta, de uma figura encoberta por fumaça e poeira. Fez uma curva para o alto. Por um momento, a figura encoberta permaneceu imóvel, soltando imensas massas de metal de seus ombros, mas logo a densa cabeça de fumaça desvaneceu. O povo tinha mandado tudo pelos ares, o aeroplano e tudo o mais! Um segundo clarão apareceu na plataforma de Norwood, bem como a forma cinzenta. Enquanto Graham observava tudo isso, os efeitos posteriores às explosões atingiram seu monoplano na forma de ondas de choque. Foi arremessado para cima e para os lados.

Por um momento, seu monoplano despencou quase de cabeça para baixo, com o nariz apontado para o solo, e parecia hesitar em retomar seu curso. Graham permaneceu colado ao para-brisa, agarrado ao volante que balançava sobre sua cabeça. E então o choque de uma segunda explosão jogou-o de lado.

Percebeu que escalava uma das costelas da máquina e que o vento soprava por ele e *acima* dele. Parecia ter se mantido imóvel no ar, contra o vento. Mas o mundo abaixo dele estava girando – mais e mais veloz. Ocorreu-lhe que estava em queda livre. Logo teve certeza de que estava caindo. Não podia nem olhar para baixo.

Graham flagrou-se recapitulando, com notável presteza, tudo o que ocorrera desde o seu despertar: os dias de dúvida, os dias de imperador e, finalmente, os dias tumultuados com a descoberta da traição calculada de Ostrog.

Essas visões apresentavam um toque de completa irrealidade. Quem era ele? Por que se segurava de forma tão desesperada? Por que não conseguia simplesmente se soltar? Incontáveis sonhos haviam terminado com quedas como essa. Mas mais um momento e ele despertaria...

Seus pensamentos corriam mais e mais depressa. Imaginou se conseguiria encontrar Helen novamente. Parecia tão pouco razoável que não pudesse vê-la mais uma vez.

Embora não conseguisse olhar para baixo, pressentiu subitamente que a terra que rodopiava abaixo dele estava cada vez mais próxima.

Veio o choque e ouviu-se um ruidoso estalar e ranger de barras e hastes.

FRAGMENTOS E PRESSÁGIOS DO FUTURO

ALCEBÍADES DINIZ

O destino pode ser algo estranho, não? Você pode viver simples e sossegadamente, pronto a erguer as mãos para saudar o novo dia impunemente, como os personagens dos cartazes publicitários, ou pode permanecer sentado, sozinho, uma noite inteira de condenado à morte, pensando, ruminando, filosofando até a chegada do Dia do Juízo Final, esperando que a mão esquelética agarre seu ombro.

Jonathan Wood, *The New Fate*

Em 1910, um ilustrador francês relativamente obscuro, de nome Villemard, criou uma série de postais com imagens de como ele imaginava o mundo dali a noventa anos, no ano 2000. Nelas, multiplicam-se máquinas voadoras, instrumentos para conveniência de lares e indivíduos em plena *belle époque*, além de novas e espantosas geringonças para anular distâncias e aproximar essa humanidade quase alienígena aos olhos de reais cidadãos do século XXI. A impressão geral é de cômico surrealismo, embora algumas delas guardem algo de profundamente perturbador. Na ilustração *À l'école* (Na escola), apesar de retratar uma sala de aula que não parece nada "futurista", chama atenção o equipamento estranho que o professor e seu jovem assistente manipulam: mescla de máquina de moer carne e aparato transmissor equipado com fios de conexão. O mestre joga alguns livros dentro da bocarra devoradora da máquina enquanto o assistente, girando uma manivela, os tritura para que os alunos, sentados passivamente com seus eletrodos na cabeça, recebam seu conteúdo *processado*.

Certamente há muito de humorístico nessa estranha visão de futuro. Contudo, é inegável que a suave e colorida ilustração possui algo de terrivelmente alucinatório, como um pesadelo – jovens passivos absorvendo aquilo que poderíamos chamar literalmente de *ideias feitas*, ao modo de Gustave Flaubert. Por outro lado, a imagem parece uma reminiscência da célebre gravura do espanhol Francisco de Goya, *Los chinchillas*, na qual um indivíduo (humano?) com pronunciadas orelhas de asno alimenta à força sujeitos com cadeados nas orelhas, em estado de aparente catatonia. Ao observarmos o comportamento das novas gerações diante de seus aparatos portáteis de comunicação, não poderíamos dizer que havia algo de profético nos tipos de Goya e na estranha máquina de Villemard?

Esse tipo de imagem remete ao panorama traçado pelo escritor britânico Herbert George Wells desde a última década do século XIX. Curiosamente, uma das obras mais lidas e influentes de Wells não foi um romance, mas um vertiginoso tratado de história universal, *The Outline of History* (1919), que vendeu mais de 2 milhões de exemplares na época. Wells é considerado um dos fundadores da ficção científica, título que ele próprio dificilmente aceitaria sem alguma colocação sarcástica. Pois a ficção que produzia, em que pese a retomada obsessiva de questões relacionadas ao universo tecnológico e científico, é muito mais imaginativa, irônica (muitas vezes furiosamente cômica) e ferozmente política.

Wells, discípulo de Edgar Allan Poe, Jonathan Swift, Thomas Henry Huxley e Voltaire, busca imaginar a pior calamidade possível com certa elegância clássica, projetando nela algo de candente e humano. De Poe e Mary Shelley, Wells soube tirar o máximo proveito do pensamento selvagem da especulação, que projeta possibilidades a partir de universos que só existiriam no sonho ou no delírio mas que, a despeito de tudo, *poderiam ser* o nosso prosaico universo cotidiano. Por isso, as tramas de Wells, apesar de tudo, possuem uma carga profética imensa e, assim lidas, receberam tanto críticas avassaladoras quanto elogios rasgados. Por outro lado, o autor britânico, que cultuava com tanto ardor a objetividade, nunca negou a conexão do que fazia com o sonho transfigurador e premonitório, terror e bênção que pendiam sobre a cabeça dos profetas ao longo da história.

Herbert George Wells nasceu no dia 21 de setembro de 1866, em Bromley, Kent, hoje distrito de Londres. Era filho caçula – o quarto – do casal

Joseph Wells e Sarah Neal. Joseph era um trabalhador sem especialização que assumia múltiplas e diversas ocupações – um sujeito típico dos subúrbios londrinos na era vitoriana. Sarah era empregada doméstica em casas abastadas. Após a tentativa fracassada de estabelecer um pequeno comércio local, a família obtinha certa renda com as atividades esportivas de Joseph, jogador de críquete de razoável talento. Mas a carreira foi encerrada prematuramente, em 1877, por causa de uma fratura. Além dos problemas financeiros, Joseph e Sarah viviam um casamento turbulento, marcado por visões de mundo divergentes – Joseph assumia-se livre-pensador enquanto Sarah defendia a fé protestante –, que acabou terminando.

Nesse contexto, "Bertie" (H. G. Wells tinha o mesmo apelido do protagonista de *A Guerra no Ar*) aproveitava todas as oportunidades para ler o que lhe caísse nas mãos, apesar da formação escolar precária. Com 14 anos, a situação econômica da família obrigou-o a entrar no mercado de trabalho, como aprendiz no ramo de venda de tecidos. Nas novelas *The Wheels of Chance* (1896) e *Kipps* (1905), Wells retrata pormenorizadamente o cotidiano dos aprendizes de negociantes, sistematicamente explorados enquanto recebem sua "formação". Foi ainda assistente de professores e médicos, também na função de aprendiz, até que, em 1883, foi contemplado com uma bolsa na Normal School of Science, na qual se dedicou ao estudo da biologia.

Talvez seja possível imaginá-lo tendo aulas com Thomas Henry Huxley – o avô de Aldous Huxley –, um dos mais destacados biólogos seguidores de Darwin na época. Experimentava o sabor de novas descobertas em meio ao tormento das limitações econômicas. Como Christopher Marlowe – dramaturgo elisabetano, contemporâneo de Shakespeare –, Wells provavelmente carregou o estigma do aluno bolsista. E, como no caso do dramaturgo, essa condição inspirou-o e alimentou nele intensa cólera contra sua condição suburbana e contra a sociedade. Deixou a faculdade sem concluir os estudos, começou a dar aulas e foi morar com a família de uma tia, Mary, onde conheceu a prima Isabel – sua primeira esposa. Corria a última década do século XIX – em 1895, seria publicada sua primeira grande narrativa, *A máquina do tempo*. Foi quando abandonou a carreira docente e passou a se dedicar totalmente à literatura.

Seu sucesso como escritor seria notável: traduzido para diversas línguas, chegou a vender milhões de exemplares. Mas as privações de comida e dinheiro nos anos difíceis o marcaram definitivamente – em suas memórias, *Experiment in Autobiography. Discoveries and Conclusions of* a *Very Ordinary Brain* (1934), essas questões ganharam cobertura quase obsessiva, e a temática ainda reapareceu em muitos de seus livros posteriores. Em 1945, ao escrever seu testamento literário, o opúsculo *Mind at the End of Its Tether*, Wells descreve a aniquilação da mente humana por *esgotamento*, um processo agônico em tudo semelhante à inanição:

> No imenso cardume que constitui a existência e o movimento da massa, ainda há suprimento, para a baixa estação, de material costumeiro para um eventual comentário apreciativo, exultante, trágico, deprimente ou desprezível, a argamassa daquilo que compõe a arte e a literatura.

No dia 13 de agosto de 1946, Wells faleceria em sua residência, em Regent's Park, no centro de Londres.

O TEMPO COMO SONHO

Com menos de dez anos de carreira, Wells já acumulava obras de grande sucesso e de considerável impacto na paisagem do romance finissecular tanto da Inglaterra quanto da Europa – *A máquina do tempo* (1895), *A ilha do dr. Moreau* (1896), *O homem invisível* (1897) e *A guerra dos mundos* (1898). Se, por um lado, a série de sucessivos romances calcados na especulação filosófica e imaginativa da catástrofe futura garantiu a Wells seu espaço no painel literário da época, por outro, o autor inquieto buscava novas experiências literárias, a exemplo da novela de costumes *Love and Mr. Lewisham* (1899), na qual reconstrói, em chave realista, algo da experiência na Normal School of Science e do romance com a prima Isabel. O furor produtivo de Wells nos cinco anos finais da década de 1890 revelava a tensão entre as exigências do mercado editorial (que queria mais e mais do mesmo) e sua imaginação viva, sempre disposta a alçar novos voos.

É nesse contexto paradoxal que se insere *When the Sleeper Wakes*, obra publicada pela primeira vez de forma seriada, em 1899, no jornal ilustrado britânico *The Graphic*, e reeditada em 1910 como *The Sleeper Wakes* – versão usada como base para esta edição, cujo título optamos por traduzir apenas como *O Dorminhoco*.

A primeira versão, escrita simultaneamente a *Love and Mr. Levisham*, alcançou resultados lucrativos, mas insatisfatórios do ponto de vista narrativo para seu autor, que aproveitou a reedição para fazer expressivas correções, mais de dez anos depois. O livro apresenta certa continuidade temática em relação às quatro obras especulativas anteriores e ao menos duas imediatamente posteriores – *Os primeiros homens na Lua* (1904) e *O alimento dos deuses* (1904) –, algo como uma ponte entre a produção dos dois séculos. Mas esse diálogo não significa repetição temática: enquanto em *A máquina do tempo*, por exemplo, há um protagonista-testemunha que se desloca pelo tempo graças a uma geringonça tecnológica, em *O Dorminhoco* há uma subversão das convenções presentes na velha ideia da passagem para o futuro garantida pelo estado letárgico, que muitas vezes leva a uma mistura entre realidade vivida e realidade sonhada. Em *O Dorminhoco*, o aspecto alegórico da sociedade do futuro e seu cotidiano ganha relevo expressivo: tal viagem no tempo possibilita a elaboração de figuras, imagens e questões literárias – em geral, pelo uso sistemático da sátira e da ironia –, notadamente o sonho como possibilidade de interação com o futuro e mesmo certa reverberação das sagas arturianas.

O *Dorminhoco*, porém, não é apenas um romance de transição. No prefácio da edição de 1921 de *A Guerra no Ar* (1908), o autor agrupa esses dois livros, junto com *The World Set Free* (1914), no que ele denomina, com bastante acerto, "fantasias sobre possibilidades", ou seja, as obras "assumem algumas das possibilidades de desenvolvimento da humanidade em certos aspectos para trabalhá-las em direção às mais amplas consequências possíveis". Wells refinava sua perspectiva de projeção especulativa do futuro por meio da ideia de desenvolvimento histórico-filosófico de tecnologias, princípios morais e mecanismos sociais, levando-os até as últimas consequências destrutivas. Pela perspectiva de Wells, a forma de fantasiar a possibilidade futura teria nesses três romances seu desenvolvimento mais completo.

Os três romances foram escritos em épocas distintas – 1899, 1908 e 1914 –, mas todos se pautam pelo impacto social, político e antropológico das novas tecnologias na sociedade da *belle époque*, que rapidamente se encaminhava para um ajuste de contas sangrento com a Primeira Guerra Mundial (1914-1918). Já não se tratava de um ângulo limitado por um dispositivo narrativo – um cirurgião isolado em uma ilha mergulhado em sua obsessão, um cientista louco que se aloja em uma cidadezinha inglesa –, mas de uma perspectiva fantástica que se desenvolve de forma muito próxima da narrativa histórica. Não que essa possibilidade surgisse de repente e por acaso para Wells. *A guerra dos mundos*, por exemplo, em mais de um momento se aproxima dessa fórmula de *história do futuro*, notadamente no capítulo "O homem de Putney Hill", no qual um artilheiro sobrevivente da invasão traça para o protagonista os planos de uma nova e repulsiva sociedade nos esgotos. A diferença é que nos três "romances sobre possibilidades" o que lhe possibilita imaginar a catástrofe do futuro são as tecnologias humanas em estado de ebulição, o desenvolvimento concreto da ciência na época em que cada um deles foi escrito. Assim, *The World Set Free*, publicado no início da Primeira Guerra Mundial, aborda o desenvolvimento de um artefato para destruição em massa baseado na desintegração do átomo. Apenas em 1933, o físico Leó Szilárd – que teria lido o romance de Wells – concebeu a ideia da reação em cadeia de nêutrons, essencial para o uso da energia atômica em reatores e armas. O mesmo vale para o conflito imaginado em *A Guerra no Ar*, escrito numa época em que nem sequer o voo de aparatos mais pesados que o ar era razoavelmente bem-sucedido. E qual seria a fantasia especulativa de *O Dorminhoco*?

Apesar da presença dos aeroplanos, é a cidade futura, a imensa conurbação contemporânea – caótica, cacofônica, poluída, antinatural, inabitável –, a projeção especulativa que move a trama. A inflada Londres surge como um local ao mesmo tempo infernal e prodigioso aos olhos vitorianos do protagonista; tão dinâmica que até mesmo as calçadas se tornam móveis e oscilantes, a luz solar, obsoleta, e os edifícios, estátuas e fachadas se projetam vertiginosos como penhascos e montanhas, no lugar de uma natureza aniquilada. Como destaca Patrick Parrinder em texto introdutório ao romance (Penguin, 2005), trata-se da evocação de uma paisagem recorrente nas epopeias arturianas e nos romances de Thomas Hardy. Logo no início de *O Dorminhoco*, a paisagem romântica da natureza selvagem, com cachoeiras e penhascos que dão para o abismo batizado de Blackapit, materializa uma cena pitoresca em contraste com o pintor Isbister, que representa a degradada "paisagem" humana. A conduta ultrapassada e cavalheiresca do protagonista aprofunda a substituição da paisagem natural do mito arturiano pelo mundo artificial e grotesco da civilização técnica, com seu "Dono do Mundo" (uma ironia à noção de "Rei do Mundo" que rege a lenda arturiana). Como Artur, Graham terá de abandonar sua amada Edna, que ele cortejou de modo cavalheiresco, para lutar até a morte em defesa de seus "súditos". Assim, Wells não apenas dota a ideia da cidade tentacular de características massificadas, titânicas, futuristas, mas a transforma em *mito*, uma refabulação das epopeias medievais.

Nesse sentido, Ostrog é um vilão interessante, ainda que menos fascinante que outros no amplo panteão wellsiano, que inclui Moreau e Griffin (os cientistas malucos de *A ilha do dr. Moreau* e *O homem invisível*, respectivamente), que surge na trama primeiro como uma espécie de abstração sem corpo, para a qual conflui o qualificativo "Líder". Ostrog e seu irmão Lincoln – nomes de democratas genuínos empregados com evidente ironia, o cientista político Moisei Ostrogorski e o ex-presidente americano Abraham Lincoln – representam princípios ativos de uma mentalidade autoritária que nasce dentro da sociedade plutocrática, da qual a sociedade do futuro de *O Dorminhoco* é a quinta-essência. Ostrog é a encarnação quase estereotipada do princípio da liderança tirânica e surge, na construção ambígua realizada por Wells, como uma reação igualmente monstruosa ou eventualmente benéfica ao caos gerado pela democracia na concepção capitalista do fim do século XIX. O antagonista é cercado, outrossim, por densas e ambivalentes camadas de racismo, que envolvem a decisão de usar tropas vindas da África para reprimir os trabalhadores brancos europeus. Ostrog é guiado por uma visão de unificação global, um tipo específico de ilusão tirânica que se tornou irresistível com a modernidade dos meios de comunicação e de deslocamento, produzindo uma aproximação inédita dos povos. A crítica de Wells tem uma forte ressonância platônica – para Platão, a democracia vinha imediatamente antes da tirania – e atinge com mais força e ímpeto a sociedade vitoriana razoavelmente democrática e capitalista, o que retira de Ostrog a iniciativa: ele torna-se o produto de uma situação contextual complexa, como o tirano de Platão, resultado da desordem democrática. Wells retoma à sua maneira as propostas de *A república* (380 a.C.): do caos engendrado pela plutocracia e pela multiplicidade democrática emergem figuras tirânicas cuja vantagem inicial seria, justamente, certa vontade de retomada de uma ordem social necessária, ainda que discricionária e/ou violenta. De qualquer forma, a pretensão uniformizante de liderança ganharia novos tratamentos ao longo da carreira de Wells, com destaque para o líder fascista Lord Horatio Bohun e a estranha, carismática e ambígua figura do ditador Rud Whitlow, ambos personagens do romance *The Holy Terror* (1939).

É bem verdade que a cidade como um concentracionário universo artificial surgiu bem antes de Wells. Na série de gravuras *Carceri d'invenzione* (1745-1750), do italiano Giovanni Battista Piranesi, por exemplo, o espaço construído transforma-se em um labirinto sombrio de corredores, escadarias e elaborada construção arquitetônica sem saída. Tais imagens tiveram certo impacto no romantismo britânico e inspiraram a visão do mais puro terror de Thomas de Quincey, em seu relato *Confissões de um comedor de ópio* (1821), que pode ter influenciado Wells: "Ao esquadrinhar as paredes, percebe-se uma escada; e sobre ela, tateando seu caminho para cima, o próprio Piranesi". Já a cidade moderna era um tema recorrente da literatura pelo menos desde *O spleen de Paris* (1869), de Baudelaire, influenciado por visões perturbadoras que Edgar Allan Poe nutriu em contos como *O homem da multidão* (1840). Tal tema, aliás, continuava em moda no fim do século XIX, como demonstra a extraordinária coletânea de poemas sobre a cidade com seus tentáculos em forma de vias férreas, *Les villes tentaculaires* (1895), do poeta belga Émile Verhaeren. Mas a gigantesca perspectiva imaginada por Wells em *O Dorminhoco* trazia algo de inédito e de esmagador, revelando, de forma espantosamente visionária, a natureza paradoxal dessas armadilhas chamadas metrópoles modernas: refúgios do espírito humano ao menos desde a Baixa Idade Média, as cidades transformaram-se em gigantescas arenas – ou prisões – para perpétuos conflitos entre classes, raças, vontades. Logo o cinema de ficção científica se apropriaria do tema.

Com *Metropolis* (1927), de Fritz Lang, a cidade apocalíptica nos moldes da Londres imaginada por Wells recebeu seu tratamento visual definitivo. O escritor, contudo, nutria certo ressentimento em relação ao filme, como destaca o historiador e crítico de cinema Luiz Nazario no ensaio *A catástrofe da impontualidade*. Isso porque o romance no qual se baseou, escrito por Thea von Harbou, a própria roteirista, teria pilhado diversos elementos de *O Dorminhoco*, mas com expressivas mudanças ideológicas. Como destaca Nazario, em vez de recuperar de modo imaginativo e irônico a visão de mundo medieval, como fez Wells, a trama aplica à modernidade as soluções irracionais da Idade Média, que vão da queima da mulher mecânica, vista como *bruxa*, a cenas de orgias plutocráticas. Já o cineasta Luis Buñuel se referia ao filme como um estranho monstro duplicado, unido pela barriga: um, pedante e pseudorromântico, e o outro, profundamente visionário. Assim, a ideia original de Wells se perdeu, subsistindo em seu lugar a imagem da cidade futura de *Metropolis*.

É bem verdade que Wells sublinha de maneira cômica, no limite entre a caricatura e o *nonsense*, como o gigantismo da cidade propiciou mudanças bizarras – algumas necessárias, outras fruto de tremenda opressão – de comportamento e interação social, que vão do culto ao Dorminhoco à existência de babás mecânicas. O contraste patético de costumes e visões de mundo também seria o mote de Woody Allen no filme *O Dorminhoco* (1973), no qual o cineasta utilizou vários elementos wellsianos: a *high society* acéfala, o jogo de enganos entre máquinas e homens e, claro, o fato de o protagonista também permanecer adormecido por duzentos anos. A visão burlesca de Wells sobre a sociedade do futuro ganharia abordagem ainda mais radical em sua segunda "fantasia sobre possibilidades", *A Guerra no Ar*.

A GUERRA, MÃE DE TODAS AS COISAS

Uma posição consistente durante toda a longa e múltipla carreira literária de H. G. Wells foi a defesa do pacifismo. Participou de inúmeros manifestos contrários à escalada da violência e do irracionalismo na Europa das primeiras quatro décadas do século XX, período castigado por duas guerras mundiais, e denunciou algumas nuances da mentalidade militarista em ensaios, polêmicas e caricaturas que urdia em seus romances. O "cosmopolitismo liberal" (conceito cunhado pelo professor John Partington) de Wells, bem representado por obras como *The Way to World Peace* (1928) e *The Work, Wealth and Happiness of Mankind* (1931), via como possível caminho para a paz mundial a constituição de um governo global representativo, de coalizões amplas, acordos comerciais duradouros e respeito às questões relacionadas a fronteiras, embora com ampla discussão popular sobre a validade desses limites espaciais. Mas o pacifismo militante de Wells não implicava a rejeição ingênua da guerra, dos meandros da *Realpolitik*, da escalada armamentista, das confusas disputas entre os potentados ou o desprezo ao soldado e seu cotidiano. Ao contrário, ele tinha uma compreensão espantosa de estratégias, desenvolvimentos tecnológicos e planos de ataque/defesa que acabaram, de fato, implementados em diferentes conflitos na Europa e no mundo – o que assegurou a Wells o estatuto de profeta do século XX. O tanque de guerra aparece em um conto do autor de 1903, *The Land Ironclads*, embora os marcianos de *A guerra dos mundos* já fizessem uso desse tipo de artefato. Um exemplo ainda mais paradigmático: em 2002, certos documentos militares da Alemanha – datados a partir de 1898 e armazenados em Freiburg – de caráter ultrassecreto vieram à luz. Neles, havia um plano detalhado de destruição da hegemonia dos Estados Unidos nas Américas, incluindo o bloqueio e a invasão de cidades como Nova York e Boston e a possibilidade de uso intenso da artilharia em Manhattan. Ora, o elemento-chave detonador de *A Guerra no Ar* – a tentativa de invasão da cidade de Nova York por um príncipe militarista alemão – assemelha-se à estratégia relatada no documento escrito nove anos antes da publicação do romance. Assim, em 1908, Wells percebeu como a guerra moderna deslizava daquilo que a definia até o século XIX – o conflito entre exércitos para a tomada de posições-chave, com vistas à obtenção de um resultado definitivo, vitória ou derrota – para conflitos descentrados e de impossível solução prática, em sentido militar ou diplomático.

Em *A Guerra no Ar*, o cenário desdobra-se em um curioso efeito de perspectiva: do local e limitado, onde Bert Smallways reina soberano, ao amplo e global, no qual um narrador-testemunha anônimo se apresenta, reflexivo e raciocinante. Tal cenário se expande em alguns momentos e se encurta em outros para acompanhar, em detalhes, o colapso da civilização e da humanidade.

O protagonista, Bert, não é apenas uma caricatura grotesca, embora também o seja: ele sobrevive a todas as catástrofes apesar da visão obtusa que o impulsiona, mas que não o impede de ver a guerra como *ela de fato é*, como assinala a única conclusão possível ao romance: "Não devia nem ter começado".

De fato, Wells desenvolve em *A Guerra no Ar* uma estrutura satírica que antecipa a comédia física do primeiro cinema, plena de quiproquós, enganos e conflitos que o protagonista supera aos trancos e barrancos. Um exemplo esclarecedor é o destino de Bert: de modo ironicamente adequado, Wells retoma a epopeia homérica – da mesma forma que faz com o ciclo arturiano em *O Dorminhoco* –, transformando o protagonista no mais improvável Odisseu possível.

No artigo *Modern Novels*, escrito para o *The Times Literary Supplement* em 1919, Virginia Woolf desfecharia o primeiro ataque mais sistemático à obra wellsiana. Apesar de criticar também outros romancistas ingleses célebres na época, seria Wells, segundo a autora, que "falharia de maneira mais completa", o exemplo mais acabado de prosador "materialista". Woolf diferencia a prosa materialista de Wells e de seus companheiros daquela cultivada por ela mesma e por autores como James Joyce, que coloca em um campo mais "espiritualista". Enquanto os materialistas capturam a realidade de uma forma sólida, vulgarmente naturalista, os espiritualistas trabalham elementos menos óbvios do real e mesmo da tradição literária. A divisão proposta por Woolf exilaria Wells da ficção modernista (como os espiritualistas seriam conhecidos posteriormente) e de "bom gosto" e o colocaria a serviço do apetite das massas ignorantes, para a difusão de preceitos didáticos mais ou menos relacionados à paz mundial e ao campo da "curiosidade científica". Henry James, velho inimigo de Wells, concordaria com essa perspectiva, já que considerava seu estilo excessivamente utilitário e vulgar, o mais puro filistinismo.

É bem verdade que Wells aparava bem esses ataques: certa vez, comparou o edifício ficcional de Henry James, nutrido de uma robusta visão *l'art pour l'art*, a uma igreja vazia na qual "cada foco de luz e linha de visão estava centralizado em um altar santíssimo. E nesse altar, em local de extrema reverência, intensamente revelados, estavam um gato morto, uma casca de ovo e um pouco de corda".

Também sua visão política, refúgio final de Wells, acabou alvo de um escrutínio tão ou mais impiedoso. Autores como George Orwell e Anthony Burgess ridicularizariam sua crença em um Estado mundial e seu desprezo pela religião e pelos nacionalismos políticos. Mesmo o estranho socialismo com toques platônicos que sustentava a visão de mundo wellsiana, dispensado como excêntrico por Orwell, acabaria sendo considerado uma atrocidade. John Carey, no ensaio de seu livro *Os intelectuais e as massas*, dedicado a H. G. Wells, o colocaria no campo dos elitistas intelectuais ingleses que, seguidores de Ortega y Gasset e de outros pensadores que se debruçaram sobre o fenômeno moderno da massificação, planejam exterminar, ao menos ficcionalmente, largas parcelas de uma população "supérflua". Assim, o horror que o autor demonstra com a concretização de sua visão ficcional seria apenas fingimento ou alguma contradição quase inconsciente que o "salvaria" de se tornar, em termos políticos e também estéticos, um Filippo Tommaso Marinetti, um Ernst Jünger ou qualquer outro destacado representante da *intelligentsia* fascista, autoritária, guerreira.

VESTÍGIOS

As avaliações devastadoras feitas contra a obra wellsiana – do ponto de vista estético, político ou de ambos – em geral poupam o "primeiro Wells" (romances de 1895 a 1900). Por outro lado, repetindo o que aconteceu com Edgar Allan Poe nos Estados Unidos, foi fora da Inglaterra que sua obra teve a recepção mais calorosa. Na Argentina, autores como Jorge Luis Borges e Adolfo Bioy Casares veriam em Wells um autor fascinante que continuamente trafegava entre o romanesco e o biográfico. No Leste Europeu, da

União Soviética à Tchecoslováquia, o estilo wellsiano de atacar as mazelas políticas com ironia equilibrada, mas direta, seria louvado. Wells modelaria o imaginário de autores heréticos e perseguidos pelos poderes políticos de sua época, como Karel Čapek ou Yevgeny Zamyatin, cujo romance futurista *Nós* (1924), inspirado em *O Dorminhoco*, serviria de modelo para boa parte das distopias posteriores, escritas por Ayn Rand, Aldous Huxley e pelo próprio George Orwell. Zamyatin, aliás, escreveria um artigo elogioso a respeito de Wells, em que destacaria que as obras wellsianas são escritas "por um homem que parece já viveu a experiência de nosso tempo".

O aspecto profético da obra de Wells ainda a dota de carisma e interesse. Autores mais jovens trabalham a dualidade apocalíptica de modo retrospectivo, lendo Wells ao contrário e projetando fantasias destrutivas no passado já saturado de aniquilamento. É o caso de autores jovens, alguns oriundos do universo das HQs, como Warren Ellis ou Alan Moore, cujas obras fundamentais refletem certa inspiração wellsiana. Ou John Howard, que escreveu uma espécie de elegia ao universo de *A Guerra no Ar*: a novela *Twilight of the Airships*.

As qualidades da obra de Wells eram fruto tanto da sua extraordinária sensibilidade aos ventos e tempestades que varriam a sociedade em que vivia quanto de um gosto pela *impermanência*, ainda que as utopias que descrevesse na produção panfletária e polêmica fossem modelos fechados de "harmonia universal". A impermanência persistia notadamente em sua ficção. Assim, o final de *O Dorminhoco* é aberto, uma vez que o novo rei Artur acaba morto em combate contra seu Mordred. Também não sabemos o que acontece com Bert Smallways em *A Guerra no Ar* – além de que seu destino final, como o de todos nós, é a aniquilação –, nem como a sociedade um dia sairá do caos e da miséria. Alguns dos contemporâneos e precursores de Wells – como Robert Louis Stevenson e Jack London –, movidos por inquietações semelhantes, optaram por uma impermanência material e física, expressa em aventuras e viagens. Nosso Bertie era antes o adepto de uma espécie de nomadismo teórico e filosófico, uma busca pelo outro que nunca se fixa, horizonte em fuga que moveu aquilo que Wells produziu de melhor.

Aí está o motivo essencial para a leitura e a redescoberta de romances como *O Dorminhoco* e *A Guerra no Ar*: a garantia do prazer na leitura e a possibilidade de reflexão a respeito do caos que nos cerca, sufocante, como na virada do século XIX para o XX.

TRADUÇÃO E POSFÁCIO
ALCEBÍADES DINIZ

É professor, tradutor, pesquisador e escritor, formado em linguística pela Universidade de São Paulo (USP), com mestrado, doutorado e pós-doutorado na Universidade Estadual de Campinas (Unicamp). Suas pesquisas se concentram no estudo de narrativas literárias, sobretudo as de natureza fantástica.

ILUSTRAÇÕES
LOUISA GAGLIARDI

Nasceu na Suíça em 1989 e formou-se em design gráfico na École Cantonale d'Art de Lausanne (ECAL) em 2012. Ilustradora, exibiu recentemente seus trabalhos na LUMA Foundation, em Zurique; na Tomorrow Gallery, em Nova York; e na König Galerie, em Berlim. Vive e trabalha em Zurique.

© EDITORA CARAMBAIA, 2017

TÍTULO ORIGINAL	THE SLEEPER AWAKES [LONDRES, 1910]
DIREÇÃO EDITORIAL	FABIANO CURI
EDIÇÃO	GRAZIELLA BETING
ASSISTENTE	ANA LÍGIA MARTINS
TRADUÇÃO	ALCEBÍADES DINIZ
PREPARAÇÃO	VANESSA GONÇALVES E FÁBIO BONILLO
REVISÃO	RICARDO JENSEN DE OLIVEIRA E TAMARA SENDER
PROJETO GRÁFICO	ESTÚDIO CAMPO PAULA TINOCO E RODERICO SOUZA ASSISTÊNCIA CATERINA BLOISE
ILUSTRAÇÕES	LOUISA GAGLIARDI
PRODUÇÃO GRÁFICA	LILIA GÓES E TONINHO AMORIM

EDITORA CARAMBAIA

RUA AMÉRICO BRASILIENSE,
1.923, CJ. 1502
SÃO PAULO SP

CONTATO@CARAMBAIA.COM.BR

WWW.CARAMBAIA.COM.BR

CIP-BRASIL
CATALOGAÇÃO NA PUBLICAÇÃO
SINDICATO NACIONAL DOS EDITORES
DE LIVROS, RJ

W481D

WELLS, H. G., 1866-1946
O DORMINHOCO / H. G. WELLS ;
TRADUÇÃO ALCEBÍADES DINIZ. – 1. ED.
– SÃO PAULO : CARAMBAIA, 2017.
272 P. : IL. ; 21 CM. (CAIXA H. G. WELLS)

TRADUÇÃO DE: THE SLEEPER AWAKES
POSFÁCIO

ISBN 9788569002277

1. FICÇÃO INGLESA. I. DINIZ, ALCEBÍADES.
II. TÍTULO. III. SÉRIE.

17-44296 CDD: 823
CDU: 821.111-3

O projeto gráfico da Caixa H. G. Wells procura contextualizar graficamente o universo singular e icônico do autor, com um olhar contemporâneo sobre sua obra.

As ilustrações internas foram feitas pela artista suíça Louisa Gagliardi. Seu trabalho, com características bem digitais, feitos com uma única cor e uso intenso de gradientes reticulados, alude a um futurismo irônico e perturbador, um pouco surreal e obscuro, que pode se relacionar tanto com o universo imaginativo, tecnológico e científico do escritor como com suas concepções catastróficas e assustadoras sobre o futuro e a humanidade.

A caixa que acomoda os dois livros parte de referências a embalagens de suprimentos militares usados em zonas de guerra. Esse vocabulário visual, técnico e militarista, remete aos textos de Wells, que abordam o impacto social e político das descobertas tecnológicas na sociedade do início do século XX, que culminariam com a Primeira Guerra Mundial.

O texto foi composto nas fontes Neue Haas Grotesk, de autoria de Christian Schwartz e Max Miedinger, e Relative, de Stephen Gill. O livro foi impresso em papel Norbrite White 66,6 g/m², pela gráfica Ipsis, em setembro de 2017.

ESTE EXEMPLAR É O DE NÚMERO

DE UMA TIRAGEM DE 1.000 CÓPIAS